MINHA FAMA DE MAU

ERASMO CARLOS

OBJETIVA

MINHA FA

IA DE MAU

ERASMO CARLOS

DIREITO DE NASCER

O último capítulo da novela

Direito de Nascer estava prestes a começar e eu aguardava ansioso. Mas naquele 13 de agosto de 1965 não tinha o menor interesse em saber como terminaria a trama de Albertinho Limonta, Maria Helena, mamãe Dolores e Isabel Cristina.

A Isabel que interessava estava ali ao meu lado, na entrada do edifício onde ela morava. Às 21h30, quando soaram os primeiros acordes de *Amor Eterno*, tema de abertura do folhetim, ela me olhou com seu habitual jeito sacana. Como vínhamos fazendo havia alguns meses, sempre no mesmo horário, seguimos para as escadas do prédio. Todo mundo via a novela, inclusive os pais dela, e os corredores ficavam vazios. O Brasil parava. Não se ouvia um pio.

Nas escadas, porém, a vida seguia. Isabel era uma gracinha tijucana de rosto redondo e cabelos compridos, baixinha e boa demais. E, o melhor, entregava cheia de desejo aquele corpinho para mim, fechando os olhos e respondendo às minhas carícias.

E eu me perguntava: "Será que ela gosta do artista ou do homem?" Não sei. Me sentia completamente à vontade como Erasmo Carlos, nome bem mais forte e capaz de traduzir minha personalidade que o Erasmo Esteves de batismo. Tinha certeza disso ao ouvi-lo tantas vezes nas rádios, graças ao sucesso de minhas músicas.

Na verdade, não me preocupava saber qual Erasmo Isabel queria. Porque fosse qual fosse, ele estava ali, grudado nela e procurando não fazer barulho.

Na minha cabeça, não havia silêncio: o Brasil inteiro cantava *Festa de Arromba* e o amor de Isabel acompanhava. Eu vivia no paraíso. A vida sorria para o menino da Tijuca.

O bonde 51, que passava a

cada meia hora, concedia certo status à minha rua frente às suas vizinhas do bairro da Tijuca. No mais, a rua do Matoso era um típico cenário da Zona

Norte carioca. Tinha de tudo lá: um posto de saúde com um entra e sai constante de ambulâncias que davam carona aos moradores; um templo batista também frequentado pelos garotos católicos (afinal, havia meninas lá); casarões decadentes que viraram casas de cômodos, nas quais cada quarto era alugado para uma família; vilas com casas simples; pensões; mansões com direito a zoológico particular; hotel; fortaleza de jogo do bicho; pequenas indústrias de fundo de quintal; e um comércio variado, que incluía também os ambulantes, como o comprador de garrafas, o amolador de facas e a "vaca leiteira" (pequeno carro-pipa que vendia leite nas esquinas). Era uma babel de comportamentos, com gente de todos os tipos.

Na periferia existiam malucos de várias periculosidades, convivendo em harmonia com pessoas pacatas e gentis. Todos sabiam dos segredos de todos e se frequentavam. Brigavam entre si para, no final, fazerem as pazes bebendo democraticamente no mesmo bar. De vez em quando, acontecia um escandalozinho — como um adultério, que fazia a festa dos faladeiros de plantão — ou alguma confusão, quase sempre originária de discordâncias entre torcedores do Vasco e do Flamengo.

Às vezes, acho que a ingenuidade e o romantismo da época amenizavam um pouco a dureza de nosso cotidiano. Eram tempos difíceis, mas o Sol brilhava sempre, mesmo quando encoberto por nuvens de incerteza. Nascido no dia 5 de junho de 1941, morei ali até os 15 anos. Fui crescendo com meus amigos no olho desse furacão, num lugar que era um pedaço do Brasil daquele período. Seria, portanto, compreensível que minha geração "chutasse o pau da barraca" no futuro.

Nos tempos da Matoso,

nem no melhor dos sonhos eu imaginaria estar ali, em 1965, deleitando-me com Isabel e curtindo, em meus delírios, a sensação maravilhosa de ouvir multidões cantando *Festa de Arromba* em uníssono.

Sexo e sucesso. Naquele momento, senti que o moleque Erasmo Esteves tinha, sim, realizado o desejo juvenil de ser um cantor do rock and roll — do qual Elvis era o modelo maior. A respiração de Isabel entrou no ritmo dos versos: "Hey, hey/ Que onda/ Que festa de arromba". Estrelas mudaram de lugar quando ela passou a mão vagarosamente nos meus cabelos.

Adolescente, eu queria ter

o cabelo como o de Elvis. Me esforçava bastante usando gumex (o avô de todos os géis), esticando meus fios com touca de meia e penteando meu cabelo ao contrário, mas jamais consegui que ele ficasse liso. Meu próprio suor ou qualquer chuvinha o condenava a ser como antes, ondulado e rebelde. Até que surgiu a esperança, um papo sobre um alisamento que era tiro e queda. "Eu de cabelo liso? Tim Maia também? E mais Édson Trindade, Arlênio, Sabará, Pinto Nu, Marco Aurélio, todo mundo?"

Seria algum milagre? Era duro de acreditar, mas procurei me informar sobre a novidade, telefonando para o Tim:

— Bicho, como é esse negócio de alisar cabelo que andam falando por aí?

— É a Timbolina, Erasmo! — respondeu ele. — Um melado mágico que o Timbó inventou para alisar cabelo. Parece ser bom às pampas. Vâmu lá experimentar.

Timbó era um paulista, negro, já de uma certa idade, gay assumido e malandro cheio de ginga, que morava num quarto alugado no número 119 da rua. Fã ardoroso de Adoniran Barbosa e dos Demônios da Garoa, era impossível visitá-lo e não ouvir Iracema, Samba do Arnesto *e* Saudosa Maloca, *hits da sua vitrola.*

Ele era chegado ao candomblé e a dialetos africanos, usando expressões como "Juru do céu" (para designar olhos azuis), "Juru do mar" (olhos verdes) e "Juru da montanha" (olhos castanhos). Gente finíssima, ele nos dava conselhos e tinha uma amizade paternal por todos nós. Bebia cachaça com Coca-Cola e, depois do terceiro gole, começava a chorar com sauda-

des de São Paulo. Anos mais tarde, na música Turma da Tijuca, *que gravei em 1984, eu faria uma saudação a ele.*

No sábado à tarde, dia em que aplicaríamos a Timbolina, lá estava eu, no primeiro lugar da fila, já me imaginando de visual novo, com as meninas comentando: "Olha lá o Erasmo! O cabelo dele é igualzinho ao do Elvis."

Aos poucos, foram chegando mais "fregueses": Renato, Raul, Sérgio Maluco, Roberto Carlos, Zé Martins e o próprio Tim que, assim como eu, queriam usufruir daquele invento revolucionário, misterioso e alvissareiro. Fomos todos para a cozinha do casarão, onde fervia, numa lata sobre o fogão a lenha, uma substância preta que mais parecia um mingau de carvão. Timbó mexia com uma colher de pau e, entusiasmado, nos apresentava como sendo a tal da Timbolina. Fomos para o quintal levando a lata ainda fervendo para ser colocada na beirada do tanque, com o murinho ao lado servindo de banco durante o processo. O produto teria que ser aplicado quente. Timbó, com uma espátula, ia distribuindo cuidadosamente a miscelânea por nossas cabeças, ao mesmo tempo em que se gabava, dando vazão ao seu exótico, incompreensível e louco repertório de filosofias:

— O caboclo vai gostar, Jurupema mandou reencarnar na flor e puxar o céu para me cobrir. Timbó é mestre, ele faz a chuva e não se molha, mas Adoniran é nagô...

Em seguida, dava uma gargalhada debochada, se cuspindo todo, e emendava: "Saudosa maloca/ Maloca querida/ Din din donde nós passemo/ Os dias feliz de nossa vida."

O mingau me queimava, mas eu aguentava firme e ainda lembrava:

— Ô Timbó, não se esqueça das costeletas.

Passada a aplicação, vinha a etapa final, que exigia a espera de uma hora para que o processo de alisamento se completasse. Em seguida, a lavagem da cabeça com sabão fazia escoar uma espuma preta e malcheirosa pelo ralo do tanque. Pronto! Lá estava eu com o cabelo liso para chamar de meu.

Naquela noite, fomos a uma festa na casa do Amilton, no Grajaú, cheia de garotas lindas e moderninhas. Era engraçado o cacoete ridículo que instantaneamente adquirimos, de forçar a barra para que nosso topete desabasse a todo momento sobre os olhos. Em seguida, com um movimento brusco, o jogávamos para trás. Me lembro que, na volta, sentei de propósito ao lado da janela do ônibus, coloquei a cabeça para fora, e deixei que o vento desalinhasse minha alisadíssima cabeleira.

No dia seguinte, porém, ao abrir os olhos pela manhã, senti de imediato um desconforto. Alguma coisa estava errada. Minha cabeça parecia uma tempestade. Doía da nuca até a testa, latejando com chuva, vento, raios e trovões. Além disso, o desagradável odor cáustico da Timbolina no travesseiro me anestesiava. Passei a mão na cabeça e não gostei do que senti. Corri para o espelho e não gostei do que vi:

— Puta que pariu!

Meu couro cabeludo estava todo ferido, queimado pela agressão da alquimia preta que o maluco do Timbó me aplicara. Vi que era o momento de um recolhimento estratégico. Me entupi de Melhoral e pomada e fugi da vida social por uns tempos, enquanto testemunhava um outro problemão: conforme os dias passavam, meu cabelo foi ficando cor de cobre, o que me levou a cortá-lo bem baixinho, à la Príncipe Danilo (corte da época semelhante ao do volante Danilo, do Vasco). Na verdade, a milagrosa pasta era um tipo de Henê, feito da forma mais primitiva e perigosa possível, com ingredientes altamente invasivos e prejudiciais à saúde: amônia, formol, álcool, tinta... Uma fórmula corrosiva e daninha.

Assim como eu, muitos desistiram do tratamento capilar, mas Tim Maia continuou. Quando foi para os Estados Unidos, em 1959, era o que mais pedia nas cartas que me enviava:

"Erasmo, seu brasileiro de merda. Pelo amor de Deus, pare de tocar punheta e me mande Timboliiiiinaaaaaaaaa!"

A lembrança de Tim Maia

— sacana até em pensamento — não me trouxe sorte. Isabel e eu ouvimos um barulho e paramos assustados, prendendo a respiração.

Escutamos uma chave girando na fechadura e uma porta batendo: devia ser alguém atrasado para a novela. Passado o susto, consegui acalmar a belezura e retomar o amasso. Alisando as formas de Isabel, lembrei do meu velho violão de cravelhas de pau.

Tim Maia me ensinou três *acordes, com os quais dei meus primeiros passos. Eu treinava num violão dado por minha avó Maria Luiza, a primeira a apostar em meu talento.*

Foi nesse violão que ouvi tocar pela primeira vez, lá em casa, um cara do bairro de Lins de Vasconcelos, que eu tinha acabado de conhecer. Adorei vê-lo cantando aqueles rocks americanos no meu quarto.

Ele era um garoto que, como eu, amava Elvis — e poucos anos depois, como eu, viria a amar João Gilberto. O baiano de Chega de Saudade *me confirmou que havia algo na Bahia que fazia meu coração bater diferente, como eu já havia percebido com Dorival Caymmi. O João Valentão de sua música ("João Valentão é brigão/ .../ Mas tem seu momento na vida/ .../ É quando a morena se encolhe/ Se chega pro lado querendo agradar/ .../ E assim adormece esse homem/ Que nunca precisa dormir pra sonhar"), brigão e romântico, era eu.*

O nome do cara do Lins era Roberto Carlos.

Após a maratona de abraços e beijinhos e carinhos sem ter fim, Isabel, toda dengosa, pousou a cabeça no meu ombro. Saímos da escada e voltamos para a entrada do prédio. A novela estava acabando. *Festa de Arromba* parou de tocar na minha cabeça e então comecei a ouvir o barulho da chuva.

A chuva não atrapalhou o show que Carlos Imperial organizou em frente à TV Rio, em Copacabana, para badalar a ida de Rita Pavone à emissora, em 1963. A ideia era, no dia da apresentação da cantora na TV, reunir uma multidão na rua, parando a cidade e impressionando os jornais. Um evento dispensável, afinal a cantora-fenômeno já era mais que badalada por si só. Não se falava de outra coisa. No rádio, nas festinhas e nos bailes, seus sucessos Datemi un Martello *e* Cuore *tocavam mais que* Parabéns pra Você. *Seus clones se multiplicavam — cabelos curtos, botinhas, camisa branca de mangas compridas, calça preta e o indefectível suspensório.*

Mas, como a cúpula da TV Rio pediu que Imperial se virasse para fazer algo que chamasse mais a atenção para Rita, ele correu atrás. Eu estava de bobeira em minha casa na Tijuca quando o telefone tocou. Era ele, gritando:

— Figura, larga o que estiver fazendo e vem para a TV Rio agora! Telefona para quem você puder e manda todo mundo vir para cá para um grande show. Simonal e Marcos Moran já estão comigo.

Liguei para alguns amigos e saí a jato. Quando cheguei à emissora, logo ao saltar do táxi, já fui envolvido pela multidão. Imperial, nervoso, dava ordens aos berros, tentando organizar a bagunça. Aos poucos, os artistas foram chegando: Cleide Alves, Golden Boys, Trio Esperança, Roberto Rei (autor da História de um Homem Mau, *sucesso com Roberto Carlos), Amilton, Jerry Adriani, Wanderley Cardoso, Selmita, Maritza Fabiani, Tony Checker e Gerson Combo, entre outros.*

O cast foi se encorpando, a aparelhagem foi ligada, a câmera colocada num lugar estratégico e, exatamente às 18h, começou o show no palco armado em frente à TV Rio. Enquanto a apresentação rolava, as pessoas que passavam por ali paravam curiosas para ver o burburinho, sem a mínima noção do que se tratava — como tudo foi feito na pressa, não havia cartazes pela cidade ou anúncios nas rádios. Com o acúmulo de gente, o trânsito também parou e começou o buzinaço. Em pouco tempo, o Posto 6, em Copacabana, já abrigava uma multidão.

Como tudo foi improvisado e a transmissão era ao vivo, às vezes entravam os comerciais com alguém ainda cantando e, quando voltava a aparecer o palco, a música já tinha acabado.

Uma chuva fininha começou a cair, causando certa apreensão. Mas mesmo com a garoa e sem a presença de muitos artistas, que estavam fora do Rio ou não foram encontrados, Imperial se saía bem. Apresentava os que chegavam, entrevistava o povão e convocava as pessoas para imitar a dança característica da Rita.

Na minha hora de cantar, não fiz por menos e entrei todo pimpão quando a banda atacou Terror dos Namorados. *A emoção de quem está lançando uma música nova tomou conta de mim. Vibrava a cada compasso e a cada virada de bateria. Na parte da música em que a banda para, deixando soar os acordes para eu cantar "eu beijo, beijo, beijo, beijo, beijo, beijo, beijo, beijo, beijo...", o público foi à loucura, gritando sem parar. Confesso que me surpreendi com a reação e pensei comigo: "Caramba, estou agradando em cheio. O povo está gostando! Vou dar mais de mim."*

E dei. A visão dos pingos da chuva caindo sobre o facho de luz dos refletores, em contraste com o escuro do céu, tornava aquela demonstração de carinho emocionante para um iniciante como eu. A galera continuou pulando e me ovacionando cada vez mais. Agora também de braços erguidos, me saudando calorosamente.

De repente, caí do meu deslumbramento e despertei daquele sonho. Notei que os olhares, os aplausos e os acenos não eram para mim. E sim para alguém que estava no terraço da emissora. Virei meu pescoço num gesto brusco, olhei para o alto e vi, cercada pelo seu staff, a figura mignon de Rita Pavone, sorrindo e mandando beijinhos para a multidão ensandecida.

Anos mais tarde, já famoso, a encontrei num show de Jorge Ben numa boate em São Paulo. Brinquei com ela:

— Você lembra de mim naquele show de 1963, na porta da TV no Rio de Janeiro?

Após sua negativa, respondi:

— Eu era um pingo da chuva que molhou você.

No caminho para casa,

apesar do frescor da pele de Isabel, temi pelo fim do namoro. Afinal, nove dias depois daquela noite, estrearia em São Paulo o programa *Jovem Guarda*.

capítulo 1

QUE TURMA MAIS MALUCA

AQUELA TURMA DA TIJUCA

o início

Rua da Tijuca da década de 40, palco da infância de Erasmo.

Com 10 anos, na rua Professor Gabizo, a caminho do baile carnavalesco do America Football Club: "Odiei essa fantasia de índio. Como era emprestada, não podia sentar, pois quebraria as penas."

PROFESSOR GABIZO, 108

Minha infância e início da adolescência foram passados na rua do Matoso – primeiro no número 113, e depois no 102 (Vila Matoso), na casa 21. Mas quando penso naqueles meus anos de Tijuca, o primeiro cenário que costuma vir à minha mente é a casa dos padrinhos da minha mãe, o número 108 da rua Professor Gabizo, onde fomos morar num quarto alugado, na segunda metade dos anos 50, quando ela se separou do meu padrasto Augusto. Era um casarão antigo, meio sombrio, com azulejos coloniais, uma confortável banheira com pés, tetos descascados e úmidos devido a infiltrações e cozinha com fogão a lenha. Tinha o pé-direito alto, paredes forradas com motivos florais, um candelabro sinistro e um assoalho de tábuas corridas com cupins e pulgas, muitas pulgas.

A entrada principal se dava por um portão lateral. Um corredor descampado dava acesso aos fundos, onde reinava imponente a frondosa mangueira do vizinho, que cresceu inclinada para o nosso lado do muro e por isso enchia de mangas o nosso quintal. Assim vivíamos, pobres e felizes, em perfeita harmonia com gatos, um cágado, quinze periquitos e as outras onze pessoas que também moravam lá.

Minha mãe, Maria Diva Esteves, era assistente de enfermagem do Samdu (Serviço de Assistência Médica Domiciliar de Urgência, órgão criado pela Previdência Social). A juventude começava a respirar o rock and roll, que já tomara conta de mim. Passava os dias ouvindo rádio, recortando fotos dos artistas e colando em álbuns, colecionando letras de músicas que vivia assoviando e cantarolando pelos cantos: *"You ain't nothing but a hound dog/ Cryin' all the time/ Well, you ain't never caught a rabbit/ And you ain't no friend of mine."*

É DO CARECA QUE ELAS GOSTAM MAIS

Antes da descoberta do rock, as meninas reinavam sozinhas nos meus pensamentos. As irmãs Célia Regina e Célia Maria, por exemplo. Minhas vizinhas da rua do Matoso, Célia Regina era um pudim de caramelo e Célia Maria, uma gelatina de framboesa. Apetitosas e vitaminadas, elas moravam no sobrado de uma serralheria. Suas presenças na janela provocavam torcicolo nos passageiros do bonde e nos transeuntes, hipnotizados pela visão daqueles doces maravilhosos.

Eu tinha de 16 para 17 anos. Elas deviam ter 17 e 18, respectivamente. Eram recatadas e intocáveis devido ao policiamento rígido e implacável dos pais. Ao saírem à rua, sempre acompanhadas por eles, andavam invariavelmente em linha reta, como militares treinados. O máximo que algum de nós conseguia era um sorriso educado como cumprimento. Mas, assim que passavam por nós, vupt!, nossos olhares se grudavam em seus corpos, ofuscados pelo volume dos pudicos vestidinhos da época, dando asas à nossa imaginação.

Numa bela noite, quando jogávamos porrinha tranquilamente, conversando alto, soltando gargalhadas exageradas e falando os palavrões costumeiros, eis que vimos, com espanto, na penumbra da esquina do Beco do Mota, uma cena impactante: a família das Célias passava por nós bem vestida como se viesse de uma festa, andando descontraidamente em zigue-zague, o que jamais tínhamos visto. E ainda havia um aturdoante detalhe: o pai vinha na frente de braços dados com a mulher e com Célia Regina, enquanto Célia Maria caminhava atrás, ostensivamente feliz, como Doris Day no filme *Um Pijama para Dois*, de mãos dadas com um... CARECA!

Era demais! Como suportar tamanha afronta? Estávamos preparados para tudo, menos para aquilo. Um careca... E, ainda por cima, aparentando uns 30 anos. Um velho com o dobro da nossa idade. Que castigo. A porrinha parou na hora e um silêncio sepulcral fez calar a algazarra. Não poderíamos permitir que aquele intruso degustasse nossas delícias assim, sem levar um troco.

Nossa cúpula teria trabalho naquela noite. Várias cabeças indignadas não dormiriam, começando a pensar nas possibilidades e na extensão da nossa vingança. Os dias seguintes foram humilhantes para nós. Tornou-se rotina o namoro dos dois no portão, enquanto papai, mamãe e a irmã torciam na janela do sobrado. Como optamos pela não violência, começamos a executar, então, o plano B.

Primeiramente, dividimos as tarefas entre nós. Eu ficaria encarregado de roubar sobras de giz no colégio. Renato Caravita entraria com o telefone, fundamental para nossos intentos malignos — ele era o único de nós que tinha um aparelho. Édson Trindade, que era amigo do filho do dono de uma gráfica de fundo de quintal, ficaria responsável pela impressão dos folhetos. Tim Maia conseguiria tinta branca e preta. Raul faria cola de maisena. Arlênio e China, que tinham letra boa, escreveriam cartas. Paçoca coordenaria os horários de ação. Pinto Nu, Adílson, Zé Carlos, Nenéo e Zé Martins dariam apoio. Seria uma represália coletiva e anônima.

A primeira investida em massa começou na madrugada. Colamos cartazes e fizemos pichações por toda a rua na calada da noite. Os dizeres variavam: "Cuidado com o Careca!", "O Careca vem aí!", "O Careca é careca"... Nada escapava de nossa sanha vingativa: portas de loja, postes, muros, árvores, marquises, bondes. Escrevemos até no asfalto da rua, bem em frente à casa delas, com tinta branca e letras enormes, para que nossa "arte" fosse vista da janela.

No dia seguinte, era Careca por tudo que era canto. As pessoas ficaram curiosas e os comerciantes locais, logicamente, irritadíssimos ao verem a fachada de suas lojas pichadas. Nossa postura era a de cara de pau ao extremo. Nada vimos e nada sabíamos. Até participávamos da revolta, fazendo eco às perguntas:

— Quem será que fez isso? Quem é esse tal de Careca?

Mas o plano não pararia aí. A segunda investida foi escrever nos banheiros públicos, do cinema Madrid, do bar Divino e dos outros botecos da região: "O Careca é cagão!" ou "Merda não é tinta, dedo não é pincel. Quem quiser limpar a bunda, o Careca é seu papel". Aproveitando o telefone do Renato, ligamos para os programas de rádio nos quais ouvintes podiam dedicar músicas a alguém. Pouco depois, ouvíamos o locutor falar nosso texto: "O

A primeira casa de Erasmo: "Nos sobrados geminados vizinhos, moravam amigos como Renato Caravita e Timbó, o 'gênio' da Timbolina."

Careca apaixonado da rua do Matoso oferece para sua namorada Célia Maria a música *Nós os Carecas*, com os Anjos do Inferno." Também telefonamos para a serralheria pedindo para avisar no sobrado que o Careca não poderia se encontrar com a Célia Maria naquele dia. Enviamos cartas de vários bairros da cidade dizendo que o Careca morrera. Tudo foi feito com afinco e, conforme o planejamento, a pressão foi total. Estávamos de parabéns.

Mas o tempo é o senhor da razão. Fomos chegando à conclusão de que os resultados da operação não foram nem um pouco satisfatórios. Não adiantara nada tanto trabalho. Todo nosso esforço coletivo servira apenas para fortalecer ainda mais o namoro dos dois, pois agora eles já iam ao cinema sozinhos, trocavam beijos e nem namoravam mais no portão. Os pais, solidários, já permitiam que eles entrassem em casa. O nosso plano para que ele sumisse de circulação e devolvesse Célia Maria para os nossos sonhos foi um tiro no pé. Criamos um monstro. Fizemos do Careca um ídolo.

A essa altura, todos já sabiam que éramos nós os autores daquela "campanha infernal" contra o "pobre rapaz de família, trabalhador e bem intencionado", que só queria "cortejar a menina em paz". As pessoas já nos olhavam com reprovação, considerando uma cafajestada de mau gosto o que fizemos. A história acabou chegando em nossos pais e a barra pesou em casa.

O Careca tomou coragem e foi falar com a gente. Estávamos mais uma vez na esquina do Beco do Mota, sem graça com a reviravolta do caso, quando ele chegou e se apresentou como Mário não-sei-de-quê, convidando o Paçoca para uma conversa particular. O ambiente se tornou tenso, ficamos preparados para o que desse e viesse. Qualquer vacilo e, vapt!, faríamos picadinho do Careca. Mas ele sabia onde estava pisando, era malandro. Chegou gentil, educado e, ainda por cima, cheio de moral, pois tinha certeza do apoio total de todas as famílias do pedaço. Conversaram uns dez minutos quando, enfim, apertaram as mãos. Paçoca se virou para nós, engoliu em seco e, com cara de injuriado/resignado, decretou:

— Olha aí, pessoal... O Careca acabou de me dizer que não levou a mal nossas brincadeiras, que não ficou com bronca da gente e pediu para darmos um tempo nessa história de Careca. Ele vai se formar em medicina, pretende se casar com a Célia Maria e pega mal ser chamado assim. Queria pedir a vocês que, de hoje em diante, ninguém chamasse mais o Careca de Careca e, se alguém de fora chamar o Careca de Careca, a gente dá porrada. Legal?

E, abusando do cinismo, voltou-se para o Careca e encerrou:

— Vai na tua, em paz. Desculpe alguma coisa, seja feliz com a Célia Maria e tenham muitos carequinhas.

E rindo, finalizou:

— Para a gente poder chamá-los de "os filhos do dr. Careca".

Meses depois, eu sairia da rua do Matoso e me mudaria para o quarto da rua Professor Gabizo. Nunca mais ouvi falar do Careca e acabei esquecendo-o. Mas nos anos 80, passando de carro pela Barra, vi várias pichações incríveis. Elas diziam: "A mulher do Zé faz boquete!", "O Zé é corno!", "O Zé dá a bunda!"... Na hora me lembrei dos anos 50 e não pude deixar de comentar com meus botões:

— Que sorte que o Careca deu!

BESOURO DE SOBREMESA

Outro episódio da minha infância contribuiria para minha aversão à política. Aconteceu no subúrbio carioca de Cordovil, onde eu passava férias duas vezes ao ano, na casa dos meus tios Alzira e Geraldo. Lá, todo político era doutor. Bastava chegar a bordo de um belo automóvel, fumando um charuto, com uma mulher boa do lado, fazendo cara de simpático e com um séquito de puxa-sacos soltando morteiros... pronto! Baixava na população local um abominável espírito subserviente que induzia as pessoas a mandarem os meninos como eu alardear pelas ruas do bairro: "Chegou o doutor fulano! Chegou o doutor fulano!" Podia ser um simples candidato, mas, com o título, ele adquiria uma aura de importância e respeitabilidade.

Eu só gostava quando um vereador que não me lembro o nome era homenageado pela comunidade. Havia distribuição de balas e doces, junto com sanduíches de mortadela e copos de suco de groselha. Mas uma dessas comemorações se tornaria traumática para mim. Munido de uma bicicleta emprestada, fui a um futebol de várzea onde jogavam Cordovil e Brás de Pina. Durante o foguetório, após um gol do time da casa, um tiro de verdade matou uma pessoa.

Apavorado com o tumulto que se formara, deixei meu lanche para lá, peguei a bicicleta e fugi atabalhoadamente pela estrada do Quitungo, não parando para nada. No meio do caminho, no auge da velocidade, com o vento de encontro ao meu rosto e gritando adoidado devido ao pânico, engoli um besouro. Desequilibrei-me em seguida, caindo da bicicleta e me ralando todo. Na minha cabeça de menino de 9 anos, uni o vereador ao tombo e desde então passei a odiar ainda mais a política.

A CRUZ DE MALTA É O MEU PENDÃO

Com a mesma idade que passei a odiar política, comecei a amar futebol. A bola de meia foi minha primeira "bola oficial" nas peladas infantis que rolavam no chão de cimento da vila Matoso, com direito a risíveis, porém empolgadas, imitações dos locutores esportivos da época. Eu jogava e narrava ao mesmo tempo. Ary Barroso, com sua famosa gaitinha, era um dos que eu imitava. Incorporava artilheiros como Ademir Marques de Menezes na hora do gol, sempre comemorado com morteiros imaginários. De forma soprada e com emoção, emitia alto o som da letra "A", para reproduzir o barulho da torcida ensandecida.

Eu havia sido arrebatado pela grande euforia e expectativa em torno da Copa do Mundo de 1950. Eu e a torcida do Brasil. O Rio de Janeiro, por ser a casa do Maracanã, respirava futebol. Na seleção brasileira havia um monte de jogadores do Vasco e acho que foi isso que provocou meu interesse pelo clube. Depois da derrota brasileira nessa Copa, eles voltaram para São Januário e foram campeões cariocas. A simpatia inicial foi virando admiração, até se transformar numa febre que um dia reconheci como paixão.

Um amor tão forte que, depois da minha sagrada família e da música que me guia, é o maior da minha vida.

Nas peladas com meus amigos, a bola de meia evoluiu para a de borracha e depois para a de couro com gomos, que exigia o trabalho de passar vela nos sulcos para não estragar o barbante da costura. Aprendi linha de passe, embaixadinha, roda de bobo e ataque-defesa. No Vasco, novas gerações vencedoras foram aparecendo e eu já não era mais Ademir e sim Bellini, meu grande ídolo até hoje.

A primeira vez que fui ao Maracanã, levado por seu Ângelo, meu vizinho na vila Matoso, foi um impacto. Fiquei maravilhado ao constatar que o gramado era verde, a camisa do Bangu, branca com listas vermelhas e a da Portuguesa de Desportos, verde e vermelha — acostumado a ver os jogos pela televisão em preto e branco, também na casa do seu Ângelo, jamais imaginei que ao vivo fosse tudo colorido.

Montei então um time de futebol de botão. Estava cansado dos botões convencionais de galalite com escudinho, então passei a raspar casca de coco em superfícies ásperas, até conseguir a forma arredondada desejada. Em seguida, lustrava com cera de assoalho, o que melhoraria muito seu desempenho ao deslizar. Valiam também botões de sobretudo, além de tampas de relógio de pulso, feitas de plástico transparente que eu mesmo pintava com esmalte de unha da minha mãe. As balizas eu também construía artesanalmente, cortando cabides com serra escolar Tico-Tico, pintando tudo de branco e colando redes de filó. As bolinhas podiam ser de rolhas, dadinhos, miolo de pão, papel laminado de bombom (amassado até ficar bem redondo), feltro ou botõezinhos de camisa.

Em 1956, seis anos depois daquela fatídica Copa, eu viveria um sonho. Num domingo, quando voltava do Maracanã, após um 2 a 1 do Vasco contra o Bangu, vi o ônibus do meu time parado em frente à minha casa na rua Professor Gabizo. Tomei um susto antes de me lembrar que do outro lado da rua morava o médico do Vasco, o dr. Valdir Luz. Ele havia convidado os jogadores para seu aniversário. Fiquei boquiaberto ao ver as feras que idolatrava ali, bem pertinho de mim. Bellini, Orlando, Sabará, Vavá, Valter Marciano, Pinga e outros ficaram um tempão na festa, enquanto eu, numa atitude típica de torcedor, entrei correndo em casa e pendurei minha bandeira na janela, só para eles saberem que ali morava um vascaíno. Zagallo também morava na mesma rua e todos os dias acenava para mim quando ia comprar pão na padaria.

Minha "carreira futebolística" passou pelo futebol de salão e de campo (no time da rua do Matoso e no exército), por um teste no America Football Club e pelo time da gravadora Polygram (atual Universal), até que fui proibido de praticar esportes de impacto por culpa de uma hérnia inguinal e problemas na coluna. Hoje, meus filhos e eu temos uma pequena, porém especial, coleção de camisas com autógrafos de Djalma Santos, Pelé, Zico, Roberto Dinamite, Palhinha, Mazinho, Cláudio Adão, Bebeto, Zinho, Romário, Alcir Portela, Donato, Giovane e de todo o time do Vasco de 86 (essas ganhei num show meu no qual os jogadores foram), entre outros. Tenho também uma bola cujas assinaturas o tempo apagou, mas não me importa, porque sei quem as escreveu: Evaristo de Macedo, Alcir Portela, Felipe, Hélton e Euller.

Hoje, ao marcar algum compromisso, verifico se não vai coincidir com o horário dos jogos do Vasco. Se for o caso, peço desculpas e marco outra hora. Se não houver jeito, assumo o compromisso, mas faço de tudo para não saber o resultado — gravo o jogo para ver depois. Se alguém faz algum comentário sobre o jogo, ou um rádio ou uma TV nas redondezas transmite a partida, chego a tapar os ouvidos e gritar para abafar completamente todo e qualquer som externo.

Meus três filhos herdaram a minha paixão pelo futebol mas, por um capricho dos deuses, Gil e Léo são flamenguistas e somente Gugu é vascaíno. Ele inclusive gravou comigo um samba-exaltação que fiz para o clube.[1]

NOSSA SENHORA DA MATOSO

Foi por volta de 1950, aqueles tempos de besouros e botões. Minha mãe me mandou ir ao depósito do seu José comprar sabão, saponáceo, palha de aço e anil. Não sem antes recomendar que eu olhasse para os lados na hora de atravessar a rua. Afinal, eu fora atropelado um mês antes por um carro no Rio

Fazendo a primeira comunhão na Igreja de São Francisco Xavier: "Como qualquer criança, achava aquele ritual um saco. Mas fiz tudo direitinho, usando até terno. Apesar de pobre, minha mãe não abriu mão do figurino de jeito nenhum."

Comprido, quase quebrando as costelas, e ela ainda estava sob o impacto do acidente — nada grave, mas ficou o susto. Eu só pensava numa coisa: quem sabe o troco do dinheiro não daria para comprar figurinhas da bala Ruth que todos os meninos do estado da Guanabara colecionavam?

Eu gostava do depósito do seu José. Tinha um pouco de tudo. Um misto de armazém, bazar e loja de ferragens que abria ainda um espaço para que um ou outro freguês anunciasse alguma quinquilharia para vender. Mediante, é claro, uma pequena porcentagem para o bolso do seu dono.

Resolvi passar primeiro na casa de um amigo, o Renato, para irmos juntos, levando nossos álbuns para conferir as duplicatas. Tomei o cuidado de chamá-lo da porta, para evitar a agressividade do seu papagaio que vivia solto numa árvore e tinha o péssimo hábito de atacar qualquer um que ousasse pôr a cara dentro do portão. Ele voava, palrando desbocado: "Filho da puta, filho da puta!"

Ao chegarmos perto do depósito, estranhamos o movimento. Um aglomerado de pessoas formava uma fila imensa ao longo da calçada, atrapalhando as entradas do botequim e da farmácia ao lado. Sem saber o porquê daquele burburinho, perguntei curioso a uma senhora o que se passava. Ela respondeu, deslumbrada:

— A Santa, meu filho! A Santa está lá dentro! Ela apareceu para o seu José. Entra na fila e vai lá ver.

Olhei para Renato, que estava com a boca aberta e surpreso igual a mim, e fizemos o que ela mandou. A fila se encaminhava para os fundos do depósito e, antes de chegar a minha vez, pude reparar na fisionomia das pessoas que saíam pela outra mão do pequeno corredor. Uns meio absortos, outros mexendo a boca sem emitir som, como se estivessem rezando, e ainda algumas senhoras perplexas, esbarrando em mim, afobadas e anunciando:

— Eu vi, eu vi! Era a Virgem. Ela estava sorrindo e olhando para mim, é ela! A Nossa Senhora da Matoso!

Ao chegar a minha vez, me deparei com a seguinte cena: sobre um tabuleiro de folha de flandres jazia uma grande quantidade de cera de velas derretidas, naquele momento já seca, sobreposta em camadas, formando relevos. No resto do ambiente, várias velas acesas aumentavam o calor. Seu José, de avental branco e postura bondosa, me mandava olhar a escultura natural, me entregando uma lupa e dizendo:

— Veja como ela é linda, Erasmo. Sinto que ela quer me dizer alguma coisa. Foi por isso que ela escolheu meu depósito para aparecer.

Confesso que não vi nada. Procurei, procurei e nada. Vi, sim, algumas formas sinuosas, saliências, cores reforçadas pela iluminação das velas acesas ao redor e até contornos que poderiam sugerir uma silhueta ou um rosto, mas Nossa Senhora sorrindo para mim, neca. Ele ainda insistia dizendo para eu olhar bem, para abrir meu coração se quisesse ver. Renato também não vira nada. Fomos correndo para casa contar a novidade e esquecemos até das figurinhas.

No dia seguinte, o boato já havia ultrapassado as fronteiras da Matoso. Curiosos da Barão de Iguatemi, da Dr. Satamini, da Barão de Ubá, da Haddock Lobo e de outras vizinhanças chegavam aos borbotões. Os comentários variavam:

— O seu José disse que conversa com ela.

— Rezei para ela proteger minha filha que mora em São Paulo.

— Valha-me Nossa Senhora da Matoso, fazei com que meu marido arranje um emprego.

— Pedi tanto para ela me ajudar a ganhar na loteria federal...

Durante uns três ou quatro dias, a coisa foi ficando pior. Seu José começou a cobrar por visita, e até minha mãe e a mãe do Renato pagaram para conferir a "aparição". Até que estourou a bomba: os padres capuchinhos da igreja de São Sebastião não gostaram do que estava acontecendo e intervieram no local. Consideraram abuso da faculdade da fé e indução consciente para fato ilusório visando fins lucrativos. Deu polícia e o depósito fechou. Tempos depois, veio a notícia: seu José fora internado num hospital para doentes mentais. Pensei na hora:

— Não tem problema, Nossa Senhora da Matoso vai curá-lo.

PRIMEIROS TROCADOS

Sem esperar milagres da Nossa Senhora da Matoso, eu procurava arrumar um jeito de faturar algum. A primeira vez em que me lembro de ter ganhado um dinheirinho, estava na Tijuca, em 1951, aos 10 anos, vendendo revistas usadas em frente à quitanda do seu Borges, na rua do Matoso. Eu fazia uma coleta na vizinhança, contando com a boa vontade de todos, estendia folhas de jornais no chão, espalhava a mercadoria em cima e ficava esperando a freguesia comprar. *A Cena Muda*, *Fon-Fon*, *O Globo Juvenil*, *Gibi*, *O Cruzeiro*, *Mindinho* e *O Guri* eram algumas das ofertas do jornaleiro Erasmo.

Quando estava na casa da minha tia Alzira, em Cordovil, eu caçava e vendia rãs para servir de tira-gosto nos botequins das redondezas. Já na Professor Gabizo, a labuta era outra. Meu primo Raul era um eterno desempregado, pois sua profissão de vitrinista era ingrata — as oportunidades rareavam, concentradas no Natal, no Dia das Mães ou no Carnaval. Eu era bom de traço e metido a desenhar letras espetaculares, em perspectiva, iguais às da apresentação do filme *Ben-Hur*, o que levava meu primo a solicitar constantemente meus préstimos em troca de algum “dindin”. Sua mulher, Zuzu, era chefe das passadeiras das lojas Sloper (minha mãe chegou a ser uma delas numa época), onde trabalhava praticamente só para sustentá-lo, deixando todos os dias uma certa quantia para que fosse providenciado o jantar. O dinheiro daria, se ele não fosse viciado em apostas de cavalos e jogo do bicho. Ele contava então com as rolinhas que eu capturava no nosso quintal com meu implacável alçapão. Com elas, preparava, com muito zelo e requinte, fritadas, massas ou arroz. Ele mesmo matava e depenava, me dando uns trocados por unidade e enganando a mulher, ao servir “frango desfiado” para ela de vez em quando.

De outra feita, primo Raul arrumou um “bico” como cabo eleitoral para um candidato a deputado e contratou meus serviços para colagem de cartazes de propaganda pelo bairro. Pedi ajuda a um amigo e colamos centenas perto de casa, para dar a impressão que estavam bem distribuídos. Se ele fosse mais atento, iria três quarteirões adiante e já não encontraria mais nenhum. Ao ver o resultado, ele se surpreendeu, elogiou e até nos recompensou, pagando além do combinado. Enfim, eu me virava.

O TRAUMA DO BIFE VOADOR

Defendia meus trocados para garantir um ou outro pequeno prazer. Minha vida não tinha luxos. Comer fora, por exemplo, era raríssimo. Uma vez na vida, outra na morte. Numa dessas vezes, com 12 anos, fui jantar com minha mãe e meu padrasto Augusto na confeitaria Cometa, localizada na esquina da rua do Matoso com a praça da Bandeira.

Embora estivesse feliz com a oportunidade, não podia expressar meu contentamento. Meu padrasto, sisudo, pecava pela insensibilidade e não admitia manifestações de nenhum tipo: "Pinto só pia no galinheiro quando o galo manda" e "Em boca fechada não entra mosca" eram algumas das suas "pérolas". Minha mãe não dizia nada, porque levaria um pito também.

Seguia a noite nesse clima castrador quando veio o bife com fritas e arroz que pediram para mim. Lambi os beiços, arregalei os olhos e ataquei com fúria o banquete, esquecendo do mundo ao redor. Mas, ao fazer força com a faca, tentando cortar um pedaço "nervudo" do contrafilé, ele voou, ricocheteando na mesa ao lado, onde um casal jantava tranquilamente. Para piorar, a outra parte do meu bife foi ao chão, o arroz e as batatas fritas se espalharam pela mesa e o garfo derrubou meu copo de guaraná, molhando a toalha e minha mãe, que estava em frente.

O garçom correu para ajudar, mas o estrago já estava feito. Além do esporro que levei, ficaria o trauma pelo novo bife que não foi pedido. Duros tempos.

O ZUMBI DA ESCOLA

Se, em casa, a falta de grana era um problema, na escola o drama era outro — igualmente sério. Dezembro se aproximava e eu, já no ginásio (atual segundo ciclo do ensino fundamental), iria, sem dó nem piedade, inapelavelmente, ser reprovado mais uma vez — o que aconteceu quatro vezes ao longo da minha vida escolar. Teria que ouvir a mesma piada maldita, repetida pelos meus colegas sádicos:

— Os professores gostam tanto do Erasmo que não deixaram ele passar de ano!

Com um resignado sorriso amarelo, eu engolia em seco, abafava meu grito e represava minhas lágrimas. Fora a reprise do blablablá dos professores e a humilhação de ver minhas ex-companheiras de classe, todas lindinhas e maravilhosas, agora mais adiantadas, exibidas, mascando chicletes e me discriminando pela reprovação. Sofria acuado e não podia disfarçar o ódio pelo causador renitente do meu sofrimento. Um inimigo cruel que não media esforços para me prejudicar. Ano após ano, ele infernizava a minha vida de estudante, com seu arsenal de dificuldades e um repertório interminável de artimanhas. Esse vilão nefasto era o terrível... latim.

O pior é que não adiantava desejar sua morte, porque ele já estava morto. Era um zumbi, igualzinho àqueles mortos-vivos dos filmes de terror, praga constante dos meus pesadelos. Mal dormia e já sonhava com suas declinações, regras e traduções: ZZZZZZZZZZZzzzzzzzzzz... *Dominus, domini, domino, dominum, domine, domino* ZZZZZZZZZZZzzzzzzzzz... ZZZZZZZZZZzzzzzzz... Supino nominativo, ablativo ZZZZZZZZzzzzzzz... *Primus, secundus, tertius*, ZZZZZZZZZZzzzzzzz... *Amo, amas, amat, amamus, amatis, amant*...

Eu não achava graça nenhuma naquela matéria. Não encontrava razão alguma para estudá-la. A duras penas, consegui vencê-la e seguir em frente, como fiz naquele ano. Depois, o latim se foi, mas ficou a lição que expus em *Análise Descontraída*, que gravei em 1976:

Morro sem entender
Buscando meu tempo perdido
Estudando latim que era uma língua morta

Êta mundo velho
Você me parece ainda um ovo
Ou então precisa urgentemente se acabar
Pra nascer de novo

UMA IMPERFEIÇÃO E MUITOS RISOS

Latim à parte, sexo era o grande martírio no meu início de adolescência — na verdade, a falta de sexo. A situação se tornara humilhante para mim perante meus amigos Renato Caravita e Raul, sobretudo numa certa noite de sábado. O Rio de Janeiro fervilhava de mocinhas assanhadas, enquanto eu estava sozinho, cabisbaixo e macambúzio, sentado na mesinha de um pé-sujo saboreando com tristeza uma Coca-Cola. Na mesma hora, eles desfrutavam momentos divinos de prazer num rendez-vous recém-inaugurado no Bairro de Fátima, cuja promessa era encantar os fregueses com mulheres maravilhosas a preços acessíveis.

Não era justo, eu ali deprimido no botequim, comendo manjubinhas fritas, e eles se deliciando. Fiquei delirando com minha mente tarada e desbocada de adolescente virgem, repleta de imagens pornográficas. Enquanto eu imaginava, eles faziam.

E depois, ainda tive que aturar os dois na volta, se gabando:

— A minha chupou o meu pau.

Ou:

— A minha gostou tanto de mim que na próxima vez vai me dar a bunda.

Meu sofrimento tinha que acabar. Aquela realidade cruel de só eles terem acesso ao Éden doía na minha alma, pois eu também era filho de Deus. Já na casa do Renato, na rua do Matoso, de onde iríamos em seguida para uma festa, meus pensamentos explodiram em revolta, enquanto ele e Raul, felizes e satisfeitos, desinfetavam suas regiões genitais com álcool. Resolvi dar um basta na minha cruz e criar coragem. Afinal de contas, já estava com 15 anos. A decisão seria irreversível. No dia seguinte, reuni minha família e implorei zangado:

— Mãe, tenho que operar minha fimose!

Todos já sabiam que eu teria que operar algum dia, pois quando nasci os médicos da Pró-Matre, no bairro da Saúde, já haviam alertado para o problema. Porém, preocupados com a constante e árdua luta pela sobrevivência, esqueceram do meu crescimento e foram empurrando a cirurgia com a barriga.

Minha fimose era extrema. Dificultava a masturbação e impossibilitava a penetração, meu grande drama.

A família se movimentou, mexeu uns pauzinhos (sem trocadilho), e minha mãe conseguiu que eu operasse de graça no hospital Gaffrée e Guinle, na rua Mariz e Barros. Na operação, os médicos descobriram que, por ser dotado de forte compleição física, minha dose de anestesia teria que ser reforçada. Lembro-me de sentir dor, o que me levou a dar berros, gritar palavrões e chorar. Estagiários de Medicina que estavam na sala de cirurgia debochavam de mim, com vozes abichalhadas, me deixando ainda mais bravo:

— Olha só, a bonequinha está sentindo dorzinha, chama a mamãe dele...

Lembro-me também de sangrar muito na noite após a cirurgia, talvez pelas rudimentares técnicas hospitalares daquele longínquo 1956. Passada a tempestade, fui sendo apresentado aos poucos ao meu novo pau, contemplando seu novo formato, que mais parecia um cogumelo, analisando suas dimensões, percebendo sua sensibilidade... Comecei então a guiá-lo pela mais grandiosa e gratificante das jornadas imaginadas pelo Criador: a busca incessante do prazer divino, desbravando vales, montanhas, florestas e grutas do indispensável e inenarrável universo do corpo feminino.

Apenas uma coisa não estava nos conformes: com a extirpação do prepúcio, a cirurgia revelara uma imperfeição de nascença, quase no meio do orifício da uretra. Uma pele atrapalhava o fluxo livre da urina, criando um esguicho lateral que me fazia mijar em "V". Antes isso não acontecia, pois o orifício do prepúcio unificava o fluxo. Passei a ter que ficar atento na hora de direcionar o mijo na privada, para que os dois jorros saíssem no ângulo mais agudo possível, e assim não respingassem fora do vaso.

Tudo ia bem até o dia em que, ao mijar no vestiário de um campo de futebol de várzea, não tomei o devido cuidado e molhei a perna do Renato, que urinava ao lado. Dando um salto, ele esbravejou:

— Que que é isso, cara? Tá me mijando? Vira isso pra lá...

— Passei a mijar assim depois que operei a fimose — respondi, fingindo não dar a mínima importância.

Foi como assinar minha sentença de morte. Ele, como qualquer menino do mundo, jamais deixaria passar em brancas nuvens uma história daquelas. Exagerando uma cara de horror, alardeou geral:

— Pessoal, vem cá ver como o Erasmo mija engraçado — gritou e começou a rir sem parar.

A galera foi chegando e o riso, que agora era coletivo, foi aumentando. Uns já gritavam para outros garotos mais distantes:

— O Erasmo mija em "V". O Erasmo tem um chafariz no pau.

Rapidamente, contraí a musculatura pubiana e parei de mijar. Começaram então a me jogar chuteiras, camisas e meiões e a me bater com toalhas molhadas. Saí da roda desconfiado de que eles fariam daquilo uma anedota tradicional da turma.

Não deu outra. A partir daquele dia eu não teria mais sossego. Em qualquer banheiro ou mictório que entrasse, eles fariam escândalos e algazarra fugindo de mim e ainda alertando qualquer pessoa desconhecida que estivesse por perto:

— Moço, cuidado com esse rapaz. Ele mija em "V" e vai molhar o senhor...

As meninas da turma ficaram curiosas, pois acabaram ouvindo boatos sobre a anomalia. Tive que mostrar a performance para uma garota, mijando

Foto da caderneta do Instituto Lafayette, tirada durante o 1º ano ginasial (atual 6º ano do ensino fundamental): "O corte de cabelo era na linha Príncipe Danilo, que estava na moda."

"ao vivo e a cores" para ela ver. As chacotas me acompanhariam ainda por muito tempo, até a história deixar de ser novidade. Um pouco antes da Jovem Guarda — numa viagem que fiz a Goiânia para trabalhar meu primeiro disco, *Terror dos Namorados* —, o frenético esfregar dos sexos, em deliciosos momentos de amor com uma morena da terra, fez com que a pele se rompesse, deixando livre para sempre o orifício da minha uretra. Respirei aliviado e exultei com a normalidade do meu fluxo urinário. Nunca mais mijaria em "V".

ETERNA SENSAÇÃO DE GOL

"Casa do ócio, oficina do diabo", diz o ditado que é uma definição precisa daquela rapaziada da Tijuca. Afinal, a falta do que fazer, principalmente nas noites de sábado, nos levava a aprontar, como quando trocávamos as letras do letreiro do Cine Madrid, reinventando o nome dos filmes. Começou quando um de nós descobriu que a própria chave de casa abria também o cadeado da porta pantográfica do cinema. E só parou no dia em que colocaram a polícia para ficar de olho nos engraçadinhos que faziam aquela sacanagem. Antes disso, porém, trocamos *Teseu e o Minotauro* por *Tesão do Mineteiro*. Criamos outras joias, como *Uma Puta em Nova York* (*Um Rei em Nova York*) e *Mogli, o Menino Viado* (*Mogli, o Menino Lobo*). Ficávamos esperando o dia amanhecer só para ver a reação das pessoas indo trabalhar.

Havia também nossa corrida do ouro — na verdade, do chumbo. Quando sabíamos que algum casarão iria ser desapropriado para demolição, ficávamos em alerta. O roubo do chumbo dos canos, dos trincos e das fechaduras renderia calças, camisas, cintos, meias e cuecas para nós, geralmente comprados na Ducal e na Adonis. Ou sapatos, mocassins de uma lojinha da rua Haddock Lobo.

Empolgados com a grana que conseguimos com a venda do chumbo "aliviado" de um velho pardieiro desocupado da rua do Matoso, resolvemos partir para outro ramo e planejamos assaltar o bar Divino. A ideia de Renato Caravita era simples. Entraríamos no banheiro do Divino em duplas alternadas. Um tomaria conta da porta enquanto o outro subiria na privada e pegaria umas latas vistosas que ficavam perto do teto, colocando-as em seguida numa sacola da Varig (brinde da companhia aérea que era o *must* da juventude na época). Nos encontraríamos depois no beco do Mota. Não sabíamos o que havia nas latas.

Tim Maia — que era um dos maiores entusiastas de nossos "garimpos de chumbo", por estar juntando dinheiro para ir para os Estados Unidos — pulou fora, alegando que era um roubo mixuruca. Depois do plano realizado, ele mudou de ideia e implorou para ficar com uma lata, o que acabou conseguindo. Afinal, dentro delas, descobrimos depois, havia litros de cobertura de chocolate da Kibon.

As brigas eram outra constante em nossas vidas. Brigava-se por qualquer motivo e, às vezes, por nada. Quem não podia ter um canivete igual ao do filme *Juventude Transviada* comprava uma imitação barata e ridícula no camelô da estação da Leopoldina. Eu usava um fio de aço flexível enrolado na barriga, por baixo da camisa, simulando um chicote.

A liberdade nos sorria, sem apontar limites. O rock and roll nascia e viciava nossos ouvidos, num período em que não queríamos nem sabíamos distinguir o joio do trigo. A aventura se delineava e os pesadelos também eram sonhos. Estávamos apenas aprendendo.

Tim Maia falaria daquele tempo anos depois, na música *Haddock Lobo Esquina com Matoso*, do disco *Nuvens.*[2]

Haddock Lobo esquina com Matoso
Foi lá que toda confusão começou

E foi lá que tudo começou mesmo, principalmente porque tínhamos a Lilica, que era o nosso anjo, nosso talismã e nosso tesouro. Todas as outras turmas nos invejavam por causa dela. Era nossa mãe, irmã, filha, amiga e mulher, tendo inclusive me iniciado no maravilhoso e abençoado mundo da sacanagem, numa noite em que conseguiu se multiplicar e dividir seu corpo, beijos e abraços com dez de nós.

A notícia correu rápido: "A turma da Matoso tem uma mulher que briga, joga bola, vai à praia, solta pipa, balão, vai a festas e ao Maracanã, bebe e, ainda por cima, dá para todos eles." Isso era muito bom, nos tornava a turma mais admirada e famosa entre todas as que frequentavam o bar Divino. Respeitávamos muito as turmas da Miguel Lemos e do edifício Camões, ambas de Copacabana, e a da praça Saens Peña, na própria Tijuca. Só que eles eram ricos, tinham carros e invadiam cinemas com motocicletas, durante a exibição de filmes como *Sementes da Violência*, que tinha *Rock Around the Clock*, com Bill Halley, na trilha sonora. Coisa distante para nós que éramos duros e andávamos a pé.

Nosso lazer incluía apostas ridículas para ver quem tinha coragem de molhar a língua na água suja do meio-fio (Tim e Trindade sempre ganhavam) ou lamber o pneu dos automóveis (só dava Tim e Trindade também). Outra diversão era telefonar aleatoriamente para números de Copacabana na esperança de que alguma madame solitária e carente atendesse, caísse no nosso papo, se apaixonasse perdidamente e nos desse boa vida para sempre. Ainda perdíamos tempo infernizando a vida do Ventania, mendigo que falava sozinho, habitava os terrenos baldios da Tijuca e que diziam ser um "neurótico da Segunda Guerra Mundial". Quando o provocávamos, chamando-o de maluco, espantalho ou zumbi, ele corria possesso em nossa direção, atirando pedras, latas e garrafas.

Hoje, no século XXI, época de computadores, jogos virtuais, bonecos robotizados etc., não posso deixar de sentir saudades das brincadeiras aguerridas e ingênuas, como apostar corrida de palitos de fósforo, aproveitando as corredeiras que se formavam nos sulcos dos trilhos do bonde após alguma chuva forte, roubar frutas nos quintais alheios, assistir de graça aos jogos do campeonato carioca na barreira do America Football Club, amarrar bombinhas no rabo dos gatos, caçar rãs nas valas para vender nos bares, jogar bolinhas de gude, descer ladeiras em carrinhos de rolimã feitos por nós; guerras de buscapés nas festas juninas e soldadinhos de chumbo, ioiôs e piões.

Para o exercício da minha imaginação, havia as aventuras dos meus heróis dos quadrinhos — Ferdinando Buscapé, Big Ben Bolt, Brucutu, Mut & Jeff, Tarzan, Pinduca, Pafúncio, Super-Homem, Capitão Marvel, Popeye, Fantasma, Zorro, Flash Gordon e tantos outros. Na hora de sonhar, apelava ainda para a magia dos mundos de Walt Disney e Monteiro Lobato, enquanto as fotos das misses e das vedetes na capa das revistas da época faziam a festa da minha solidão.

Cultivo também recordações marcantes das matinês do cinema Velo, na Haddock Lobo, onde minha mãe me deixava no início da sessão para me apanhar no fim. Aliás, o mesmo Velo, anos mais tarde, viraria estúdio da Atlândida Cinematográfica. Num bar perto dali, eu teria oportunidade de ver várias vezes o diretor e futuro amigo Carlos Manga tomar cafezinho, em companhia de astros famosos como Oscarito, Cyl Farney, Grande Otelo, Eliana, José Lewgoy...

A descoberta da música como novo sentido na vida de alguns de nós viria a fechar esse ciclo maravilhoso. Das tímidas serenatas que virariam sessões de rock e bossa nova nas esquinas da Barão de Ubá, beco do Mota, travessa São Vicente e Haddock Lobo ecoariam as vozes promissoras dos Snakes, do futuro luthier Antônio Pedro, Tim Maia, Jorge Ben e, em raríssimas vezes, Roberto Carlos. Na carona dos anos 60, ganhamos o mundo. O corte no dedo para unir nosso sangue era coisa do passado, mas o amor por aquela turma ficaria nas minhas veias para sempre. Como escrevi em 1984, em *Turma da Tijuca*, parceria minha com Roberto.[3]

Eu era aluno do Instituto Lafayette
Naquele tempo eu já pintava o sete
(...)
Nessa eterna sensação de gol
Muitas brigas e o nascer do rock and roll

capítulo 2

EU SOU T

ERRÍVEL

os primeiros acordes

Na época dos Snakes, posando na Vila Matoso, por volta de 1960.

DO TIJOLO REFRATÁRIO AO VIOLÃO

A barra foi ficando pior à medida que fui crescendo. Precisava de grana até mesmo para ajudar minha mãe. Separada do meu padrasto, ela ganhava pouco e bancava meu colégio, roupa e comida — e, quando chegava do trabalho, ainda lavava e passava para pagar o quarto onde morávamos, na casa dos padrinhos dela na Professor Gabizo. Assim fui trabalhar, então, como mostrador de imóveis.

O ano era 1957 e a Imobiliária Mendonça ficava na praça da Bandeira. Minha tarefa era simplesmente mostrar, para as pessoas interessadas, os vários apartamentos das redondezas anunciados pela empresa. Eu tinha a posse das chaves, inclusive à noite, o que permitiu que convidasse meus amigos e minhas amigas para arrasta-pés regados a cachaça com Coca-Cola nos apartamentos. Nem cheguei a vender imóvel algum, pois o Mendonça, ao saber disso, logo me mandou embora.

A família começou a me pressionar:

— Esse menino é um vagabundo. Por que ele não encara os estudos e faz concurso para o Banco do Brasil?

— Precisa trabalhar para ajudar a mãe.

— Um sujeito com saúde, forte e tão preguiçoso.

Fizeram então um plano para conseguir trabalho para mim. Aos domingos, recortavam anúncios selecionados nos classificados do jornal e colavam as ofertas de emprego numa folha de papel ofício, numa ordem que já determinava o roteiro que eu deveria seguir. Por exemplo: vinham quinze anúncios na avenida Rio Branco, depois três na Sete de Setembro, seis na rua da Carioca e por aí afora, sempre acompanhando a numeração dos prédios para facilitar minha tarefa.

Não funcionou. Baseado no primeiro anúncio, eu já fazia um perfil de todos, multiplicando as dificuldades encontradas. Em seguida, certo de que não conseguiria nada, desistia de caçar um trabalho, telefonava para alguma garota e aproveitava o resto do dia namorando. Costumava ir ao cemitério do Caju, que era tranquilo para dar uns amassos, ou à gruta da Quinta da Boa Vista, que ficava quase deserta nos dias de semana, servindo até de motel para os casais.

Quando chegava em casa "exausto", no fim do dia, lamentava que a jornada fora difícil. Pintava um quadro caótico, dizendo que não dera sorte em lugar nenhum. Como nos dias seguintes as desculpas eram as mesmas, acharam então que o meu problema era a roupa. Fizeram uma vaquinha e compraram um terno para mim. O padrinho da minha mãe, tomando a frente da "Operação Emprego para o Erasmo", conseguiu com um amigo um teste para auxiliar de almoxarifado na loja DeMillus da avenida Gomes Freire, no Centro — por coincidência, ao lado do edifício onde Roberto Carlos e Luiz Carlos Ismail morariam no futuro. E começou então a ladainha:

— Agora sim você está com uma aparência de gente.

— As lojas gostam de funcionários bem-apessoados, educados e ativos.

Logo na chegada, recebi uma bronca. O amigo do padrinho da minha mãe vociferou:

— Pode ir tirando a gravata e o paletó, porque o serviço aqui é pesado. Lugar de galã é no cinema.

Só Deus sabe o sufoco que passei naquele dia. Foi terrível, jamais esquecerei a lufa-lufa, o pega pra capar e o show de indecisão das mulheres na hora de comprar os produtos. Elas experimentavam várias peças de tamanhos e cores diferentes, em modelos diversos. Reclamavam, discutiam, brigavam, se arrependiam, pechinchavam, iam embora, voltavam, para no fim quase sempre não comprarem nada. Calcinhas, sutiãs, cintas-liga, corpetes, meias, tudo isso com a casa cheia, um calor danado, o gerente marcando em cima, o barulho da rua... Foi um horror.

As vendedoras não me davam trégua:

— Menino, pegue um sutiã azul-claro, tamanho 32, modelo X-9.

Rapidamente eu empurrava uma escada comprida que corria sobre trilhos elevados, subia, pegava o que fora pedido, descia, subia de novo, pegava outra coisa, descia, mudava a escada de lugar, subia, descia... Suava em bicas, e o que mais me irritava era que, no balcão, dezenas de produtos — que as clientes pediram para ver mas não compraram — esperavam para serem arrumados e novamente estocados por mim. As meninas acabaram por me ajudar, pois me atrapalhei todo. Na saída, educadamente, disse um "até amanhã" e uma lindinha, que por sinal já estava me dando bola, respondeu espantada:

— Ué... você vem amanhã? Duvido.

Eu sabia que ela tinha razão. Nunca mais apareci.

Nova tentativa, desta vez como office-boy da Cerâmica São Caetano, cujo escritório ficava na rua Uruguaiana, também no Centro. Justamente durante minha passagem pela firma, inventaram o tijolo refratário, que revolucionaria a construção de fornos, possibilitando maior resistência a grandes temperaturas. Ótimo! Que maravilha! Viva o progresso! Pode ter sido um belo momento para a indústria ceramista, mas para mim foi complicado. O tal tijolo pesava para caramba e quem iria carregar vários de um lado para o outro era, adivinhem, eu.

Tive que desenvolver a arte de fazer embrulhos, transpassando o barbante várias vezes, até formar uma alça que, reforçada por meu lenço ou um pano, me ajudava a não machucar a mão. Dividia o peso fazendo dois embrulhos com quatro tijolos cada e, para transportá-los pela cidade, esperava o taioba (bonde de carga), que só passava de hora em hora. Minha "fritura" nessa firma começou no dia em que, sem querer, vi uma secretária sentada no colo de um diretor no maior *love*.

Da louça de barro, fui para o aço. A Acesita seria o próximo trabalho. Ô empreguinho chato! Os diretores eram muito arrogantes. Eu ficava sentado numa portaria com outros menores de idade, todos vestindo uniformes azuis escrito "ACESITA" nas costas. Entregávamos correspondências nos departamentos espalhados pelos vários andares de um prédio, sempre que solicitados pelo soar de uma campainha estridente. Tínhamos que nos levantar e ficar em posição de sentido, como soldados, todas as vezes que um diretor passava pela portaria. E a toda hora passava um.

Nesse emprego eu almoçava em casa, pois dava tempo certinho. Meia hora de bonde para ir, meia hora para voltar e uma hora para o rango. Só que, após uma gostosa refeição caseira, sentado sem fazer nada, esperando a campainha tocar, com a brisa vadia dos corredores afagando o rosto, não há quem resista a um cochilo. Um dia, os diretores passaram e não levantei. Resultado: rua!

Ainda viria um emprego menos interessante, até chegar ao que considero a maior das minhas aventuras trabalhistas pré-serviço militar, pela minha participação num enredo rodrigueano. O patrão era dr. Carmelo, advogado. Ele tinha um escritório na rua México, no Centro, e minhas atribuições consistiam em chegar às 8h, fazer uma limpeza superficial, atender telefones, anotar recados, sair às 18h.

A sala era pequena, separada por uma divisória que não ia até o teto. De um lado, minha mesinha e duas poltronas, do outro, o gabinete principal com uma grande estante cheia de livros, que ocupava uma parede toda, uma mesona, duas poltronas e um sofá confortável. As cortinas eram sóbrias e pesadas, formando uma atmosfera triste e austera, com vista para os prédios cinzentos do outro lado da rua.

Dr. Carmelo era sisudo e mal-humorado, não fazendo a menor questão de ser simpático. Com mais ou menos 50 anos, grandão, ele falava olhando por cima dos óculos. Foi curto e grosso quando me disse:

— Minha mulher é cega e aleijada e vive me enchendo o saco. Estamos separados, mas ela não admite. Nada de conversinhas no telefone com ela.

Fui me acostumando à rotina do novo ambiente, me adaptando às circunstâncias e fazendo minhas obrigações conforme o combinado. Optei inclusive por "almoçar" café com leite ou suco com sanduíches e mãe-benta que um vendedor servia de sala em sala num tabuleiro. Assim economizava tempo — e o dinheiro do ônibus. No terceiro dia, toca o telefone:

— É o rapaz novo? Muito prazer, sou a Isabel, mulher do dr. Carmelo.

Pensando na ordem que recebi de "não dar linha para a pipa", procurei ser formal. Fui monossilábico ao responder a um calvário de perguntas que ela me fez: idade, onde eu morava, como era minha família, meu time, se eu estudava etc. Eu ia respondendo: 17 anos, rua Professor Gabizo,108, Tijuca, filho único (nessa época ainda desconhecia minha família paterna),

Vasco da Gama, à noite, no Colégio Veiga de Almeida. Intrigou-me o fato de ela perguntar quanto eu calçava, o que respondi desconfiado: 43.

Quando o advogado chegava, não dava bom-dia nem boa-tarde, se limitando a perguntar se havia recados. Nesse dia, disse que sim, que a mulher dele ligara apenas para me conhecer, não deixando recado nenhum para ele. O homem ficou brabo:

— Já disse que não quero que você fique de bate-papo com ela!

Naquela noite, ao chegar em casa, qual não foi minha surpresa ao me deparar com um par de sapatos da loja Clark, cor preta, tamanho 43, deixados pelo motorista da dona Isabel. Ela era uma mulher pegajosa, que falava pelos cotovelos, conforme pude constatar nos dias que vieram.

De voz rouca e pausada, ela se abria comigo. Contou que ficou cega e semiparalítica aos 32 anos por causa de um derrame, que a separação era invenção dele e que ela jamais daria o desquite. Só o tratava de filho da puta, puto, cafajeste, canalha, depravado, desclassificado e advogado de merda. Estava magoada, chorava muito e sabia que existia uma loura sirigaita na jogada. Em sua solidão, via em mim um confidente e protetor, insinuando que eu a informasse de todos os movimentos do marido. Tenso, eu ouvia o blablablá, me lembrando sempre da bronca que ele me dera, mas deixei rolar.

Em quatro ou cinco dias, estava acomodado no novo emprego. Já não chegava às 8h, a limpeza se limitava a uma olhada geral na sala e, ao ver algum papelzinho ou sujeira a vista, zupt, jogava para baixo do tapete. No mais, dava uma espanada básica na mesa para "espantar" o pó, e só.

E às vezes ainda me ausentava. Eu havia comunicado ao dr. Carmelo que faltaria na terça-feira pela manhã. Teria que dar um pulo na casa de minha tia na Urca para levar um dinheiro a mando da minha mãe. Mentira deslavada. O que realmente aconteceu era que eu havia conhecido Roberto Carlos pouco tempo antes e ele me convidou para assistir ao vivo aos programas do *Clube do Rock*, que Carlos Imperial comandava na TV Tupi ao meio-dia. Era ir, curtir e voltar para o trabalho.

A loura sirigaita apareceu finalmente no escritório. Era bonita, alta e cheia de curvas. Entrou, me deu um leve sorriso e foi direto para o gabinete, deixando um rastro estonteante de perfume, enquanto eu lia um gibi. Dr. Carmelo levantou-se quando a viu, deu uma olhada para mim e fechou a porta, que também não ia até o teto. Durante um tempo, ouvi alguns sons ofegantes, que imaginei serem de um abraço ou de um beijo. Por culpa da divisória vazada, ia identificando os ruídos: ela sentou-se, abriu a bolsa, acendeu um cigarro e, chamando-o intimamente de "Melo", começou a reclamar da dificuldade de estacionar o carro.

Ele parecia outra pessoa. Descera do pedestal por causa do dengo da amante. De repente, me falou:

— Erasmo, pode ir embora, não precisa voltar mais hoje.

— Sim, senhor. Só queria lembrar que amanhã é terça-feira e tenho aquele compromisso na casa da minha tia. Boa tarde.

A essa altura dos acontecimentos, já ganhara também uma caneta Parker 51 da dona Isabel. Na ânsia de me agradar para que eu atuasse como seu informante, ela estava exagerando. Isso mexia com a minha consciência e me deixava num beco sem saída. Ou contava para ela o que realmente acontecia com o marido, ou dizia para ele que ela estava me forçando a ser dedo-duro.

Naquela terça-feira, o *Clube do Rock* estava fervendo. Tudo tão bom que nem me lembrei de voltar para o escritório. Não faltou ninguém: Carlos Imperial, Roberto Carlos, Wilson Simonal, Marcos Moran, Tony Tornado, os dançarinos Clito, Nilza, Mário Jorge, Arlete, Bolinha, Cidinho Cambalhota, Mariinha, Ary Tel e Maria Gladys. Após o programa, me convidaram para uma passeata de protesto em frente ao Snack's Bar, no Posto 6, em Copacabana, em desagravo a um motociclista que morrera atingido por uma garrafa d'água atirada do alto de um prédio. Fui na garupa de uma das lambretas da turma, me sentindo um deles.

Depois fomos para um apartamento sem móveis, onde ficamos bebendo, cantando e dançando rocks até de madrugada. Roberto estava namorando Maria Gladys e eu comecei a flertar com Nilza, embora ela fosse par constante do Clito. No final da noitada, pensei: "Amanhã vou levar um sabão do dr. Carmelo, mas valeu a pena."

No dia seguinte, mal abri a porta e o telefone tocou. Para minha surpresa, era dona Isabel, com a voz alterada, me passando a maior descompostura:

— A loura sirigaita foi aí anteontem e você não me disse nada! Ela ficou com ele a tarde toda. De que lado você está? Pensei que você fosse meu amigo, mas estou vendo que me enganei.

Antes de responder, uma piada de humor negro me veio à cabeça: "Pô, como é que ela está vendo se não enxerga?"

Dona Isabel continuou:

— Fique sabendo que tenho outros informantes aí no prédio e eles me deram todo o serviço. A próxima vez que ela for aí, vou dar um flagrante nos dois depravados e garanto que vai sobrar para você também. Me aguardem.

E bateu o telefone na minha cara. Não tive nem tempo de ficar indignado, pois vi o dr. Carmelo parado na minha frente, me encarando e esperando que eu justificasse minha ausência do dia anterior. Minha tia ficara doente e não pude avisar, disse na maior cara de pau. O advogado não falou nada, mas a tensão tomou conta de mim quando vi que, após tirar o paletó, ele sacou um revólver da cintura e o colocou sobre sua mesa.

O clima estava pesado. A mulher enlouquecida de ciúmes e o marido conquistador armado. Fui para minha mesa, esbravejando por dentro, xingando o mundo e me perguntando o que é que estava fazendo naquele lugar cheio de ódios e intrigas, envolvido até o pescoço numa briga maluca de consequências imprevisíveis. Que diferença para meus novos amigos do *Clube do Rock*, felizes e sinceros. Pareciam estar sempre na hora do recreio. No auge das minhas divagações, dr. Carmelo soltou um berro:

— Assim não dá! Ô rapaz, venha aqui. O senhor está despedido.

Corri sem imaginar qual seria o motivo da fúria do homem que, nervoso, levantava o telefone e outros objetos que estavam sobre a sua escrivaninha, apontando em seguida para os quadrados, círculos e retângulos de poeira, resultado do meu desleixo. Quase descontrolado, ele foi descobrindo outras mancadas, como guimbas de cigarro embaixo do tapete e até crostas de sujeira sobre os livros da estante.

Nem argumentei, pois não valeria a pena. Fui embora feliz por ter saído ileso daquele ambiente claustrofóbico e doentio, cenário de um drama que não era meu. Jurei que, daquele dia em diante, só iria trabalhar com música.

NO CAMINHO CERTO

Minha avó tinha uma fé em Santo Antônio que a levava a rezar até se esgotarem todas as orações conhecidas. O pedido era sempre o mesmo: dias melhores para nós. E como se previsse algo, foi ela quem me deu o meu primeiro violão. A via-crúcis da minha mãe — iniciada após a separação do meu padrasto — duraria a eternidade de uns três anos. Ela trabalhava duro para garantir a minha "roupa da missa". A imagem dela encerando o chão com o escovão (uma espécie de vassoura com uma escova grande na base) e lavando roupas para os treze moradores da casa, de pés descalços, até altas horas, sobretudo nos dias de chuva, doía em mim.

Vieram os Snakes, o Exército, Carlos Imperial e... a parceria com Roberto Carlos. As cobranças na família atingiram o auge no período em que comecei a compor, o que gerava comentários do tipo:

— Era só o que faltava. Ele agora fica o dia inteiro no blém-blém-blém, tocando violão, enrolando a pobre mãe, que se mata de trabalhar.

Quando recebi meu primeiro trimestre de direitos autorais pela versão de *Splish Splash* e a coautoria de *Parei na Contramão*, ambas gravadas por Roberto Carlos, joguei o dinheiro vivo em cima da cama e, antes de dizer de onde ele vinha, brinquei:

— Mãe, roubei esse dinheiro da padaria.

Uma brincadeira de mau gosto. Ela ficou possessa e, com lágrimas pelo rosto, saiu pela rua falando aos céus:

— Meu Deus, meu Deus, meu filho é um ladrão!

Erasmo com seu violão, ao lado de China (agachado), Arlênio e Trindade, os Snakes: "Fizemos essa foto para divulgar nos jornais e dar para as meninas. Já havia uma demanda dos dois lados."

Somente com a negativa do surpreso e boa-praça seu Antônio da padaria, que não dera falta de dinheiro nenhum no seu caixa, e com a minha presença pedindo perdão pela péssima piada, é que ela se acalmou. Ao saber da verdadeira origem da bolada, as lágrimas continuaram, só que agora eram de alegria.

Esse dia seria o início de uma vida diferente para nós. Uma nova etapa. Eu começava numa profissão. Era um embrião de compositor e estava no caminho certo. As coisas iriam melhorar, e finalmente minha mãe não teria que encerar casarões antigos nem lavar pilhas de roupas alheias. Eu e meu violão não deixaríamos.

Como a música era uma arte marginalizada na época, a família não deu o braço a torcer. Os comentários mudaram para:

— Música não dá dinheiro. É mentira dele!

— Deve ser alguma mulher que ele arrumou em Copacabana e agora está vivendo às custas dela.

— A pobre da mãe é a única pessoa que acredita nele.

Pouco depois, já não restava dúvida de que meu dinheiro vinha da música mesmo. Mas uma pergunta não foi respondida até hoje: quem dedurou para dona Isabel a visita da loura sirigaita? O porteiro, o ascensorista, o vendedor de mãe-benta?

A YOKO DOS SNAKES

Sempre que ouço *Gostava Tanto de Você*, clássico de Édson Trindade imortalizado na voz de Tim Maia, penso: Será que ele fez essa música para a Meire?

Trindade foi o cara que me levou para a música, me convidando em 1958 para cantar nos Snakes — o grupo vocal, formado por ele, Arlênio e China, era uma dissidência dos Sputniks, que tinha Roberto Carlos e Tim Maia em sua formação. E Meire, namorada de Trindade na época, viria a ser uma espécie de Yoko Ono dos Snakes. Ela seria culpada pelos primeiros desentendimentos entre nós. No início do namoro dos dois, sua presença em nossos compromissos passou a ser quase diária, interferindo na liberdade e intimidade do grupo. Aos poucos fomos perdendo nossa privacidade. Tínhamos que nos policiar na hora dos palavrões, das piadas, dos peidos e arrotos. E, o mais importante, sua presença tolhia nossa criação.

O casal me volta à mente ao som de *Gostava Tanto de Você* também porque o namoro dos dois nos rendeu um susto. Trindade chegou um dia vestindo um sobretudo com a gola alta, mãos no bolso e um chapéu com aba dobrada para baixo, enterrado na testa, igualzinho a Humphrey Bogart no filme *Casablanca*. Quando perguntamos que roupa era aquela, ele respondeu:

— Vim me despedir de vocês. A Meire terminou comigo e vou me suicidar!

Ninguém ligou. Se ele esperava alguma preocupação ou piedade da nossa parte, com certeza se decepcionou. E ainda demos uma bronca antológica e coletiva nele. Tim, Arlênio, China e eu soltamos o verbo:

— Porra, Trindade! Vai à merda, rapaz. Vai se orientar na vida, procurar alguma coisa para fazer. Tem mulher pra caramba por aí.

— Já vai tarde. Avisa quando vai ser, para a gente mandar flores.

— Só faltava essa! Qual é o seu plano? Vai ser atropelado, tomar veneno ou o quê?

Ele esperou calmamente encerrarmos a gozação e, olhando em nossos olhos, falou com uma cara séria:

— Vou me jogar do cais da praça XV. Vou encher meus bolsos de pedras e me jogar.

Continuamos sem dar bola para aquela maluquice:

— Vá com Deus! Cuidado que o peso das pedras pode não ser suficiente. É melhor pular com um pedregulho amarrado no pescoço. E presta atenção no que vai comer antes, para não dar indigestão nos peixes.

Voltamos a conversar enquanto ouvíamos ele ir embora esbravejando:

— Vocês vão ler amanhã nos jornais. Pensam que estou brincando? Vocês vão ver.

E sumiu. Sabíamos perfeitamente que aquilo era mais uma palhaçada das muitas do Trindade — um sujeito especialista em imitações, capaz de se fingir de enfermeiro para arrumar mulher e, para não pagar a conta, colocar uma barata no próprio prato após se refestelar com o rango de alguma lanchonete.

Mas no dia seguinte ele não apareceu na rua. Nem no outro, o que foi nos deixando preocupados. Seria verdade? E se ele se suicidara mesmo? Por que não o impedimos? Que tipo de amigos éramos nós? Resolvemos esperar mais um dia e, se não houvesse notícias, iríamos até a casa dele na rua Dr. Satamini e falaríamos com dona Elza, seu Trindade ou com a irmãzinha dele, que parecia uma Nossa Senhorinha, de tão puro que era o seu rosto.

Não precisamos de nada disso. Lá pelas tantas da noite, chegou ele todo sorridente e feliz como se nada houvesse acontecido. Ao ser indagado por que não se suicidara, respondeu debochando da gente:

— O quê? Vocês estão pensando que sou otário? A vida é tão boa, o mundo cheio de mulher...

Algum de nós, injuriado, reclamou:

— A gente tava aqui quieto no nosso canto e você veio com esse papo de suicídio. Deixou todo mundo preocupado e agora vem dizer que está tudo bem. Tudo bem nada. Por que você não se suicidou?

E ele, com a cara de um anjo pintado por Leonardo da Vinci, explicou:

— Porque a Meire voltou comigo!

Eles se mereciam.

MI, LÁ, RÉ: UMA BÊNÇÃO

Mesmo com as desavenças entre Meire e Trindade, os Snakes estavam caminhando. Tim ficou órfão de vocalistas com o fim dos Sputniks. Acompanhado somente por seu violão, seu canto perdia força. Faltava algo. Nada como vozes de apoio para preencher a música e valorizar a melodia. Ele nos convidou, então, para participar de suas apresentações. Os ensaios eram

Abraçado com o pai no apartamento dele, em Salvador: “Era a primeira vez que o visitava, depois de conhecê-lo no Rio.”

na pensão do pai de Tim, seu Altivo, um casarão antigo que ficava na rua Barão de Itapagipe.

Nossos encontros eram sempre iguais. Arlênio tentava, com seu falso inglês tijucano, reproduzir a letra dos originais americanos. Depois, distribuía as vozes de cada um. Caprichávamos abrindo as vogais "a" e "o" e os fraseados "tchururu", "tchep" e "doo-woop-woop". O quarto de Tim ficava situado abaixo do nível da rua, bem em frente ao ponto do bonde 51 (Matoso), que de meia em meia hora nos interrompia com sua barulheira infernal. Nem ligávamos, pois estávamos sempre contemplando, ocultos atrás das janelas de grade de ferro, dezenas de pernas, vistosas e apetitosas, das meninas dos colégios Paulo de Frontin e Maria Raythe, que ficavam ali esperando a condução. É claro que as saias abaixo do joelho não nos deixavam vislumbrar as coxas, mas nossa imaginação via além.

Na hora do almoço, o cheirinho da comida que vinha da cozinha desafinava as nossas vozes. Ao anúncio de "tá na mesa", devorávamos, com a falta de educação que nos era costumeira, as delícias caseiras que dona Maria Imaculada, a mãe de Tim, carinhosamente nos oferecia. Depois de enchermos o bucho, Tim pegava novamente o violão e voltávamos para *Good Golly, Miss Molly*, *Jenny Jenny*, *Little Darling* e *Bop-a-Lena*, a base do nosso repertório com ele. Foi num desses ensaios que Tim me ensinou no violão os acordes mi, lá e ré, abrindo para mim as portas do abençoado mundo da composição.

ACONTECE QUE EU SOU (QUASE) BAIANO

Quando entrei para os Snakes, em 1958, o rock fazia a minha cabeça. Mas, parafraseando Caymmi, acontece que eu sou quase baiano — e isso faria diferença na minha relação com a música.

Quase baiano? Pois é. Vim de Salvador para o Rio na terceira classe de um navio, ainda no ventre de minha mãe Maria Diva. Vieram também minha avó Maria Luiza, minha tia Alzira e meu tio Geraldo.

Aqui cabe um parêntese. Meu pai não assumiu a gravidez da minha mãe, por isso passei toda minha juventude achando que ele, Nilson Ferreira Coelho, estava morto — preferiram me dizer isso que a verdade. Quando comecei a aparecer na TV, ele me procurou. Seus outros filhos, Nilsinho e Celinha, que viviam com ele, falaram que éramos parecidos — diziam que, cantando, eu e meu pai fazíamos um movimento idêntico de bater com a mão na perna. Lembrou-se de minha mãe, fez as contas e teve certeza de que eu era seu filho. Nos conhecemos quando eu tinha 23 anos e chegamos a nos encontrar com alguma frequência, mas nunca construímos um relação de amor do tipo pai e filho. Fecha parênteses.

Cresci assim, cercado de baianos por todos os lados e criado como se fosse um. Absorvi a cultura baiana a ponto de fazer minhas primeiras orações para o Senhor do Bonfim, que era o papai do céu para mim. Em dias de festa, comia-se caruru, vatapá, munguzá com canela na sobremesa, e até feijão de coco, que minha avó fazia.

O linguajar é que era difícil, pois jamais consegui dominar a famosa "língua do P", tradição baiana. Todos a falavam correntemente, em especial quando queriam que eu não entendesse a conversa: dapá, depé, dipí, dopó, dupú... O alfabeto também era estranho, pois o f era fê, o g era guê, o l era lê, o m, mê...

Na hora da tosse era um Deus nos acuda: me davam melado com farinha e aplicavam panos aquecidos pelo ferro de passar no peito e nas costas. Se fosse dor de cabeça, duas rodelas de batata coladas na fronte resolveriam. Lembro até hoje as sábias filosofias dos ditados populares, que não cansavam de repetir para mim: "Junte-se aos bons que serás um deles", "Boa romaria faz quem em sua casa fica em paz", ou "Antes só do que mal acompanhado" (que eu iria inverter mais tarde na música *Mesmo que Seja Eu*). Um que custei a entender foi: "Godero me disse que eu goderasse, comesse dos outros e do meu guardasse", que usávamos para nos resguardar de aproveitadores ("goderar" significa cercar o prato alheio, na expectativa de ganhar algo). Também não entendia o "Menininha sem arame, vá rodando e não me ame", exclusiva para quando minha mãe não simpatizava com alguma namorada minha.

Sou, portanto, um indivíduo de dupla cidadania, carioca de nascimento e baiano de criação.

A música também me chegava pelo lado baiano. Quando ouvi *João Valentão*, fiquei intrigado, porque eu era encrenqueiro e sonhava acordado como o personagem da letra da música. Parecia que Dorival Caymmi sabia da minha vida e estava me dando um toque. Tempos depois, todos lá em casa cantariam de manhã, de tarde e de noite o sucesso *Maracangalha*, que as rádios não paravam de tocar.

Quem é do signo de gêmeos, como eu, é um duplo, sendo perfeitamente natural que um lado de mim tenha ficado chapado quando ouviu *Rock Around the Clock*, com Bill Halley, enquanto o outro... ah, o outro... sentiu um cataclisma interior ao escutar *Chega de Saudade*, com João Gilberto. Foi um deslumbramento só. Provocou uma reação que eu nunca sentira antes, uma mistura de ternura com felicidade, uma vontade de entrar rádio adentro e fazer parte daquele som que parecia falar diretamente comigo. Ao mesmo tempo, era o que eu queria ser para qualquer namorada: simples, poético, harmônico, carinhoso, triste e alegre.

Claro que o meu roqueiro interior não gostou muito do que o meu outro eu sentiu. Mas os dois vivem comigo até hoje em regime de coexistência pacífica. Com o tempo, vim a saber que aquilo era bossa nova e que João — o inventor da batida que revolucionou a música mundial e a minha vida — era baiano.

BRIGITTE BIJOU, A DECEPÇÃO

Se por dentro eu era um sujeito dividido entre rock e bossa nova, minha imagem — calça Far-West nacional (o mais próximo que podíamos chegar dos jeans que víamos nos filmes americanos), camisa de gola alta, cabelo comprido e costeleta — não admitia dúvidas. Eu era o protótipo do roqueiro.

E foi graças ao rock que fiz minha estreia no cinema. Estava com 17 anos, na ativa com os Snakes, quando Carlos Imperial nos convidou para gravarmos com Cauby Peixoto um rock para o filme *Minha Sogra É da Polícia*, com Violeta Ferraz no elenco e direção de Aloísio T. de Carvalho. Como o China não pôde ir, eu, Arlênio e Édson Trindade convidamos Roberto para cantar com a gente. No dia marcado, seguimos para a igreja Santa Mônica, do Colégio Santo Agostinho, no Leblon, onde a turma do Imperial já nos esperava para ensaiar.

A banda era composta por amigos do Imperial. Fui apresentado a um cantor que eu jurava que fosse americano, pois havia lido em vários jornais notinhas e reportagens afirmando que ele, Dixon Savannah, batera Elvis Presley em prestígio nos Estados Unidos e era a nova sensação mundial do rock and roll.

Seu nome, na verdade, era Paulo Silvino, um tipo simpático e piadista. O cara era brasileiro e estava bem ali na minha frente: comprido, voz grave, óculos fundo de garrafa, cara engraçada e jeito compenetrado. Silvino logo me contou que Dixon Savannah não passava de uma jogada de marketing para vender o disco que ele havia gravado. Um pouco decepcionado com a revelação e me sentindo ludibriado, só me restou rir da ousadia.

O ensaio foi rápido e, em pouco tempo, já estávamos afiados. Imperial marcou a gravação para o dia seguinte e todos se dispersaram. Como estava sem nada para fazer, fui parar na casa do Silvino, em Ipanema, convidado por ele para ouvir uns discos de rock recém-lançados nos *States*. Lá chegando, tive a honra de conhecer sua mãe, Naja Silvino, renomada pianista, e seu famoso pai, o humorista Silvino Neto, que arrebentava na Rádio Nacional do Rio de Janeiro.

Ouvimos algumas músicas, jogamos conversa fora como se fôssemos velhos conhecidos, até que, contemplando os livros da estante, meus olhos se fixaram na capa de *Éramos Três*.

Flashback: *Éramos Três* havia sido fundamental, um ano antes, para minha vida sexual, que na época ainda era devagar. Fora a Lilica da Tijuca, que dava para todo mundo da turma, e uma prostituta da zona do Mangue, não tinha transado com mais ninguém. Uma simples foto de vedete ou de miss me excitava instantaneamente. As namoradinhas que tinha eram virgens e eu e meus amigos disputávamos a tapa até as revistinhas eróticas de Carlos Zéfiro.

Foi nessa época que descobri a literatura erótica, que a gente na intimidade chamava de "livro de sacanagem" mesmo. O "pega" entre Lenita e Manuel em *A Carne*, de Júlio Ribeiro, foi o primeiro a me "sensibilizar" — uma alegria solitária que duraria até o dia em que perdi o livro. Após um período sem "inspiração", achei um tesouro quando li *Éramos Três*, da escritora Brigitte Bijou. Caramba, não saía mais do banheiro! A história de um triângulo amoroso envolvendo um homem e duas mulheres fez minha cabeça. Troquei até o nome do personagem pelo meu para me imaginar no seu lugar, na cama com duas gostosas peitudas.

Confesso que, além do teor erótico da narrativa, me deixava muito louco o fato de saber que era uma mulher que escrevia aquilo. Não era possível que ela não fosse devassa. Na minha imaginação, Brigitte Bijou devia ser uma messalina amoral e tesuda, uma vênus ninfomaníaca que escravizava os homens com sua bunda magnífica. Uma maravilhosa deusa do sexo.

Minha alegria duraria pouco, pois num belo dia me roubaram *Éramos Três* no colégio. Peguei o exemplar de Paulo Silvino com a empolgação de uma criança e não escondi a surpresa:

— Ih, bicho, você tem *Éramos Três*! A mulher que escreveu esse livro é muito safada! Sou seu fã. Ela deve ser maquiavélica. Deve fazer suruba com os caras, dar a bunda, chupar, fazer 69...

— Você acha? — interrompeu ele.

— Acho não, tenho certeza! Uma mulher para escrever as sacanagens que ela escreve, só pode ser escolada.

Foi quando recebi o balde de água gelada:

— Que é isso, Erasmo? Ela é uma santa, uma moça de família. Sei disso porque sou eu que escrevo os livros dela.

— O quê? Você está me dizendo que Brigitte Bijou é um pseudônimo?

— Exatamente.

— Ah! Então me devolva todo o esperma que eu gastei tocando punheta — respondi, injuriado.

Naquela noite, pediria o livro emprestado com a desculpa esfarrapada de querer reler a história. Na contracapa, me chamou atenção uma dedicatória:

"Helô, se esse livro não te aquecer nas noites frias, considera-te feita de gelo..."

Até hoje, quando encontro Paulo Silvino, metralho:

— Dixon Savannah, como vai você? Ah, me desculpe... É Brigitte Bijou, não?

Voltando ao *Minha Sogra É da Polícia*, gravamos a música *That's Rock*, com Cauby Peixoto, no dia marcado. No final da gravação, Imperial nos convidou para dublarmos os instrumentos musicais no filme quando soasse a canção — ele e Roberto nos violões, Édson Trindade na bateria, eu no saxofone e Arlênio, que tinha um metro e sessenta e poucos de altura, em cima de um banquinho no contrabaixo. Silvino apareceria na cena seguinte dançando rock entre lambretas e vespas com Violeta Ferraz. *Minha Sogra É da Polícia* se tornaria um filme cult, histórico pela nossa reunião.

O filme ainda me rendeu uma cana. Ao assisti-lo no cinema Estácio, no bairro homônimo, cercado pelos amigos e as namoradinhas da Tijuca, tive a infeliz ideia de roubar uma das fotos de divulgação que ficavam ao lado do cartaz. Fui preso e foi preciso minha mãe ir à delegacia para testemunhar que um daqueles "delinquentes" da foto era eu.

SUCESSO FABRICADO

Com os Snakes, aprendi minhas primeiras lições sobre o show business. Certa noite, estávamos no bar Divino eu, Arlênio, Trindade, China, além de Raul e Almir, todos esperando que um casal, recém-saído da última sessão do Cine Madrid, acabasse de degustar uma pizza aparentemente saborosa para devorarmos o resto que a mulher deixaria. Sabíamos disso porque,

Com Tim Maia, na época da Jovem Guarda: "Tim ainda fiel ao estilo Timbolina. Eu, com uma camisa listrada que marcou meu guarda-roupa."

depois de incontáveis noites de observação, percebemos que elas comiam pouquíssimo, por charme ou medo de engordar. Não deu outra. Mal foram embora e atacamos as sobras.

Durante a conversa, enquanto traçávamos a pizza alheia, eis que chega Paulo Murilo, divulgador da Copacabana Discos, que estava fazendo alguns contatos para que os Snakes gravassem um disco. Não queríamos passar a vida inteira fazendo vocais para Roberto Carlos e Tim Maia. Acompanhar o "Elvis Presley brasileiro" (Roberto) e o "Little Richard brasileiro" (Tim) no *Clube do Rock* era até então nossa principal e quase exclusiva atividade. Mas nossa vontade era gravar e também fazer shows solos. Eu e Trindade já estávamos tocando violão razoavelmente bem.

Murilo veio com o compositor André Duarte, famoso por ter feito vários sambas, sambas-canção e marchas carnavalescas de sucesso. André apresentou uma proposta para os Snakes. Era a seguinte: ele estava lançando um cantor por uma gravadora da qual não quis revelar o nome e queria nos contratar para fazermos o backing vocal. A música era uma marcha de sua autoria e a gravação seria no dia seguinte. Trindade, China, Arlênio e eu nos entreolhamos, sérios e contidos, porém satisfeitos por dentro. Além de faturarmos um bom cachê, lucramos com a vaidade de estarmos sendo requisitados. E o melhor: andando com os nossos próprios pés, sem depender dos amigos Roberto e Tim.

Combinamos o pagamento, horário e, no dia seguinte, seguimos para a Esplanada do Castelo, no Centro, onde ficava o estúdio de gravação. Ao saltarmos do elevador do prédio, já começaram as surpresas. O corredor estava cheio de gente e tivemos que pedir licença para passar, enquanto ouvíamos os comentários de decepção:

— Ah, pensei que fosse o Carvalho.

O tal estúdio não passava de uma salinha, decorada com cartazes de artistas da Rádio Nacional, como Emilinha Borba, Francisco Carlos, Lúcio Alves... Um vidro o separava de um cubículo onde só cabiam uma mesinha de som jurássica e o técnico. Falante e vaselina que era, André nos recebeu com simpatia, explicando que o tal cantor estava atrasado, era português e se chamava Joaquim Carvalho. Acrescentou que as pessoas que estavam lá no corredor eram amigos que vieram dar uma força.

Ficamos quietos, olhando ao redor no meio da confusão. No centro da salinha, um microfone de pé captaria o som geral. O grupo que nos acompanharia, formado por dois violões, uma tumbadora e um afoxé, somados a nós quatro, já lotava o "estúdio". Começamos a ensaiar:

Quem é que não conhece a Pedra da Moreninha em Paquetá
Só quem não ouviu o canto e o encanto que vem de lá...

Arlênio distribuía as vozes. Ele ficava com a mais grave (o baixo), eu fazia o canto principal, Trindade ia uma oitava acima da minha e China entrava com alguma outra voz que combinasse harmonicamente. Convém dizer que usávamos na época o sistema de gravação direto no acetato, ou seja, no disco. Não podia haver erros. Qualquer imperfeição na execução e teríamos que recomeçar tudo do zero. Trocava-se a matriz e fazíamos outra tentativa. Ou seja, até por motivo de economia, já que um acetato-matriz custava caro, era aconselhável ensaiar bastante — e estávamos fazendo isso. Para se conseguir o equilíbrio com um único microfone, as vozes e os instrumentos mais agudos ficavam mais afastados. Só que um detalhe importante estava faltando: cadê o cantor?

Não demorou muito e o burburinho do corredor anunciava que chegara o Carvalho. Achamos estranho quando vimos a figura, completamente diferente do que imaginávamos. Não tinha pinta de artista, mais parecendo um bicheiro ou um cafetão da Lapa: gordo, parecendo ter 40 anos, baixinho, cabelos ondulados e penteados para trás com brilhantina, bigodinho fino, terno jaquetão de linho branco, gravata, anéis de ouro e sapato bicolor.

O grupo atacou e ele não entrou. Atacou de novo e ele entrou fora do tom, depois fora do tempo. Se engasgou e pediu desculpas, com algum sotaque lusitano, dizendo que havia alguma coisa diferente e que já já ele iria acertar. Nem chegara ainda nossa hora de cantar e já estávamos cansados. André tentava contornar a situação, pedindo calma, mas já estava temeroso de que não iria dar certo. Carvalho, coitado, transpirava por todos os poros, já sem paletó, com a camisa colada no corpo. Não sabia o que fazer, enxugando o rosto, o pescoço e o peito com um lenço encharcado de suor. Um dos músicos teve uma ideia:

— Os garotos poderiam cantar desde o início e o Carvalho vai atrás.

Pronto, a sugestão caiu do céu para André. Ensaiamos algumas vezes, com a voz do Carvalho quase escondida em meio às nossas, e o técnico então resolveu gravar. Carvalho nos atrapalhava, pois além do suor e da péssima performance vocal, ele não tinha a mínima noção de ritmo.

Cinco acetatos depois, imortalizava-se o "Quem é que não conhece a pedra da Moreninha em Paquetá...". Para completar, não recebemos nosso cachê completo — o restante seria pago dias depois. Carvalho foi embora, saudado em apoteose pelo fã-clube no corredor, quase carregado, aos brados de "Boa, Carvalho!", "Que maravilha!", "Vai ser sucesso!", "Tá bom para chuchu!".

Dois meses depois, Paulo Murilo nos convidou, a pedido de André, para um almoço na casa do Carvalho em Nova Iguaçu. Seria o lançamento do disco e ele aproveitaria para pagar o que nos devia. Juntamos uma galera e para lá seguimos. Nas proximidades da rua, já dava para ouvir o foguetório. Gente de todas as idades gritando "Carvalho, Carvalho!", serpentinas espalhadas, bandeirolas, uma bandeira do Vasco, moças sorridentes e crianças brincando com línguas de sogra. A casa era grande e o quintal idem. Fomos apresentados a todos como "os meninos que cantavam com Carvalho". Muitos diziam:

— Ah, sei. Os Snacks.

O que nos levava a corrigir pacientemente:

— Não é Snacks, é The Snakes, os cobras.

A mulher do Carvalho, portuguesa também, nos cativou com sua amabilidade, nos apresentando a um panelão de moqueca com batatas e mandando que nos servíssemos dos garrafões de palha de vinho tinto. Percebemos, porém, que ela tinha um buço tão notável que mais parecia um bigode. Olhares mais cuidadosos nos permitiram ver que a senhora Carvalho não raspava as pernas nem os pelos do sovaco.

Num momento descontraído em que Carvalho se divertia, dançando desengonçado com familiares e amigos, eis que chega André correndo, trazendo um rádio de pilha a todo volume, gritando excitado:

— Carvalho, Carvalho, olha o que está tocando no rádio! "Quem é que não conhece a Pedra da Moreninha de Paquetá...".

Todos deram vivas e abraçaram Carvalho, que não cabia em si de contentamento. Passado algum tempo, a música tocou de novo e de novo, sempre saudada pelos presentes. Carvalho estava eufórico. Foi quando ouvimos André dizer:

— É, Carvalho... Vamos precisar de mais grana para prensar mais discos, porque *Pedra da Moreninha* é um sucesso.

Bebemos, comemos e nada do nosso dinheiro. No final, André evocou todas as desculpas do mundo e prometeu que iria fazer nosso pagamento no bar Divino, pessoalmente, no dia seguinte, nos deu um disco com a música e ponto final. Vimos cair por terra o nosso lema "a esperança é a última que morre", pois ela morreu mesmo. Já não alimentávamos mais pretensão alguma de recebermos o resto do nosso cachê. André sumiria e nunca mais ouviríamos falar dele.

Com o tempo, ficamos sabendo da maracutaia. Ele conhecera Carvalho numa roda de violão onde a birita rolava solta. Depois de alguns goles, soube tratar-se de um comerciante rico de Nova Iguaçu, vaidosíssimo, que tinha o sonho de ser cantor. Imediatamente prometeu ao pobre coitado a realização do seu desejo, contando com a ajuda de alguns amigos que trabalhavam em rádios da periferia. Carvalho soltava a grana e, devidamente pagos, eles alimentavam o ego do aspirante à estrela, a ponto de convencê-lo de que ele era um novo Francisco Alves. A gravação, o fã-clube, a festa e a música tocando no rádio, era tudo uma grande armação.

Esse episódio me serviria de ensinamento logo no início da minha estrada. Foi apenas uma das muitas armadilhas capciosas que eu ainda presenciaria no mundo da música.

ROCK'N'ROLL NO XADREZ

Nas furadas e nas boas, nossa turma lá estava, unida para o que desse e viesse. Além dos shows do *Clube do Rock*, íamos também ao cinema e às festinhas na Tijuca ou em qualquer outro bairro do Rio. Tínhamos o hábito de namorar em bando, pois, quando um de nós iniciava um romance com determinada moça, logo apresentava os amigos para as amigas dela. Andando em grupo, nos fortalecíamos contra as gangues dos bairros, ciumentas e despeitadas por estarmos "pegando" suas meninas. O fato de sermos extravagantes e músicos nos dava nítida vantagem sobre eles.

Conheci muita gente dessas outras gangues. O hoje amigo, produtor e diretor Walter Lacet era da gangue de Bonsucesso. O também amigo e deputado federal Miro Teixeira fazia parte da turma da rua dos Andradas, no Centro.

Seguindo essa estratégia de namoro em bando, nossa turma se apaixonou por um adorável grupo de amigas, lindas e descoladas, da Ilha do Governador. Haveria uma festa e fomos todos convidados. Seria na casa de uma delas na praia da Bandeira, no bairro de Cocotá. Começaria no sábado com uma feijoada, tipo quatro da tarde, e iria noite adentro. Com muito samba, bolero, fox, rock and roll — e cerveja e cuba libre à vontade.

Fomos de ônibus, munidos de violão e disposição. Estavam os Snakes, Roberto Carlos, Sabará, Pinto Nu, Renato Caravita, Raul, Almir Ricardi e Paçoca, entre outros. Como não havia gangue rival naquela parte da Ilha, tomamos conta da festa. Os donos da casa e seus amigos eram pessoas ótimas e nos deixaram à vontade. A comida era farta. Aprendemos a pescar caranguejo com puçá, usando pedacinhos de carne como isca. Aproveitamos os boleros e os foxes para dançarmos agarradinhos com as meninas, sob raios prateados de uma lua imensa e alcoviteira. Na hora do rock and roll, Renato, Raul e eu dançávamos nos exibindo, pois o ritmo era novo e ninguém ousava (ou sabia) fazer seus malabarismos.

A festa foi chegando ao fim, com Roberto tocando violão e cantando no quintal, acompanhado pelo vocal dos Snakes. Depois dos beijinhos, obrigado, saudades etc., mais ou menos às três da manhã, tomamos um ônibus vazio de volta para casa. Não é preciso dizer que estávamos alegres. A farra continuou com batucada, violão e cantoria, assustando o pobre motorista que, apavorado, parou no posto aeronáutico do antigo aeroporto do Galeão e saltou. A zorra continuava com todos cantando a plenos pulmões os sucessos da época quando alguns soldados cercaram o ônibus e nos obrigaram a descer. A acusação era de que estávamos perturbando a ordem e desobedecendo a lei do silêncio.

Fomos encaminhados para uma cela e o violão foi junto. Após algumas explicações para o oficial do dia, nos ajeitamos pelos cantos. Por sermos muitos, a porta da cela ficou aberta, facilitando nosso livre trânsito pelas salas da delegacia. Logo estávamos batendo um papo animado com o cabo de plantão, falando dos shows do *Clube do Rock*, de músicas, garotas...

Roberto pegou o violão e começou a cantar, prontamente seguido pelos Snakes. Foram chegando mais soldados e o oficial do dia mandou chamar um sargento que trouxe um trompete. Pronto! Estava formada uma *rock session*. Nossas músicas estavam superensaiadas e o sargento sofria tentando acompanhá-las, pois ele mesmo contou que sua praia era outra. Rolaram *Hound Dog*, Tutti Frutti, *Litle Darlin'*, *Oh! Carol* e outros sucessos.

O dia já estava amanhecendo quando nos liberaram, pedindo que não os levássemos a mal, entendiam nossa bagunça no ônibus, mas que cumpriam o seu dever. Na hora da partida, nos demos conta que estávamos sem dinheiro para a condução, pois já havíamos gastado tudo na passagem do outro ônibus. O sargento fez uma vaquinha e completou a quantia necessária. Prometemos voltar no dia seguinte para ressarcir a rapaziada. Fomos embora exaustos e achando graça da aventura. Mas, desta vez, ficamos quietinhos no ônibus. E até hoje não devolvemos o dinheiro que o sargento nos emprestou.

O MISTÉRIO DO ESTROGONOFE

Pouco tempo depois, era eu quem estava de farda. Cumpria o serviço militar no Exército e seguia, com muito garbo, a rotina de soldado de uma unidade do 2º BIB (Batalhão de Infantaria Blindada), com a identificação 1101 — SLD ESTEVES. Corria o ano de 1961 e Jânio Quadros presidia o país, que passava por incontáveis mudanças e choques entre diferentes correntes políticas.

Mas para nós o cotidiano era o mesmo: perfilar com o batalhão para ouvir as ordens do dia; correr da Quinta da Boa Vista até o Méier; desmontar, limpar e montar novamente os fuzis e as metralhadoras .30 e .50; almoçar a gororoba de sempre, em que podiam ser encontradas lesminhas, pedrinhas, moscas e até baratas; fazer ordem unida — como é chamado o treino em conjunto da marcha — cantando bem alto, para dar moral; frequentar as aulas do curso de cabo, no meu caso; perfilar na saída para saber quem estaria de serviço; e, por fim, enfrentar o maçante teste da barba, quando o sargento, com cara de poucos amigos, passava um algodão no maxilar inferior de cada um para ver o grau de aspereza (se um único fio de algodão ficasse retido na face não tinha nhém-nhém-nhém, o soldado era obrigado a se retirar na mesma hora para se barbear novamente).

Essa mesmice só viria a ser alterada quando manifestações estudantis nos obrigaram a ficar de prontidão por exatos 21 dias, período em que nem banho tomávamos, sendo acionados em horários diversos da manhã, tarde ou noite, somente para testar nossa rapidez de mobilização.

Minha rotina de soldado também foi bagunçada de forma constrangedora quando peguei chato e, em meio a toda a austeridade militar, tinha que manter a compostura enquanto sofria com coceiras terríveis. Para me livrar dos bichinhos, na minha ignorância, tentei afogá-los. Num dia de praia, em Ramos, passei quatro horas dentro d'água. Acabei queimado de sol, com fome, sede — e, claro, não me livrei da praga.

Numa manhã como as outras no quartel, Trindade, Arlênio e China foram me dar a notícia: "Os Snakes vão participar da inauguração da TV Piratini em Porto Alegre." Fiquei louco de alegria. Conhecer o Sul, andar de avião, hotel de graça, mulheres e, ainda por cima, cantar. Que maravilha!

A viagem seria naquele fim de semana e serviria para divulgarmos o nosso primeiro disco, o 78rpm *Pra Sempre* (1960), que acabara de ser lançado pela gravadora Mocambo — antes de nos separarmos, lançaríamos ainda um compacto duplo e, no ano seguinte, o LP *Só Twist*, pela CBS. Eu estaria de serviço na caserna, mas dei um jeitinho de pagar ao SLD 1109 — ARRUDA para me substituir.

No dia marcado, lá fomos nós. O deslumbramento era total quando chegamos ao hotel. Trindade tratava todos como reles serviçais, fingindo ser um lorde inglês. Arlênio imitava Lauro Borges e Castro Barbosa do programa humorístico *PRK 30*, da Rádio Nacional do Rio. China ria de rolar no chão enquanto fazíamos guerra de travesseiros pelos corredores ou cantávamos no banheiro para curtir a acústica.

O hotel estava cheio. Artistas de outras gravadoras também participavam do evento, circulando pelas dependências numa algazarra só. Um cantor da RCA Victor, de quem não lembro o nome, só pensava em sacanagem e colocava a sua foto por baixo da porta do quarto das cantoras com o recado: "Você é linda, estou no quarto tal, ligue para mim."

No restaurante, devoramos logo as entradinhas e chegamos a pedir novas porções de manteiga e de pão. Com ares de expert, eu namorava o cardápio, assustado com os nomes estranhos, como champignon, carbonara, bolonhesa, *belle meunière* e outros. Acostumado com o velho "prato feito" que comia na minha casa ou com a gororoba intragável do quartel, aquela lista era um enigma para mim. Resolvi apostar no filé à Oswaldo Aranha, que vinha em destaque na seção de carnes. Pelo menos, tinha um nome brasileiro. Pedi ainda um reforço para acompanhar o meu filé. Chamei o garçom:

— Moço, eu queria também uma omelete de queijo e presunto, purê de batatas, arroz e farofa.

O garçom anotou tudo e foi para a cozinha. Ficamos ali na farra, conversando animadamente, fazendo guerra de bolinhas de miolo de pão e apreciando o intenso movimento do mulherio. Todos jantavam cedo porque o show da televisão no Teatro Guaíra seria às 22h. Começaram a servir os outros Snakes e me deixaram por último, fazendo crescer minha fome a cada garfada que eles davam.

Finalmente chegou o meu pedido. Sem entender nada, vi que dois garçons trouxeram uma série de bandejas que foram distribuídas na minha frente. Na maior delas, um magnífico filezão reinava absoluto ao lado das batatas fritas, do arroz e da farofa. Nas menores, além do omelete, vieram o purê, mais arroz e mais farofa, tudo que eu havia pedido. Confuso, balbuciei:

— Mas só pedi um filé.

— Não — disse o garçom. — O senhor pediu um filé à Oswaldo Aranha, que já vem com esses acompanhamentos. Pediu também outros itens que achei que era para dividir com os outros.

Entendi, mas aí era tarde. Não ia dar meu braço a torcer, dizendo que não conhecia o prato e assinar meu atestado de ignorância. Olhei para aquele mundaréu de comida e disse:

— Tudo bem, a gente traça.

E traçamos mesmo.

No teatro lotado, nossa apresentação foi linda. Cantamos *Pra Sempre* e *Little Darlin'*. Quatro andares de galerias e frisas nos aplaudiram demoradamente. E até hoje, quando leio no menu de algum restaurante "filé à Oswaldo Aranha", me lembro daquela noite e rio em silêncio.

Algum tempo depois desse mico gastronômico, eu pagaria outro memorável. Havia provado estrogonofe pela primeira vez numa boate. Gostei tanto que comecei a pedir sempre. Em qualquer boate, a boa era o estrogonofe. Os garçons até já sabiam. O nome da delícia me remetia ao "high society". Na minha adolescência, ouvia falar daquele prato constantemente. Ibrahim Sued, Jacinto de Thormes e o grande amigo e benfeitor dos Snakes, Carlos Renato (colunista social da Zona Norte do Rio, que escrevia no jornal *Última Hora*) não se cansavam de citá-lo em suas colunas como *must* dos eventos.

Fui jantar no restaurante Gigeto, em São Paulo. Seria uma boa oportunidade de me passar por um homem sofisticado, profundo conhecedor da culinária internacional e grande apreciador dos múltiplos sabores que a mesa oferecia. Para impressionar a namorada que estava comigo, enchi a boca e pedi ao garçom, caprichando nos efes:

— Por favor, amigo, *estrogonofffffe* para dois.

Quando foi servido o prato, estranhei:

— Bicho, esse molho está muito claro. Queria com o molho original, mais escuro.

O garçom, sem jeito, porém educadamente, disse:

— Perdão, senhor. Esse é o molho tradicional, não conheço outro.

— Por favor, chame o maître — insisti, piscando o olho para a namorada que, apreensiva, aturava o desenrolar da pendenga com cara de quem pensava: "Eles querem enganar o Erasmo, mas não vão conseguir, ele entende de comida."

O maître veio, argumentei e ele confirmou que o molho era assim mesmo. Não satisfeito, mandei chamar o cozinheiro que, ao chegar, me explicou que o molho não tinha mistério: conhaque, creme de leite, catchup, champignon, sal a gosto...

Como não tinha a mínima ideia de como era feito o molho, interrompi o papo e, com cara de impaciência, encerrei a discussão. O nhém-nhém-nhém se tornara desagradável e o rango já estava esfriando. Mesmo contrariado, resolvi comer aquele estrogonofe estranho e pálido. Qual não foi minha surpresa ao constatar que o danado estava gostosíssimo. Tão bom que eu até pediria bis. Na saída, abraçado com a namorada, não perdi a pose e falei para o maître:

— Devo admitir que estava bom. Mas que não é igual ao que costumo comer por aí, não é mesmo. O molho estava muito claro — afirmei, convicto.

Pouco acostumado a mesas de restaurantes, onde a luz é mais intensa, demorei a perceber que o molho do estrogonofe só era mais escuro na penumbra das boates.

UM NOVO COMEÇO

Trindade foi o responsável pela minha entrada nos Snakes e também pela minha saída. Ele adorava umas armações, mas, como era um grande companheiro, não nos incluía nunca em seus rolos. Isso não impedia que às vezes fôssemos afetados. Como quando Roberto Carlos e os Snakes ganharam

Em 1965, com Imperial, no primeiro apartamento comprado por Roberto, em São Paulo, numa foto para a *Cruzeiro*: “A matéria, que chamava o lugar de ‘quartel-general do iê-iê-iê’, fez barulho, pois nos posicionávamos contra a ‘linha-dura do samba’.”

o *Troféu Melhores da Semana* (programa que premiava aos sábados o que acontecia de segunda a sexta na TV Tupi do Rio).

Naquele dia, por causa do seu vício em apostar nos cavalos, Trindade simplesmente não apareceu no estúdio e não pudemos nos apresentar no programa, sagrado para nós. Roberto ficou furioso, a ponto de chamar o Dry Boys, grupo vocal do amigo Edson Pinto Bastos, para dividir a apresentação com ele. Chorei nesse dia e briguei com Trindade. Decidi então abandonar o grupo.

Era a hora de começar de novo meu caminho na música. Agora, sozinho.

PENSANDO COMO IMPERIAL

Já fora dos Snakes, eu ouvia o conselho do "mestre":

— Major, preste atenção em tudo o que eu fizer. Observe sempre meu modo de agir e a maneira como resolvo os problemas. Assim você aprende como é que a coisa toda funciona. O dia em que eu largar tudo, você assume. E lembre-se de uma coisa importante: quando você estiver em alguma situação conflitante, pare e pense: "O que faria Carlos Imperial?" Tenho certeza de que você vai tomar a decisão certa.

Assim falou Carlos Eduardo Corte Imperial. Uma das personalidades mais marcantes que já conheci, ele nos orientava em tom paternal e com expressão reflexiva. Comecei a trabalhar com Imperial em 1962, exercendo a função de secretário particular e coordenador do seu programa de rádio. Substituí o ex-recruta e cantor iniciante Wilson Simonal, que deixou o cargo para gravar seu disco na Odeon.

Sem os Snakes, precisava buscar outras formas de continuar no meio musical. Aquela oportunidade foi como um presente. Fiz exatamente como ele mandou e, com o tempo, passei a ocupar cada vez mais espaço em seu "império". Eu tinha qualidades para isso: sabia muito sobre música em geral, conhecia todo mundo e tinha esperteza. Para melhorar, possuía uma característica que Imperial adorava: era "família" e não tinha vícios (na época, eu não bebia por ter tido hepatite). Ele abominava todo e qualquer uso de drogas ou mesmo apologia elas.

Comecei fazendo a programação musical do seu programa diário, *Os Brotos Comandam*, na Rádio Guanabara, onde às vezes, pela ausência do titular, eu quebrava o galho assumindo o microfone. Foi num desses dias, inclusive, que conheci Wanderléa, que havia levado uma música para tocar no programa e tomou um susto ao me ver no lugar de Imperial.

Rapidamente absorvi seus ensinamentos e ganhei sua total confiança. Ele já não fazia com assiduidade sua coluna *O Mundo É dos Brotos*, na *Revista do Rádio*, nem contribuía com as famosas notinhas de fofocas falando dos artistas de rádio, TV, música e cinema da sessão *Mexericos da Candinha* (na mesma publicação), tarefa que sobrou para mim. Tomei uma decisão:

— Já que não sou eu que assino a coluna, posso falar de mim sem problemas.

Então comecei: "Erasmo Carlos vem aí. Guardem esse nome", "Jovem cantor da Tijuca vai dar o que falar" e "Erasmo Carlos faz suas próprias músicas para conquistar o Brasil". Por que não falar dos amigos também? "Roberto Carlos e Erasmo Carlos namorando duas gêmeas. Imaginem a confusão!". Ou então: "Roberto Carlos jantando noite dessas *in love* na Fiorentina. Cuidado, menino, que o marido da moça é ciumento."

Além das notícias do show business em geral e os *hit parades* inglês, italiano, francês e americano, a coluna também trazia piadas velhas — de um humor um tanto ingênuo para os olhos de hoje —, adaptadas por Imperial (que na verdade era eu) para gozar os amigos. Como essa do Simonal:

Em sua mais recente viagem, Wilson Simonal mandou para sua esposa Teresinha uma foto em que se via cercado de lindos brotinhos. Teresinha mal viu o retrato, foi correndo buscar uma lente e pôs-se a observar cuidadosamente a foto, como se procurasse alguma coisa. De repente, gritou:

— Ele me paga!

E dizendo isto, apanhou furiosa papel e caneta e escreveu-lhe um bilhete onde se lia apenas: 'Onde está sua aliança?'

* * *

Várias vezes ouvi pessoas elogiando meus textos e dando parabéns a Imperial. Nessa hora, nos entreolhávamos coniventes e ríamos felizes com o resultado. Mesmo assim, um dia ele me perguntou:

— Você não acha que está falando muito de você na minha coluna?

Sem titubear, e já em pleno exercício da malandragem que a vivência com ele me ensinara, respondi:

— Acho, mas apenas faço o que você mandou. Quando estou na dúvida se devo ou não falar de mim, paro e penso: "O que o Imperial faria?". Como sei que você torce por mim e quer me ajudar, nem discuto comigo. Começo logo a escrever sobre mim.

O ABATEDOURO DE LEBRES

Tomei coragem e pedi a Imperial:

— Você pode me arrumar a chave do "chatô"?

Era assim que ele chamava o apartamento térreo que mantinha na travessa Cristiano Lacorte, em Copacabana, exclusivamente para "abater lebres" — termo carinhoso e sacana que Imperial usava para se referir às meninas. Eu estava namorando uma "princesa" do clube Renascença, do Meier, e não via a hora de desfrutar momentos íntimos com ela. As preliminares já avançavam e havia chegado a hora de ir além.

Imperial checou para saber se o apartamento estaria vazio. O rodízio entre os amigos era grande e ele tinha que ter cuidado para evitar congestionamentos. No dia marcado, a "princesa" matou aula. Fomos de ônibus para o paraíso. No caminho, já me permitia imaginar os bons momentos que teria com aquela perfeição.

O lugar não tinha nada de mais. Era uma quitinete simples, prática e objetiva, sem a mínima intenção de sofisticação ou requinte. Feita exatamente para aquilo e pronto. Além da cama, o máximo de conforto que existia era um sofá, duas poltronas e uma garrafa d'água com alguns copos.

Como já tínhamos bastante intimidade, não demorou muito para que nossos desejos, antes reprimidos, afluíssem sem censura, embora ela se mostrasse tensa e insegura. Aos poucos, depois de muita conversa, ela se descontraiu e pude finalmente ter a felicidade de contemplar sua morenice. No auge dos carinhos, quando já tínhamos passado por vários planetas e seguíamos solidários a galáxias mais distantes, eis que ouvimos o barulho da porta se abrindo e a entrada súbita de... Wilson Simonal! A "princesa" se cobriu e fui soltando os cachorros:

— Pô, bicho, como é que você vai entrando assim? Como você abriu a porta se eu estou com a chave?

— Calma, major, eu tenho uma cópia. É que o Imperial ficou preocupado e me pediu para passar aqui para saber se vocês estão precisando de alguma coisa — respondeu ele, malandramente.

— Não estamos precisando de nada não! Está tudo bem, se ficar melhor, estraga. Agradeça a ele por mim e pode ficar tranquilo que está tudo sob controle — rebati possesso, já em pé, empurrando ele para a saída.

Com o susto, a "princesa" se descontrolou, ficou nervosa, queria ir embora e atravessei uma via-crúcis para contornar o desagradável acontecimento. Ela era especial e não merecia passar por isso. Devagarinho, fui conseguindo retomar as rédeas da situação e logo estávamos de volta ao espaço para prosseguir nossa viagem. Os suspiros recomeçaram, cederam lugar aos sussurros e, na progressão, quando os sussurros deram passagem aos gritos... toc, toc, toc, toc! Fortes batidas na porta ecoaram pelo apartamento. Outro susto monstruoso nos fez despencar do céu novamente:

— Quem é? — perguntei, explodindo de irritação.

— É o *(dançarino)* Ary Tell, Erasmo. Não leva a mal não, mas o Imperial mandou ver se estava tudo bem com vocês...

Antes de eu responder, a princesa, já decidida, começou a falar "Vamos embora, não quero mais ficar aqui, vamos embora já", enquanto vestia apressadamente suas roupas de estudante. No dia seguinte, reclamei com Imperial e ele, às gargalhadas, me falou:

— Não mandei ninguém lá, meu jovem. O Simonal e o Ary sempre fazem isso para ver se sobra alguma coisa para eles.

Foi minha primeira e única vez no abatedouro da travessa Cristiano Lacorte.

SMOKING BOSSA NOVA

— Olha lá o sacana do Erasmo usando minhas roupas!

Era o que Imperial — nos bastidores do seu programa *Os Brotos Comandam*, na TV Continental, em 1963 — dizia para a namoradinha da vez e suas amigas, apontando para mim. Eu me vestia sempre com seus conjuntos safári de lonita brilhante (*must* de tecido na época), feitos sob medida, nas cores azul-claro, azul-marinho e verde-musgo. Como ele usava as roupas algumas vezes e depois se desfazia delas, eu aproveitava.

— Até meus mocassins de pele de carneiro cabem certinho nele — completava Imperial, todo gabola, apontando para os meus pés.

Confesso que ficava meio sem graça por achar que ele não precisava comentar a doação, mas não ligava, pois aprendi com minha mãe que "pobre não tem soberba". Além disso, se recorresse ao meu cofrinho, que era uma caixa de charutos, o máximo que eu poderia comprar seria uma calça rancheira faroeste e um sapato Vulcabrás com sola de PVC. No futuro, eu também daria minhas roupas para Tim Maia, Tony Tornado e muitos outros.

Simonal também era freguês dos safáris, tomando emprestado o estilo para si tempos depois, quando fez sucesso. Por sua vez, ele acabou por influenciar outros artistas como Erlon Chaves, Miele, Ronaldo Bôscoli, João do Valle e até Martinho da Vila e outros sambistas.

Já na fase bossa-novista, lançando Roberto Carlos cantando sambas, Imperial me deu uma missão cascuda:

— Arranja um smoking, que amanhã vamos num aniversário de 15 anos da irmã de uma amiga minha.

Aquilo soou na minha cabeça como algo impossível. Eu tinha poucas roupas, o ponto alto era a "roupa da missa". E meus amigos da Tijuca eram todos duros. Onde eu conseguiria a beca? Numa atitude altruísta e de pura amizade, Simonal salvou a pátria:

— O Imperial me falou da festa e vou quebrar teu galho. Tenho um amigo do teu tamanho que vai te facilitar a indumentária. Só que ele vai precisar dela no dia seguinte. Tens que trocar de roupa na casa do chefe e depois da festa deixar a roupa com o porteiro do prédio.

Pronto, meus problemas acabaram! Bem, quase. Não contava que o smoking ficasse apertado em mim, com as mangas curtas e a calça pescando siri. Já Imperial estava impecável, corte perfeito, calça vincada e faixa preta com frescuras brancas na cintura, combinando com a gravata-borboleta.

Antes de entrarmos na festa, veio a preleção:

— Campeão, lembre-se de que você é secretário de Carlos Imperial. Você trabalha para mim. Anote qualquer recado, telefone ou endereço que me derem. Não deixe nunca o meu copo de Coca-Cola vazio, porque se me fizerem alguma pergunta que exija uma resposta imediata, vou ganhar pelo menos 15 segundos pensando enquanto apanho o copo e tomo um gole. Não fume, não beba e trate todos com a máxima educação e, de forma alguma, dê detalhes da nossa vida.

Ouvi tudo calado, com atenção, embora com o rabo de olho não deixasse de notar os brotinhos perfumados, com vestidos longos e cabelos arquitetados, que desciam dos carros:

— E tem mais — continuou. — Não diga de jeito nenhum que você canta rock, porque essa minha turma de amigos só gosta de bossa nova. Se você falar em rock and roll, eles jogam você lá do décimo primeiro andar!

Da porta do elevador, já saímos direto na festa. Testemunhei a popularidade de Imperial, cumprimentado até pelos mais idosos. Do terraço do triplex, na cobertura, via-se a praia de Copacabana.

Não demorou muito para encontrarmos Roberto Jorge, Nonato Buzar, Ângelo Antônio, Ico Castro Neves e... um violão, é claro. Com o tempo, fomos parar num recanto aconchegante, dois andares abaixo, que mais parecia uma sala de estar, atapetada, com varanda e bem longe do terraço, onde as pessoas se esbaldavam ao som de Ed Lincoln, chá-chá-chá e twist.

A patota moderninha foi chegando e fazendo uma roda, se espalhando pelo chão, sofás ou onde desse. Consciente da minha deselegância, estava me sentindo deslocadíssimo. Empacotado dentro da roupa apertada, podia apenas sorrir para todo mundo. Completamente tolhido, me movendo como a sombra do patrão, andando quando ele andava, sentando quando ele sentava e sempre ligado no maldito copo de Coca-Cola. Num certo momento, Imperial pediu a palavra:

— Atenção, gente! Para os que não me conhecem, meu nome é Carlos Imperial e quero dizer para vocês que bossa nova é silêncio. É o som dos nossos sentimentos. Fala do charme da mulher carioca e canta as belezas do Rio de Janeiro. Vamos fazer silêncio para ouvir... Nonato Buzar!

Nonato puxou a batida sincopada e caprichou na voz baixinha, bem-colocada e afinada, cantando, para a galera, várias composições próprias. Não se ouvia nem uma mosca voando. A pouca iluminação dava um tom de intimidade ao ambiente e as belíssimas harmonias do violão transmitiam paz. Menos para mim, que estava com minha autoestima no chão, me sentindo desajeitado e malvestido. Imperial bebia Coca-cola como água, e nos intervalos das músicas eu aproveitava para fazer a manutenção do copo. Após Nonato Buzar, vieram Ico e Ângelo. Imperial aproveitou para falar de composições suas que haviam sido gravadas por seu conterrâneo Roberto Carlos, *Fora do Tom* e *João e Maria*, cantadas depois na rodinha de amigos.

A galera, a essa altura bem mais descontraída, com uns já sem paletó e alguns brotinhos sem os sapatos de salto alto, começou a pedir os sucessos que tocavam no rádio. A anfitriã, amiga do Imperial, reinou absoluta cantando *O Barquinho*, *Maria Ninguém*, *O Pato*, *A Felicidade* e outras bossas. O silêncio já não era tanto e o intimismo virara festa, com todos cantando juntos e marcando o ritmo em caixas de fósforos, nos objetos de decoração e nos copos — menos no do Imperial, porque eu estava de olho.

Lá pelas tantas, os dois garçons que serviam aquele andar se atrapalharam com o peso e o equilíbrio das bandejas carregadas que traziam. A porta do elevador bateu num deles, que esbarrou no outro e, para minha infelicidade, uma jarra de ponche caiu sobre mim, que estava sentado no chão. Foi uma sacanagem humilhante! Subitamente, me vi encharcado pela bebida pegajosa e gelada, cheio de pedaços e fiapos de frutas decorando meu smoking emprestado. Tentei levantar e foi pior. Com o esforço, a calça apertada não resistiu e rasgou entre minhas pernas. Os garçons, sem jeito, se desdobraram em desculpas, querendo levar o paletó para limpar. Mas não aceitei, porque senão revelaria o "mico" do rasgo, que avançava até a minha bunda e deixava à vista a minha cueca samba-canção.

Fui para o lavabo e eu mesmo me limpei com sabonete e toalha. Conforme combinado, deixei o smoking com o porteiro do edifício do Imperial, só que rasgado, sujo e cheirando a frutas. Peguei meu lotação Usina-Copacabana e, já com o Sol de domingo no céu, fui embora dormir. Na segunda-feira, Simonal telefonou me dando o maior esporro, dizendo que o amigo cortara relações com ele. Imperial intercedeu a meu favor e acabou "morrendo numa graninha" para que fosse compensado o prejuízo.

Simonal se vingaria mais ou menos em 1968, quando me fez uma visita em São Paulo e levou "emprestadas" do meu closet seis camisas listradas e coloridas, de tecido importado, que minha mãe inocentemente lhe mostrou. Eu estava viajando e não vi a cena. Ela não esqueceu jamais, pois durante uma eternidade aturei sua cobrança:

— Meu filho, quando você encontrar o Simonal por aí, peça a ele suas camisas de volta!

DESCOBRINDO SÃO PAULO

Com Imperial conheci São Paulo, onde pouco depois me consagraria com a Jovem Guarda. Minha primeira ida à cidade se deu em 1962, quando ele, que era chefe de divulgação da Odeon, me escalou para acompanhá-lo numa viagem. Iríamos no Trem de Prata e Imperial bancaria minha passagem e estadia, já que eu era seu secretário e não da firma. Sua intenção era visitar os programas de TV e rádio, fazer contato com apresentadores, conhecer novos talentos e promover o intercâmbio entre os artistas das duas cidades. Minha ida era necessária por questão de status — ele queria passar credibilidade e demonstrar organização, impressionando os concorrentes, principalmente Antônio Aguillar, a quem muito respeitava e admirava.

Da pequena cabine do trem, me lembro da cama beliche. É óbvio que dormi na parte de cima. Lembro também que Imperial não acreditou quando viu a "originalidade" da minha bagagem de mão, carinhosamente arrumada por minha mãe. Dona Diva organizava tudo em vários vidrinhos usados de remédios, cada um deles com uma tirinha de esparadrapo, na qual ela escrevia indicando o conteúdo: pasta de dente, creme de barbear, algodão, leite de colônia, brilhantina e até graxa de sapatos. Ele ficou tão impressionado com aquela simplória e bela demonstração de zelo familiar, que elogiaria eternamente o amor e carinho existentes na minha criação. Como no trecho de seu livro *Memórias de um Cafajeste*, publicado em 1973:

> Eu estava surpreso. Era difícil, hoje em dia, encontrar-se um rapaz macho com tanta preocupação familiar, ouvindo tanto a mãe. Isso demonstrava ser o Erasmo realmente aquilo que Roberto Carlos me dissera: um ótimo sujeito, direito, muito bem educado. Vi que teria de agir com muito cuidado com ele.

Em São Paulo, nos hospedamos num hotelzinho que era quase um albergue, perto do viaduto do Chá. Logo iniciamos a maratona, visitando as pessoas nos escritórios ou em seus programas de rádio: Ademar Dutra, Luis Aguiar, Enzo de Almeida Passos, Julio Rosemberg e Serginho Galvão foram alguns. A única visita televisiva foi no programa *Ritmos para a*

Juventude, quando rolou um bate-papo no ar entre ele e Antônio Aguillar. Imperial parecia feliz com a recepção. Aguillar exaltava a sua importância para o rock and roll carioca, enquanto ele dava o troco, puxando o coro do auditório: "Aguillar, Aguillar, Aguillar." A rasgação de seda era interminável. Depois, para impressionar Aguillar, Imperial exageraria, me comunicando na presença do próprio:

— Erasmo, de hoje em diante, qualquer pedido do senhor Antônio Aguillar será uma ordem para nós. As portas do nosso departamento e dos nossos programas na Odeon estarão abertas para ele a qualquer hora.

Eu seria capaz até de acreditar se, em seguida, Imperial discretamente não desse uma piscada de olho para mim. Nos dois dias que passamos em Sampa, conheci os Clevers, o professor Pavão, pai dos cantores Albert e Meire Pavão, Baby Santiago, Ronnie Cord, George Freedman, Demétrius, Fred Jorge... Jamais esqueci o impacto que senti quando entramos na lendária boate Lancaster, templo máximo do rock and roll paulista, no exato momento em que Galli Jr. (futuro Prini Lorez) cantava *What I'd Say*, com os Jet Blacks. Fiquei alucinado!

Na volta ao Rio, Imperial, não sei como, convenceu a Odeon a me contratar como divulgador. Bem que gostei, pois teria mais uma graninha para investir na minha carreira de cantor, que ele, desejoso de me fazer produtor, insistia em não prestigiar. Nessa função, eu trabalharia somente dois meses. Mas tive a satisfação de ser um dos responsáveis pelo estouro do megassucesso *Al Di Lá*, com Emilio Pericoli, tema do filme *Candelabro Italiano*.

MEU NOME NUM DISCO

Imperial se esforçava para me tornar produtor e me afastar dos microfones, mas foi fundamental num momento chave do início da minha carreira artística. Quando comecei a compor, ainda nos Snakes, diversificava bastante as levadas, usando os três acordes que Tim Maia me ensinara e cantando em "erasmês" — o inglês de araque que eu inventava, numa tentativa de reproduzir o que ouvia nos discos dos meus ídolos. Procurava entender como, sempre partindo do rhythm and blues (nós chamávamos de "harmonia de blues"), os estilos de rock and roll variavam de acordo com as regiões dos Estados Unidos. O som de Fats Domino era o estilo da Louisiana, já o de Little Richard, da Georgia, Chuck Berry, do Missouri, Gene Vincent, da Virginia, Johnny Cash, do Arkansas, e por aí afora.

Quando mostrava ao Imperial meus primeiros esboços, ao estilo de Freddy Cannon ou buscando inspiração na música *Kansas City*, ele dizia que eu estava maluco e que aquilo não era rock. Para ele, o estilo de Bill Halley (Filadélfia) e Elvis (Tennessee) definiam os protótipos do novo ritmo e pronto.

Explorando todas aquelas levadas diferentes, parei numa delas e comecei a esboçar um twist. Já tinha percebido que, desde o início da história da música, quase todo ritmo que surgia gerava uma dança nova. Notei também que, naquela época (início dos anos 60), estava em voga fazer o caminho inverso, ou seja, os passos de dança virarem temas de canções.

Baseado, então, no glossário dos salões da época e inspirado numa charge que vi numa revista americana (uma mulher nua movendo os quadris e esfregando nas costas uma toalha esticada, enquanto cantava *Let's Twist Again*), compus um twist que listava danças como *drag*, *rag mop* e *stroll*, mas concluía:

Twist está na moda
Eu quero twist [4]

Imperial adorou — mais ainda quando soube que eu ia lhe dar parceria por ter usado um trecho da melodia e da letra de uma antiga composição sua chamada *Calypso Rock* ("Calypso está na moda/ Calypso rock"). Como ele estava produzindo o LP *Twist*, para a Copacabana Discos, disse na hora:

— Era a música que faltava para completar o disco. Vou gravar já com o Reinaldo Rayol.

Um mês depois, sairia o disco. E estava lá: *Eu Quero Twist*, de Carlos Imperial e Erasmo Carlos, minha primeira composição gravada.

PISADA NA BOLA

Apesar de ter sido fundamental na minha carreira, Imperial pisou na bola comigo uma vez. Numa noite de 1963, ele abusou do direito de ser chato ao insistir para que eu me tornasse fornecedor oficial de músicas para o cantor Sérgio Murilo. Ídolo máximo em 1959, quando lançou *Broto Legal*, *Marcianita* e *Shimmy, Shimmy, Ko-ko Bop*, Sérgio havia voltado de seu exílio voluntário por países da América do Sul e levara um susto com a ascensão de Roberto Carlos, que dominava as paradas com a versão de *Splish Splash*, de minha autoria. Ele quis imediatamente conhecer o cara que fez a letra em português a partir do hit original americano e que, conforme o boato que rolava no meio musical, tinha uma coleção de músicas inéditas.

Imperial, muito vivo, na expectativa de produzir o disco de estreia de Sérgio na RCA Victor, não fez por menos: armou um bate-papo de Sérgio comigo, sem que eu soubesse da verdadeira intenção do encontro. Após eu mostrar, simplesmente por mostrar, *Terror dos Namorados*, *Rei da Brotolândia*, *Minha Fama de Mau*, *Jacaré* e *Gatinha Manhosa*, entre vários sambas e baladas, Sérgio me disse com uma dose de arrogância:

— Vou gravar todas. Assim recupero o espaço que sempre foi meu.

Só que eles não sabiam que muitas das composições que eu mostrara eram também de Roberto Carlos. As outras, eu pretendia gravar na RGE, assim que o mau humor de Evandro Ribeiro, então diretor artístico da CBS, desse um tempo e concedesse minha liberação contratual dos Snakes.

Não contei nada, esperando para ver que bicho ia dar. Mas, num certo momento, Imperial, sem sutileza alguma, me ofereceu 350 discos importados da sua coleção para que eu aceitasse. Devido à minha negativa, foi visível a frustração dos dois. Na saída, Sérgio ainda me convidaria para tomar um chope num barzinho da Lapa, perto de sua residência. Lá, ele gastaria em vão seu verbo pelo resto da noite, tentando me convencer.

Algum tempo depois, no seu álbum *SM 64*, ele gravaria *Rei da Brotolândia* e *Duas Bonequinhas*, música que fiz especialmente para ele com Roberto Carlos.

ENCONTRO COM O CAMISA 10

Em 1964, lancei meu primeiro compacto, *Terror dos Namorados/ Jacaré*, pela RGE Discos. Logo depois, fui para São Paulo divulgá-lo. Fiquei empolgado com as inúmeras oportunidades de trabalho que começaram a aparecer, o que no Rio não acontecia. Fui ficando, conhecendo pessoas, fazendo visitas a rádios, programas de TV e reportagens para revistas. O rock em português era uma realidade e tive a sorte de ser um dos primeiros a sacar isso. Só que a gravadora se responsabilizou apenas por quinze dias de hotel e refeições. Ao sentir a necessidade de incrementar a divulgação, teria que continuar lá por conta própria.

Aceitei então o convite da minha divulgadora e grande amiga Edi Silva, para morar por uns tempos em sua quitinete na avenida São João, em cima da loja Mappin. Eu já estava ganhando alguns trocados e ajudaria nas despesas.

Um dia, Ademarzinho Dutra, famoso DJ da época, me convidou para uma apresentação numa boate de Santos. Naquele tempo meus shows eram só eu e Deus — Ele representado pelo meu violão. Nem repertório conhecido eu tinha. Além das músicas que estava divulgando, só contava com *Splish Splash* e *Parei na Contramão*, que Roberto Carlos havia gravado. Então, "enchia linguiça" com meus sambas, completamente desconhecidos, e alguns rocks em erasmês. Um dos sambas, *Moleque Trinta*, que depois foi registrado por Luiz Carlos Ismail no disco *Samba Jovem*, era assim:

Moleque trinta já vem vindo da escola
Hoje vem contente, vem sorrindo feliz
Soube a lição, ganhou uma bola
Para brincar com sua solidão
É tão pretinho que de noite nem se vê
E não tem carinho de ninguém
Amanhã de manhãzinha, sua bola é seu café
Vai correndo começar a ser Pelé

Como estava em Santos, terra de Pelé, logicamente eu cantei o samba. A casa não estava cheia, mas foi legal. Depois do show, num camarim improvisado, chega Edi eufórica e diz:

— O Pelé taí! Tá com a namorada num cantinho lá no fundo e viu você cantar a música que fala nele. Prestou muita atenção.

Pelé estava lá. O camisa 10. Aquele que, ao lado de outro craque, anos depois, me faria imortalizar em verso um desejo oculto de torcedor: "Zico tá no Vasco, com Pelé". Infelizmente, numa música chamada *Pega na Mentira*.

Na hora que Edi me deu a notícia, engasguei com a bebida que tomava e não acreditei. Me enchi de coragem e fui falar com ele. No trajeto até a mesa, fui pensando: "Quem mandou eu botar o nome dele na música sem autorização? Ele não deve ter gostado, e vai me dar um esporro. O que é que vou dizer para ele?"

Quebrei a cara. Pelé se levantou, me abraçou, foi simpaticíssimo. Disse ter gostado muito da música e desejou-me sucesso, enquanto eu, agora mais relaxado, contava que o vira fazer três gols no Maracanã, vestindo a camisa do Vasco, num combinado com o Santos, no 6 a 1 contra o Belenenses de Portugal. Ele sorriu com sua simplicidade e foi embora. Empolgado e ainda sem acreditar muito no que acabara de acontecer, eu não via a hora de contar a Roberto sobre meu encontro com o Rei Pelé.

capítulo 3

AMIGO DE TANTOS CAMI

OS E TANTAS JORNADAS

eu e roberto

Erasmo (de colete feito por D. Diva) e Roberto no final da década de 60.

ÁGUA DE MORINGA E BISCOITOS AYMORÉ

Tocaram a campainha e fui atender. Tinha 17 anos e vivia com minha mãe — e os gatos, os periquitos e o cágado — no quarto alugado da rua Professor Gabizo. O tal casarão de beleza decadente, com seus azulejos coloniais e suas incontáveis pulgas.

Na porta, estavam Trindade, Arlênio e um outro cara, que eles queriam me apresentar. O sujeito morava no bairro de Lins de Vasconcelos e se chamava Roberto Carlos. Ele fizera parte dos Sputniks e, com o fim do grupo, resolvera seguir em carreira solo. Já cantara boleros e sambas-canção em sua terra natal, Cachoeiro do Itapemirim, no Espírito Santo.

Gostei dele. Era simpático, usava topete e costeletas e vestia calça faroeste com uma jaqueta vermelha tipo James Dean. Conversamos bastante sobre rock, bebemos água da moringa de barro que eu tinha no quarto e comemos biscoito Aymoré. Num certo momento, a meu pedido, ele afinou o precário violão de cravelhas de pau que eu havia ganhado da minha avó Maria Luiza pouco tempo antes e cantou *Tuti-Frutti* e *Don't Be Cruel*. Arlênio e Trindade iniciaram um vocal que timidamente apoiei. Eu não tocava nem cantava, mas tinha a intenção de aprender. Foi demais!

O motivo daquela visita era saber se eu tinha a letra de *Hound Dog*, o grande hit de Elvis Presley que tocava adoidado nas rádios — Bill Halley and His Comets viriam se apresentar em breve no Maracanãzinho e o *Clube do Rock*, do qual Roberto fazia parte, iria fazer o pré-show. Ele queria aprender a canção e incluí-la em seu repertório.

Eu tinha a letra e prontamente o atendi, recorrendo aos meus arquivos musicais. Naquele mesmo instante ele começou a treinar o seu inglês capixaba enquanto levava sua batida com meu violão. Na saída, entre abraços e piadas sobre as pulgas, agradecido pela hospitalidade, ele disse a frase que mudaria minha vida:

— Bicho, aparece lá na televisão.

A BRIGA DA URCA

Eu levei a sério o convite de Roberto e, realmente, comecei a aparecer na TV Tupi, nas gravações do *Clube do Rock*. Quando acabava o programa, as janelas dos prédios em volta da TV ficavam recheadas de garotas, moradoras do bairro, com suas amigas que vinham de outros lugares para ver a "turma do rock and roll".

Como ainda não cantava nem tocava, eu era apenas um seguidor fiel daqueles sujeitos que faziam o que sempre desejei. Levado por Roberto, me tornara amigo de todos e aos poucos virei um "faz-tudo", ajudando Wilson Simonal. Por estar cumprindo o serviço militar, ele nem sempre conseguia completar suas tarefas de produção, levando constantemente broncas do Imperial. Simonal acumulava também a função de cantor e se apresentava várias vezes. Eu, sempre solícito, comprava Coca-Cola e sanduíches para o Imperial, dava uma mãozinha carregando os instrumentos dos músicos e ensaiava paqueras com as dançarinas. Enfim, já estava integrado à equipe.

Das janelas, as meninas davam adeusinhos, jogavam bilhetinhos com números de telefones ou recados escritos para os gatos que elas tinham acabado de ver na TV. Algumas, mais descoladas, até desciam para ver de perto Roberto, o "Elvis Presley brasileiro". Simonal, Paulo Silvino, The Dry Boys e Tim Maia estavam entre as atrações fixas do programa, mas era Roberto o que mais se destacava e, portanto, o mais assediado. Isso provocava a ira dos garotões malhados e bronzeados da praia, que, ao invés de rock, adotavam o jiu-jitsu como filosofia.

Não deu outra. Num dia ensolarado, em frente a um ponto de ônibus da avenida Portugal, bem próximo à TV Tupi, um integrante do grupo de lutadores, sem a mínima cerimônia, nos abordou e... pou... deu um soco cinematográfico em Roberto, que o levou a nocaute, provocando espanto geral. Ao ver a cena, parti para cima do figura, dando socos no ar e errando chutes, já que ele, escolado, era especialista em se esquivar. Olhei para os lados, procurando ajuda, quando vi Roberto sentado na mureta que separa a rua do mar e sendo socorrido por pessoas. Não tive tempo nem de pensar o que faria, pois levei uma "cutelada" no pescoço que me fez ver estrelas, seguida de uma voadora. Me estabaquei no chão.

A briga virara uma atração, com uma plateia de espectadores no alto dos prédios, transeuntes curiosos, passageiros do ônibus que acabara de parar no ponto, clientes da banca de jornal e frequentadores do boteco e da padaria em frente. Todos vendo a surra que eu levava. Não satisfeito com a vantagem, o adversário me montou, imobilizando meus braços com os joelhos, e começou a distribuir socos em série na minha cara. Fui salvo pelo pessoal do "deixa disso" quando já sangrava, todo sujo e avariado. A turma deles intimidou a nossa e ninguém reagiu. Como um exército de Brancaleone derrotado, ainda tivemos que ouvir xingamentos, deboches, humilhações e advertências para que evitássemos as "nativas", senão apanharíamos de novo.

Imperial, ao saber da agressão e das ameaças, comunicou o ocorrido à direção da Tupi, que providenciou policiamento para as semanas seguintes. Feito isso, acabaram-se os problemas. Diz a lenda que os garotões da praia eram todos alunos da academia Gracie. Brigões por natureza, treinavam ali mesmo. Azar o nosso.

Hoje, todas as vezes que passo pela Urca, me lembro desse massacre. Mas só lamento a perda de um cordão com uma medalhinha de ouro de Nossa Senhora de Fátima, presente da minha avó Maria Luiza.

PERDIDO NA TRADUÇÃO

Nesse mesmo ano, 1958, em Copacabana, houve uma outra briga, só que dessa vez o culpado fui eu. Por pura ingenuidade, paguei o maior mico na padaria da esquina da rua Francisco de Sá com Nossa Senhora de Copacabana, onde o pessoal do *Clube do Rock* e os rebeldes sem causa do Posto 6 se reuniam para dançar nas calçadas ao som da música que vinha do Snack Bar, que era ali no mesmo pedaço. Ao me ver disputando a atenção do vendedor no balcão cheio de gente, tentando comprar um sonho que jazia lindo e quentinho num tabuleiro, alguém maldosamente me confidenciou:

— O apelido dele é "paneleiro". Chama que ele te atende.

Eu, com toda a inocência do mundo, pensando que daria um grande passo para que ele me identificasse como um freguês íntimo, enchi a boca e mandei:

— Ô paneleiro! Vê um sonho caprichado com bastante creme para mim.

O vendedor mudou de cor. Me olhou com uma cara mais terrível que as carrancas feitas pelos artesãos do vale do rio São Francisco. Arfante, começou a se transformar, procurando ao redor algum objeto para jogar em mim. Transfigurado, bradava:

— Estás a me xingar, seu filho da puta de merda? Eu vou... vou...

Surpreso com a reação dele, identifiquei seu sotaque lusitano e instintivamente desconfiei que tinha feito algo errado, mas não sabia o quê — só mais tarde fui descobrir que "paneleiro", em Portugal, é "viado". Eu só pedira um sonho! Tentei me explicar, mas não teve jeito. Na ausência de outra coisa, o português transtornado olhou para o tabuleiro e começou a me tacar sonhos. Alguns pegavam em mim, me sujando todo de creme. Eu me esquivava e me defendia de outros que se esborrachavam nas paredes e atingiam as pessoas em volta. Ele continuava aos berros:

— Paneleiro é a puta que te pariu, seu moleque! Vou pegar-te e vais ver quem é paneleiro!

Dito isso, passou a mão na vara de ferro usada para puxar a porta da padaria e contornou o balcão para me enfrentar. Não pensei duas vezes, liguei minhas turbinas e saí correndo pela rua sem olhar para trás. Só parei na rua Bulhões de Carvalho, quando vi que ele não estava mais atrás de mim. Dei a volta pela rua Joaquim Nabuco até a praia, onde encontrei meus amigos. Eles vinham da padaria comentando o barraco que rolara. Entre eles Roberto Carlos, que ao saber que "o Erasmo estava brigando", se meteu na confusão para me defender. Maria Gladys me contaria então:

— Poxa! Nunca vi o Roberto assim. Quando ele soube que a briga era com você, ficou irreconhecível. Correu para lá na hora e não quis nem saber.

Amigos mais chegados que acompanham nossa história afirmam que, além da paixão pela música e da simpatia à primeira vista, essas confusões também foram importantíssimas na consolidação da nossa amizade. Elas revelavam a força de nossa união. Se, naqueles primeiros momentos, essa energia aparecia de forma física e violenta, depois ela passou a se mostrar apenas de maneira docemente espiritual.

A COISA MELHOR DESSE MUNDO

Desde aquela tarde em que conheci Roberto, um ano havia se passado. Nesse período, aprendi violão, montei o The Snakes, ajudei a quebrar bondes com meus colegas do Colégio Batista em protesto pelo aumento das passagens, comecei a compor (já tinha ligeira inclinação para poesias simples e ingênuas) e também a respirar bossa nova.

Uma das músicas que fiz chamava-se *Maria e o Samba*, bossa nova inspirada, é claro, em João Gilberto. Por acaso, eu mostrara a canção a Roberto que, nessa fase de sua carreira, cantava à la João e era crooner da boate Plaza, em Copacabana. Eu nunca havia entrado numa boate e imaginava ser um lugar fascinante. Um dia, Roberto me telefonou e disse:

— Bicho, você tem que vir aqui na boate me ver. Estou cantando sua música todas as noites. Ela tem sido muito elogiada, principalmente pelo João Donato, o pianista da casa.

Botei a melhor roupinha que tinha e lá fui eu para a avenida Prado Júnior, levando a ansiedade para ouvir minha primeira música cantada ao vivo. Quando cheguei, Roberto estava na porta conversando com algumas pessoas e, ao me ver, abriu um sorriso:

— Ué, cadê o paletó?

Engoli em seco. Respondi, quase gaguejando:

— Pa-paletó? Que paletó, rapaz? Você não me falou nada. Nem tenho paletó.

Ele franziu a testa pensativo e mandou que eu esperasse um pouco, pois iria tentar resolver meu problema. Conversou por alguns segundos com o porteiro e voltou:

— O Tonhão vai quebrar seu galho. Ele tem um paletó de reserva. Vai emprestar para você.

Ufa! O sol voltou a brilhar. Já devidamente "paletozado", com direito a gravata, finalmente adentrei fascinado aquele mundo novo. Antes, Roberto havia me orientado:

— Bicho, você é menor de idade, por isso te arrumamos uma mesinha ao lado da cozinha. Comigo não tem problema, porque sou emancipado, mas é que de vez em quando o juiz de menores dá batidas por aqui atrás de meninas "de menor". Se isso acontecer, você sai pela cozinha que emenda com outra cozinha que vai dar no bar Hi-Fi, lá na avenida Princesa Isabel. Ok?

Fiquei na minha mesinha, cada vez mais maravilhado com as mulheres que passavam para lá e para cá, dançavam e mexiam comigo. Também fiquei empolgado com as bossas que o conjunto tocava, e logo as identificava por ouvir no rádio. De repente, comecei a ouvir:

O meu coração obedece a uma voz
Maria meu bem, e o samba também

Meu coração palpitava forte. Roberto estava cantando minha música.

A coisa melhor desse mundo
É ouvir um samba com inspiração
Ao compasso do meu coração

Minhas lágrimas pingavam no copo de cuba libre, enquanto Roberto continuava:

No apartamento de Roberto em São Paulo, no início da Jovem Guarda.

Se faltasse o samba
Maria de nada valeria
Mas se faltasse Maria
Eu não teria vontade
Alguma de escutar
Meu samba sem poder amar

Alguns aplausos e Roberto então anunciou:

— Essa música que vocês ouviram é de um compositor da Tijuca, meu amigo Erasmo — eu ainda não tinha Carlos no nome.

E apontou para mim. Os aplausos ficaram ligeiramente mais fortes. Alguém falou:

— Levanta, levanta!

Mas não tive coragem. Estar feliz me bastava.

Acabado o set musical, ele veio me perguntar se eu havia gostado. Com um abraço apertado, emocionado e duradouro, nem precisei dizer que sim. Ficamos sentados conversando algum tempo até que um garçom nos avisou que o juiz de menores estava chegando. Levantei no ato, fiz o trajeto cozinha-cozinha-Hi-Fi-avenida Princesa Isabel, dei a volta no quarteirão e retornei para devolver o paletó e a gravata ao porteiro. Roberto fazia outro set e não pude esperar, pois os ônibus eram escassos àquela hora. Agradeci e fui embora me sentindo importante.

A ENERGIA DO CARLOS

Sempre achei o nome Erasmo, sozinho, de uma pobreza enorme, artisticamente falando. No período pós-Snakes, quando eu tentava engatinhar numa carreira solo, não me sentia confortável ao ser anunciado nas quermesses das igrejas de São Sebastião e São Francisco Xavier, na Tijuca, onde me apresentava:

— E agora com vocês... Eraaasmooooo!!!

Eu subia, quase sempre num palco precário, me sentindo do tamanho do menor liliputiano das viagens de Gulliver. Isso me causava profunda insegurança e descontentamento. Resolvi então assumir meu nome completo e ficou pior:

— E agora com vocês... Eraasmoo Esteeeeves!!!

Não era um nome forte. Soava espanholado, não dava liga, não me acrescentava nada, não emoldurava o artista que eu tentava ser. Eu não me impunha. Me lembrava, no ato, dos irritantes trocadilhos escolares que me enchiam o saco: "Erasmo esteve aqui", "Erasmo esteve onde?". Na verdade, gostaria de me chamar Erasmo não sei o quê, ou não sei o quê Erasmo — faltava o não sei o quê.

Talvez, pela convivência com Roberto e Imperial, eu tenha pensado em adotar o Carlos. Mas só me convenci definitivamente ao ler num almanaque que o nome Carlos era considerado especialíssimo pelos mestres do ocultismo. Ele seria dotado de energia ímpar por conter as iniciais de líderes poderosos.

C — CRISTO: REI DOS JUDEUS
A — ÁGUIA: RAINHA DAS AVES
R — ROSA: RAINHA DAS FLORES
L — LEÃO: REI DOS ANIMAIS
O — OURO: REI DOS METAIS
S — SOL: REI DOS ASTROS

Erasmo Carlos. Esse era eu. No início, tive problemas em casa. Lá moravam várias pessoas e nem todas sabiam da mudança do meu nome, ou ainda não haviam se acostumado. Alguma namoradinha nova ligava e perguntava:

— O Carlos está?

E a resposta era:

— É engano, minha filha. Aqui não mora ninguém com esse nome.

EM BUSCA DE UM HIT

Como na noite da boate, o meu trabalho e o de Roberto se cruzariam outras vezes no início de nossas carreiras. Foi o que aconteceu naquele que poderia ter sido nosso primeiro sucesso juntos. Eu era ouvinte assíduo do programa *Hora da Broadway*, apresentado por Waldir Finotti na Rádio Metropolitana, todos os dias às cinco da tarde. Devo ao programa toda minha cultura roqueira de 1955 em diante, tendo inclusive escutado nessa época canções que nunca mais ouvi. Ali, conhecia antes todos os sucessos da parada americana. Numa dessas audições, ouvi um calipso que chegara ao *top hit*, *Marina* — o ítalo-belga Rocco Granata era seu cantor e autor. Eu me apaixonara tanto por sua levada dançante e melodia que fiz uma versão:

Eu sou o namorado de Marina
Marina namorando tão menina
Marina com seus olhos sonhadores
Marina meu pecado, meus amores

E vinha o refrão:

Marina, Marina, Marina
Contigo eu quero casar

Empolgado, mostrei a Roberto, sugerindo um andamento mais lento e romântico no violão. Ele gravara as músicas *João e Maria* (dele com Carlos Imperial) e *Fora do Tom* (de Imperial) na Polydor e, infelizmente, não acontecera nada — acredito que por má divulgação da gravadora. Roberto simplesmente adorou o calipso com a minha letra, mais ainda quando eu disse que seria um sucesso garantido, pois em todos os países que fora lançado já era um estouro de vendagem.

Por coincidência, Roberto tinha marcado um encontro para alguns dias depois com o diretor artístico da gravadora RCA Victor, no qual iria mostrar algumas músicas com a esperança de ser contratado. Ele me convidou então para ir junto, quem sabe até para se fortalecer perante o diretor, pois a presença de um bom amigo sempre dá mais confiança. Além disso, eu era o autor da versão.

Nos nossos papos pelas esquinas da Tijuca sempre sonhávamos com nosso êxito, na estrada, fazendo programas de TV, shows, fotos, sendo seguidos por fãs. E falávamos também das nossas influências brasileiras, como João Gilberto, Dorival Caymmi, Jackson do Pandeiro, Bob Nelson, Luiz Vieira, Tito Madi, Os Cariocas, Dolores Duran e Cauby Peixoto, artista pelo qual tínhamos especial admiração e que conhecíamos dos tempos do filme *Minha Sogra É da Polícia*. Achávamos sua postura americanizada um exemplo de elegância e personalidade artística. Havia ainda sua educação, o carinho com as fãs e a voz, que era de uma musicalidade envolvente, como a de Sinatra.

No dia da reunião, nos dirigimos para a RCA, que ficava na rua Visconde da Gávea, ao lado do Ministério da Guerra, no Centro. Roberto ficou sabendo que o diretor com quem iria falar era Paulo Rocco e, enquanto caminhávamos, fazíamos graça sobre a coincidência do sobrenome com o nome do autor de *Marina*. Estávamos esperançosos. Era tudo que precisávamos àquela altura de nossas carreiras, um grande hit, daqueles avassaladores que o povo canta e assovia — e *Marina* tinha tudo para chegar lá. Todos olhavam para nós, não por reconhecimento — apesar de termos feito algumas aparições na TV, Roberto bem mais do que eu — e sim pelo violão sem capa que eu carregava, que sempre chamava atenção.

Chegamos ao endereço, nos identificamos e ficamos no saguão esperando o elevador. Eis que para em frente um carrão preto e salta Cauby Peixoto. Sorridente, simpático, cumprimentando a todos. Estava com Di Veras,

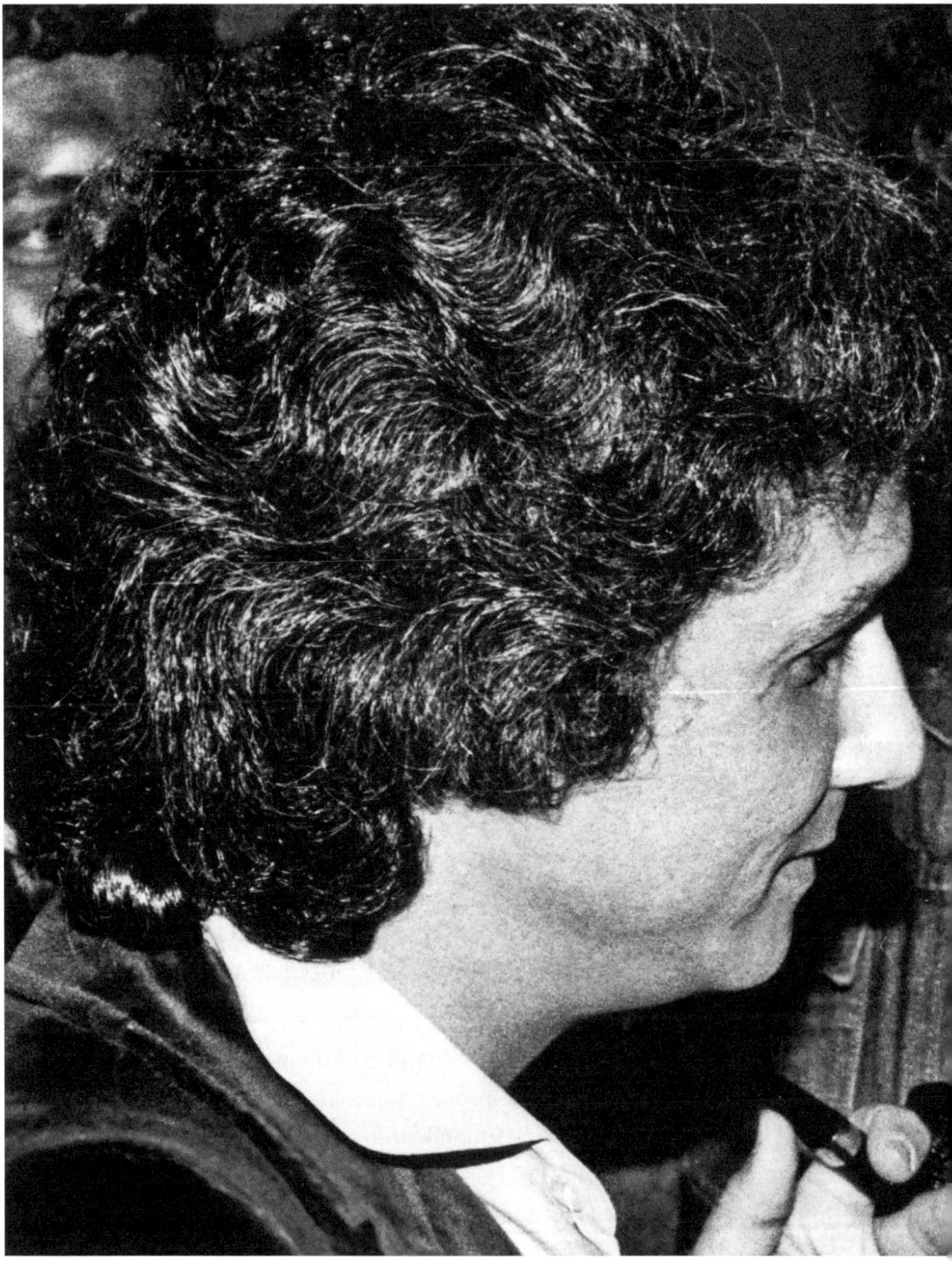

D. Diva e Roberto no lançamento de *Erasmo Carlos Convida*: “Ela o adorava como a um filho. Na hora da foto, devia estar dando conselhos, como fazia comigo até adulto. ‘Você tem que comer direito, está em período de crescimento’.”

seu empresário na época, e logo se juntou a nós. Papo vai, papo vem, e Roberto pergunta:

— E aí Cauby, você tem viajado muito?

Nessa hora, todos os santos do céu devem ter olhado para nós, com piedade, adivinhando a reação que teríamos quando Cauby respondesse com um entusiasmo contagiante:

— Não, *professoooor* — disse o cantor, com seu jeito de falar inconfundível. — Não tenho viajado. Ontem gravei uma rumba que, tenho certeza, vai ser um estouro nacional. É italiana, mas está em primeiro lugar na parada dos Estados Unidos. A versão é minha mesmo, e o nome é *Marina*.

A terra tremeu sob nossos pés. Será que ouvimos bem? A dor das ferroadas de todas as abelhas do universo atingiu nossas cabeças enquanto sorríamos amarelo, disfarçando a decepção. O elevador chegou, subimos e nos despedimos quando a porta abriu.

Nosso encontro com a diretoria foi rápido. Nem tocamos no assunto. Roberto deixou o disco da Polydor como referência e ficaram de dar uma resposta. Fomos embora tristes, com o violão sem capa debaixo do braço. *Marina* realmente foi um grande sucesso comercial na carreira de Cauby. Ficou a lenda de que a RCA Victor deixou de contratar aquele que viria a ser o maior vendedor de discos da história do Brasil.

COPACABANA ZERO HORA

Passaríamos por outras frustrações. Uma delas foi *Copacabana Zero Hora*, filme de Duilio Mastroianni que falaria da juventude transviada da época (1960) e de rock and roll, universos que incorporávamos em nossa música, indumentária, em nosso modo de falar e de agir.

O produtor gostou das nossas roupas — blue jeans e blusão James Dean —, o que já era uma vantagem. Só faltava o som. Roberto Carlos não se fez de rogado, pegando seu violão sem capa e mandando ver de improviso um rock feito na hora:

I like you baby, woo-oo-bop, baby, love me, yeah yeah yeah...

O produtor, entusiasmado, exultou:

— Estão aprovados!

Saímos daquele escritório da rua Álvaro Alvim, na Cinelândia, deslumbrados e felizes, achando que éramos Paul Newman e Marlon Brando. Imaginei nós dois nas telonas do Brasil com milhares de gatinhas suspirando. Ia ser demais.

Ia. Não imagino qual foi o motivo que levou Roberto a não fazer o filme. Só sei que, ao tomar conhecimento pelo roteiro que eu participaria de uma curra, minha mãe me proibiu de aceitar o papel. Chegou a radicalizar:

— Se você fizer isso, não será mais meu filho!

A PRIMEIRA PARCERIA

Copacabana Zero Hora e *Marina* deixaram um gosto amargo na boca, mas não foram suficientes para nos desanimar. O ímpeto juvenil da criação batia mais forte. Éramos motivados pelo ineditismo das transformações sociais. Tudo tinha o brilho da novidade. Existiam milhões de regras arcaicas para serem contestadas. Pela primeira vez na história, os jovens falavam para os jovens. A rima "amor" e "dor" não soava simplória. Qualquer ousadia, por mais ingênua que fosse, gerava polêmica com os conservadores radicais. A hipocrisia do comportamento adulto nos levava à irreverência e à rebeldia. Soltavam-se os pássaros das gaiolas e os voos começariam.

Após Roberto compor *Susie*, em 1962, e eu, alguns sambas, além da adaptação de *Splish Splash*, descobrimos que gostávamos das mesmas coisas e vivíamos a mesma realidade. As garotas desejadas, os carrões sonhados, as pescarias, praias e festas, poderiam virar música. Começamos então, dentro de um lotação Tijuca-Copacabana, a desenvolver uma história que falava de brotos, carros e problemas com a lei. Nasceria nossa primeira parceria, *Parei na Contramão*, também o primeiro grande sucesso de Roberto em nível nacional.[5]

Vinha voando no meu carro quando vi pela frente
Na beira da calçada um broto displicente

Fizemos muitas outras, não parando mais até os dias de hoje. Mostrei os versos iniciais de *Eu Sou Fã do Monoquíni* em pé com ele no ônibus Lins-Urca, cantarolando em seu ouvido e batucando o ritmo em suas costas. O monoquíni fora lançado na praia de Ipanema e as manchetes dos jornais o apontavam como o escândalo da vez. Fizemos a letra e a música de *A Garota do Baile* no estúdio da CBS, aproveitando a base já gravada da canção *Mona Lisa*, que Roberto desistira de finalizar, ao saber que ela havia sido gravada pelo cantor Cyro Aguiar. *É Proibido Fumar* despertou em nós a febre das placas de proibição. Chegamos a engatar o início de *É Proibido Pisar na Grama*, mas logo desistimos achando que seria "forçação de barra".

PRONTOS PRA TOPAR QUALQUER PARADA

Parei na Contramão foi o estopim do que viria a ser a Jovem Guarda, que explodiu no país inteiro a partir de 1965, quando estreou o programa homônimo da TV Record. Fui morar em São Paulo poucos meses antes da estreia, de olho naquele mercado. Na cidade, tínhamos um mundo novo à frente. Bem, com algumas coisas do mundo antigo — entre elas, as brigas.

Num domingo, com a "jovem-guarda-mania" em seu início, fui um dos primeiros a deixar o teatro Record. A multidão, ávida por atenção, aguardava na saída, exigindo dos artistas um beijo, um olhar, um gesto, um sorriso ou alguma lembrança material que poderia ser pulseiras, autógrafos, colares ou chapéus. Se bobeássemos, éramos rasgados e puxados pelos cabelos.

Os carros que nos transportavam também sofriam bastante, sendo balançados, socados, arranhados e tendo suas antenas arrancadas e seus faróis, limpadores de para-brisa ou para-choques danificados. Uma carreata de fãs viria atrás de mim, como era de praxe. Um desfile de Mustangs, Buicks e outros carros importados que me obrigavam, às vezes, a entrar na contramão em algumas ruas do trajeto, despistando-os até finalmente chegar são e salvo ao Lord Palace Hotel, no largo do Arouche, onde me hospedava na época.

Nesse dia, meus amigos Almir Ricardi, Rubinho e Raul, da minha banda Os Tremendões, estavam comigo. Subimos ao meu apartamento no nono andar para jogarmos conversa fora e agitar ao telefone alguma programação noturna. Estava empolgado com o truque que Roberto Carlos me ensinara para driblar a rigidez do hotel, que não permitia o acesso feminino aos apartamentos. Ele, que já se hospedava lá bem antes de mim, me dera a dica:

— Convida a gata para jantar no restaurante do hotel, que fica no segundo andar. Depois, você sobe com ela para o quarto ao invés de descer para o térreo. Vá pela escada para evitar o ascensorista.

Sábia solução. Iria testar o plano naquela noite convidando alguém para jantar. De repente, ouvimos um barulho de confusão vindo da avenida São João e corremos para a janela. Vimos o carro do Roberto, que só agora chegara da TV, com seu séquito de carrões, muito maior que o meu, cercado por pessoas que gritavam palavrões e davam chutes na lataria.

O trânsito parara e todos corriam para todas as direções, como formigas assustadas. Sem pensar duas vezes, descemos os nove andares pela escada, para não perdermos tempo esperando o elevador. Desaguamos no saguão, onde o ambiente era de guerra. A briga comia solta na portaria, e eu, Almir, Rubinho e Raul caímos de pau em quem víamos pela frente.

Roberto, Dedé, Luiz Carlos Ismail e o Tony do estacionamento distribuíam socos e pontapés em profusão.

Os funcionários e seguranças do hotel tentavam manter a turma rival do lado de fora para nos dar proteção, mas a coisa estava feia. Havia muita gente e eles não sabiam ao certo quem era quem. Alguns furaram o cerco. Foi quando chegou a polícia:

— O que houve? Quem foi que começou?

Muitos falavam, ninguém se entendia. Por via das dúvidas, fomos todos para a delegacia. Lá é que fiquei sabendo o motivo do bafafá. Parecia um déjà-vu: o carro do Roberto foi cercado por vários outros, cujos ocupantes lhe endereçaram piadas ofensivas. Ao responder à altura, Roberto se viu perseguido pelas ruas de São Paulo até a porta do hotel, onde deram início à agressão física.

O delegado ouviu a todos pacientemente para, em seguida, nos dar um sermão longo e enfadonho, nos obrigando a fazer as pazes, mesmo contrariados, para a alegria dos jornalistas e fotógrafos presentes. Ainda assim, por precaução, fomos liberados primeiro, ficando a turma agressora para depois. No dia seguinte, as manchetes dos jornais fariam a festa: "Roberto Carlos sofre agressão", "Tumulto no iê-iê-iê", "Jovem Guarda briga em frente ao hotel"...

No início da nossa parceria, jamais havíamos utilizado as brigas como tema. Besteira nossa. Se falávamos de garotas, paqueras, romances, carros e festas, por que não falar delas? Foi assim então que nasceu *Os Sete Cabeludos*, que faria parte do LP *Roberto Carlos Canta para a Juventude*, de 1965.[6]

Vinha o meu carro em doida disparada
Com sete cabeludos pra topar qualquer parada

A bagunça que armamos nos estúdios da CBS para essa gravação foi hilária. Juntamos garrafas, latas, cadeiras, pedaços de pau, de ferro e o que mais fizesse barulho para realizarmos a sonoplastia de uma briga imaginária, quebrando tudo. Usando e abusando de interjeições, gritos, urros, berros e sons de tapas e socos. O técnico Umberto Contardi dizia, enquanto se virava no trabalho de edição:

— Vocês são todos malucos!

Roberto, Dedé, Ismail, Jairo Pires, Eugênio e eu caprichamos tanto que ficamos exaustos, suados, sujos e descabelados, pois, é claro, tudo virou uma farra. A barulheira entrou durante o solo de guitarra do disco original e o resultado ficou ótimo — mas, infelizmente, foi suprimido nas remixagens que a música teria no futuro.

A CABEÇA DE BÚFALO E A LÁPIDE

O dinheiro estava entrando. Com o programa *Jovem Guarda* estourado em todo o Brasil, Roberto, Wanderléa e eu ditávamos moda entre a juventude da época. Meus discos vendiam como água e os shows lotavam. Para completar, havia a minha grife, Tremendão, lançada junto com a Ternurinha (da Wanderléa) e a Calhambeque (do Roberto). Meus produtos — chapéus de caubói, cinturões, botas, bonecos — eram obrigatórios para os fãs.

Pude, assim, começar a realizar alguns sonhos, como comprar geladeira, televisão e móveis novos para os padrinhos da minha mãe — donos da casa onde ela morava. O sucesso despontava. Eu era reconhecido e apontado nas ruas. Choviam mulheres. Graças a Deus, chegara a minha vez.

No meio desse turbilhão de acontecimentos, deslumbrado pelas situações inéditas com que a vida me abençoava, me lembrei de comprar um presente para meu grande amigo e parceiro Roberto Carlos, o que nunca havia feito. Seria um imenso prazer.

Quando nos conhecemos na adolescência, além da música, havia outras identificações. Entre elas, as histórias em quadrinhos e o cinema. Víamos filmes de caubói nos cinemas Metro, Madrid, Carioca, Olinda e éramos vidrados nos gibis do Fantasma, Jim das Selvas e Tarzan. Roberto até desenhava caubóis dando socos em bandidos. Lembrei disso quando fui parar numa loja de caça e pesca chamada Safári, que ficava na avenida Princesa Isabel, em Copacabana. Durante um tempo fiquei olhando anzóis, armas, barracas, botes infláveis e uma infinidade de outros produtos. Nada me satisfazia. Roberto era um cara de gosto especial, teria que ser algo diferente.

Olhei e de repente vi... uma imensa cabeça de búfalo empalhada. Estava pendurada na parede da loja, igualzinha aos troféus que a gente via nos filmes enfeitando as cabanas dos caçadores. Tinha achado o presente. Combinei com o vendedor que a entrega seria no escritório do nosso empresário Marcos Lázaro, que ficava ao lado da TV Record, em São Paulo, único endereço que sabia de cor naquele momento. Paguei e fui embora feliz.

Dias depois, já nos bastidores do *Jovem Guarda*, perguntei ao Marcos:

— E aí, patrão? Chegou uma encomenda minha para o Roberto, vinda do Rio?

E ele, com seu sotaque uruguaio, entre baforadas de charuto:

— Sim, chegou. Avisei e já foram apanhar, era um volume enorme.

Fui então ao próprio:

— E aí, bicho? Gostou do presente?

A resposta foi seca:

— Gostei.

Satisfeito, continuei:

— Olha, não repara não. Foi só uma lembrancinha — disse, como se alguém pudesse não reparar num trambolho daquele.

Ele deu um riso curto. Fiquei desconfiado que alguma coisa estava fora de ordem. Continuei desconfiado durante dias. Não cansava de perguntar para as pessoas de sua equipe se tinham notícias do meu presente, e ninguém sabia de nada. Desconversavam, ficavam mudos.

Desisti de tentar entender. Não sei se é verdade, mas ouvi falar depois que a cabeça foi enterrada em algum lugar. Afinal, como o corpo já estava, seria inaceitável, na visão de Roberto, ela não estar também — ou o espírito do animal não descansaria em paz. Fui infeliz com o presente, mas quis apenas agradar. Como diz o ditado, de boas intenções... Bem, é melhor deixar para lá.

Roberto de fato evita qualquer contato com objetos desse tipo, pude verificar em outras ocasiões. Como quando me informaram que a lápide do túmulo da minha tia Alzira estava quebrada. Dei carta branca ao meu secretário Alcides para que fosse efetuada a troca. Ele encomendou uma nova numa loja especializada em mármore e granito. Na época, Roberto e eu estávamos trabalhando no disco de 85, que tinha *Verde e Amarelo*, *Pelas Esquinas da Nossa Casa* e *Símbolo Sexual*, entre outras. Todas as tardes, eu me mandava para o seu apartamento na Urca e ficávamos compondo até quando desse.

No dia em que a lápide ficou pronta, Alcides achou mais prático pegar um táxi e deixá-la onde eu estava, pois ela pesava uns bons quilos. De lá, eu a levaria de carro para minha casa, e no dia seguinte providenciaríamos a substituição. Foi o que fizemos. Alcides chegou e entregou o volume para o porteiro do prédio, que o colocou no meu carro. Depois, interfonou para mim dizendo que a missão estava cumprida.

Roberto perguntou:

— Por que você não convidou o Alcides para subir?

Já com a caneta na mão, voltando ao trabalho, respondi:

— Não deu. Ele estava agulhado com mil coisas para fazer. Ele só veio trazer a lápide da minha tia.

A palavra "lápide" reverberou, amplificada pela acústica do estúdio, num crescendo ensurdecedor, enquanto as letras saltaram das páginas dos cadernos arrepiadas:

— Lápide, que lápide? — perguntou, assustado.

Expliquei tudo que acontecera. Ele fingiu não ligar e ficou calado. Em seguida, se ausentou por alguns minutos e voltou tranquilamente para continuar nossa jornada, o que fizemos até que o cansaço dissesse "basta". Dei "até amanhã" e fui embora rumo à Barra, onde morava.

Ao chegar em casa, não entendi nada. A lápide estava lá me esperando, suntuosa como o monolito de *2001 — Uma Odisseia no Espaço*, repousada no sofá da sala. No dia seguinte, com uma perspicácia de Sherlock Holmes, solucionei o mistério. Roberto, ao saber que uma lápide entrou pela portaria do seu prédio e foi colocada no meu carro, em sua garagem, obrigou o porteiro a fazer o mesmo caminho, só que dessa vez inverso, com ela nas mãos. Enquanto isso, seu motorista já a esperava na rua para transportá-la até minha casa.

(BREVE) ROMPIMENTO

Roberto e eu brigávamos muito naquele início, mas só com os outros. Entre nós houve um único desentendimento em toda a carreira. Tudo por conta de um equívoco, em 1967, quando fui homenageado como compositor no programa *Show em Si...monal*. Cantei com o Som 3 (César Camargo Mariano, Toninho e Sabá) um medley com oito músicas e ninguém — nem eu, nem o apresentador, Simonal, nem os produtores do programa — se lembrou de dar o crédito das parcerias a Roberto. O staff dele correu para contar ao patrão o suposto boicote. Roberto estava viajando e não vira o programa, e uma versão distorcida da história chegou aos seus ouvidos:

— Pegou mal. Deu a impressão que as músicas eram só dele.

— Ele podia ter dito que as músicas também eram suas.

— Isso é falta de caráter, omitir seu nome como parceiro.

A coisa cresceu, alastrando-se como um câncer pelas pessoas que tinham inveja da nossa união e viam naquele estopim aceso a possibilidade de explodir nossa amizade.

Minhas desculpas foram em vão. Roberto, influenciado pela saraivada de críticas à minha postura, não me perdoou. Foi inevitável o rompimento. Falávamos apenas os textos do programa *Jovem Guarda* e nada mais. Ficamos alguns meses assim e deixamos de fazer algumas músicas juntos. Ele compôs, entre outras, *Namoradinha de um Amigo Meu* e *Como É Grande o Meu Amor por Você*. Escrevi sozinho *Prova de Fogo*, *Neném Corta Essa* e mais algumas.

O bom senso prevaleceu quando, alguns meses depois, recebi uma fita com uma melodia gravada onde Roberto dizia:

— Bicho, não estou mais zangado com você. Essa letra você faz em dez minutos.

A música era *Eu Sou Terrível*:[7]

Não é preciso nem avião
Eu voo mesmo aqui do chão

LÁGRIMAS DE EMOÇÃO E DE RISO

Incontáveis vezes os "Carlos" choraram de contentamento ao terminarem músicas. A alegria é imensa e a emoção muito forte. É a vitória da capacidade de aconchegar conceitos, métricas e rimas na expectativa de que o Brasil e o mundo se apaixonem por uma canção. Que negros e brancos cantem juntos, altos e baixos, gordos e magros, doentes e sãos, ricos e pobres, judeus, católicos, espíritas e muçulmanos, democratas e comunistas, todos assoviem unidos o refrão. Fazemos nossa parte e, eufóricos, agradecemos a dádiva da inspiração comemorando com abraços, sorrisos e lágrimas.

Assim foi quando pusemos o ponto final em *A Montanha*, por exemplo, choramos para valer. Estavam ali escritas no papel, quentinhas, recém-saídas do forno, todas as mensagens que queríamos transmitir.

Eu vou gritar para o mundo me ouvir e acompanhar
Toda a minha escalada e ajudar
A mostrar como é
O meu grito de amor e de fé

Eu vou pedir que as estrelas não parem de brilhar
E as crianças não deixem de sorrir
E que os homens jamais
Se esqueçam de agradecer

Tínhamos que mostrar a música para o mundo. A casa em que Roberto morava no Morumbi, em São Paulo, passava por uma dedetização e, por isso, ele estava hospedado na casa de sua sogra, dona Minerva, junto com Nice (sua mulher na época) e as crianças. Naquele momento compúnhamos lá, sozinhos, pois todos haviam saído para passear. Ansioso para mostrar a canção a alguém, Roberto chamou o vizinho e cantou aquela maravilha. O vizinho também se emocionou e terminamos os três chorando abraçados.

Também choramos de tanto rir outras vezes, ao olhar com irreverência as imagens românticas de nossas músicas. Imaginamos, por exemplo, os diálogos entre as estrelas voyeurs de *Cavalgada* ("Estrelas mudam de lugar/ Chegam mais perto só pra ver"):

— Vem para cá, sua boba. Não perca esse flagra. Eles estão fazendo um 69 e daqui de Gêmeos o ângulo é melhor.

Às vezes, são os amigos que chamam atenção para o humor involuntário de algumas letras. Em *O Portão*, que fala da volta para casa de alguém que está há um tempo fora, eles implicam com a idade do cachorro ("Eu cheguei em frente ao portão/ Meu cachorro me sorriu latindo"):

— Se o retrato do personagem na parede está amarelado pelo tempo, o cachorro deve ser um ancião!

Quando fizemos *O Tempo e o Vento*, em 1989, a graça ficou por conta de uma discussão inusitada. Tínhamos a ideia central da música: havia um casal em crise que teria seu amor levado pelo vento, cuja fúria provocaria tempestades e maremotos; depois, os ares se acalmariam e trariam a paixão de volta, revigorada, e a devolveria aos personagens da letra. Que beleza, era um bom ponto de partida. Ajeitei-me na cadeira e arregacei as mangas. Foi quando Roberto argumentou:

— Em que direção o vento vai levar o amor?

Eu, franzindo o cenho, respondi:

— Não sei, qualquer uma. Dependendo das condições climáticas, o vento sopra em várias direções.

— Não, bicho, temos que definir isso direito — contestou ele. — Porque eu queria que o vento dessa música trouxesse o amor pela mesma direção que levou.

Demorei alguns segundos para entender e, já fazendo graça, comecei:

— Peraí... coitado do vento, cheio de responsabilidades, soprando sem parar para empurrar as nuvens, a vela dos barcos, refrescar as pessoas, mover moinhos, fazer furacões, tornados, tufões e, ainda por cima, tomar conta do amor, tendo que defendê-lo dos raios e da chuva nas tempestades. Num certo momento, o amor se perderia e o vento ficaria desesperado, gritando feito louco pelos céus: "Amoooooor! Onde você está? Pare de brincadeiras e apareça logo. Se lembre que tenho que levar você são e salvo para o final da música do Roberto."

E completei:

— Você acha que depois dessa ralação toda, ele ainda vai se preocupar com a direção? Ele vai é devolver o amor de qualquer jeito!

Foi quando ele, ainda rindo, foi taxativo:

— O problema é dele, não quero nem saber. Ele tem que devolver o amor entrando pelo mesmo lugar que saiu.

Desisti da polêmica. Em seguida deixamos de lado essas brincadeiras e escrevemos versos repletos de poesia:[8]

Veio então a fúria de todos os ventos
Agitando as águas daqueles momentos
E nas tempestades só restou do amor
Um mar de saudade

A GOVERNANTA DO SEU ARESMO

Além de nos divertirmos muito, falando bobagens enquanto estamos compondo — o repertório de piadas e trocadilhos de Roberto é vastíssimo —, somos testemunhas de situações e tipos que parecem saídos de um programa humorístico. A Germaine, governanta que ele contratou por uma época, foi uma dessas. Só me chamava de "seu Aresmo". Não conseguia falar meu nome corretamente nem por um decreto. Certa vez, ela repetiu-o certinho, sílaba a sílaba, acompanhando Roberto. Quando achávamos que tinha aprendido, nos despedimos com sensação de dever cumprido e ela:

— Boa noite, seu Aresmo.

Outro tipo dessa galeria é o penetra que entrou num almoço para amigos que Roberto promoveu em seu iate *Lady Laura II*. Com extrema simpatia, o sujeito se enturmou, batendo papo com todo mundo, contando piadas, rindo, brincando com as crianças. Lá pelas tantas, por acaso, perguntamos um ao outro quem havia levado ele. "Não fui eu", "Achei que tivesse sido você", até que resolvi saber do próprio. Sem vacilar, o cara de pau mandou:

— Não sou convidado de ninguém, não. Estava parado na marina sem fazer nada, vocês foram chegando, conversando comigo... Quando o Roberto falou "*Vambora* logo que já está tarde, para não voltarmos de noite", entrei no iate.

O amigo Ismail, com sua rabugice, também parece um personagem. Várias vezes pudemos presenciar seus ataques engraçadíssimos de mau humor, como quando saímos para pescar com Roberto em sua lancha *Lady Laura I*. Ele ficou encarregado de comprar as iscas e, para isso, teve que descer da lancha e andar uns bons 40 metros no lodo da baía de Guanabara até chegar aos fundos do mercado de peixes de Niterói. Passou o resto do passeio resmungando e descrevendo detalhadamente cada caco de vidro, saco de lixo e bicho morto com os quais cruzou no caminho.

— E ainda perdi um chinelo — não parava de repetir.

Minha mãe e Nice protagonizaram outra comédia. Num Natal que passamos na casa de Roberto, dona Diva estava toda animada com o presente que havia comprado para a mulher do meu amigo. Entregou cheia de "não repare", "é simples, mas acho que você vai adorar". Mais tarde, quando perguntei o que havia no embrulho, ela respondeu que era uma tampa para o ralo da banheira. Em sua descrição, "uma peça linda, muito fina, toda dourada, de tamanho universal, que não enferruja e vem com uma corrente comprida para prender na torneira".

Achei que era um presente inadequado para uma mulher sofisticada como a Nice, mas deixei para lá. Só fui lembrar do caso um ano depois quando, no aniversário de dona Diva, Nice deu de presente... uma tampa de ralo de banheira! Dourada e com correntinha! Com a inocência das mães, a aniversariante comentou:

— Ué, Nicinha! É igualzinha à que dei pra você no outro Natal.

PRECISO ACABAR LOGO COM ISSO

Minha parceria com Roberto de maior sucesso em todo o mundo talvez seja *Sentado à Beira do Caminho*, pelas inúmeras regravações (Ornella Vanoni, Eydie Gormé) e por sua inclusão em trilhas de novela (*Beto Rockfeller* e *Páginas da Vida*) e em filmes italianos e americanos (*Grandes Atiradores* e *Doze Homens e Outro Segredo*).

Naqueles dias de 1969, ela já estava quase pronta, faltando apenas o refrão. Nossas agendas eram superlotadas com os sucessivos compromissos individuais. Qualquer brecha e um ou outro já estava cochilando. Íamos completar dois meses de trabalho na letra, sempre empurrando o refrão com a barriga.

Naquela noite, não havia jeito: a música teria que ser finalizada. A madrugada já avançava, eu deitado no tapete e Roberto no sofá, na sala de sua linda casa no Morumbi, sob o olhar vigilante do cachorro Axaxá. De repente, ao sentir que ia sucumbir ao sono, Roberto me disse:

— Meu irmão, vou ter que dar uma cochiladinha. Não estou aguentando. Fica aí tentando e me acorda daqui a meia hora.

Dito isso, ajeitou o corpo no sofá e zzzzzzzzzzzzz... Levantei, lavei o rosto para afugentar o sono, comi uns petiscos, tomei café e voltei para

Ao lado de Roberto no jardim de um hotel em Águas de São Pedro, São Paulo, em 1975: "Tínhamos composto *Além do Horizonte* naquela semana, num sítio próximo."

encarar o caderno e a caneta. Passada a meia hora combinada, comecei a chamá-lo em tom baixo, depois mais alto e mais alto ainda:

— Roberto, Roberto, Roberto...

Até ele acordar. Foi então que presenciei uma cena que jamais esquecerei. Com um sorriso de menino que passou de ano e com a cara marcada pelo botão da almofada, ele disse:

— Preciso acabar logo com isso. Preciso lembrar que eu existo.

Exausto e com a cabeça dominada pelo drama de ter que concluir a música, Roberto se misturou ao personagem da canção e sonhou com o refrão.

MUSAS E INSPIRAÇÕES

Não temos uma regra fixa para compor. Tanto podemos musicar uma letra como letrar uma melodia. Tanto faz. Quando é para um disco meu, eu conduzo o início, meio e fim da história, e vice-versa quando o disco é dele. Em algumas composições, já aconteceu de fazermos quase tudo individualmente, casos de *As Flores do Jardim da Nossa Casa* (dele) e *Coqueiro Verde* (minha). Mas sempre existe uma consulta final para algum ajuste necessário — seja uma mudança de tratamento, um tempo de verbo, uma rima mais exata, alguma nuance melódica ou uma sugestão de divisão rítmica.

Para compor, gostamos de estar juntos. A única canção que fizemos por telefone foi *Ilegal, Imoral ou Engorda*, Roberto em Los Angeles e eu no Rio. Ele assoviava de lá e eu gravava de cá. A cada trecho da letra, nos telefonávamos para conferir. Ficamos uns cinco dias nessa até o resultado final.

O público tem uma enorme curiosidade em saber quem são as musas de nossas canções. Posso responder que elas existem, só que jamais revelamos um ao outro a fonte dos nossos sentimentos íntimos. As mulheres inspiradoras da estabilização ou desestabilização das nossas emoções, na hora da composição, estão guardadas num cofre, dentro do coração de cada um. Tem sido sempre assim. Seria uma tremenda babaquice, por exemplo, eu pensar numa abordagem sexual com a mulher que eu amo e Roberto contribuir com uma frase dizendo "Meu amor, quero beijar teu corpo". Ou então, eu dizer "Vou te amar com vontade" sabendo que a letra é para a mulher que ele ama. Qual é? Não seria honesto.

O que existe de fato são personagens vivenciando situações que podem ser disfarces da realidade. Se um tem a intenção de desabafar com uma mulher específica, o outro não se interessa em saber quem é. A carga emocional desse desabafo vai endereçada para aquela que, na quase totalidade das vezes, é uma compilação de muitas mulheres. Pelo menos para mim.

Para *As Baleias*, escrevemos várias possibilidades de letra. Daria tranquilamente para uma *Baleias II, o Retorno* e *Baleias III, a Epopeia Final*. Temos um carinho especial por essa música e a consideramos um dos mais contundentes protestos ecológicos que fizemos. Mesmo assim, ouvi um dia de um alto executivo da CBS:

— Vocês precisam parar com essa mania de músicas ecológicas. Porque baleia não compra disco.

Uma fã me fez uma pergunta em Brasília que minha boa educação não me deixou responder:

— Vocês fizeram *As Baleias* para quem?

E um cara em Recife desabafou comigo:

— Pô, Erasmo... Eu dei o disco com a música das baleias para minha mulher e ela ficou vexada comigo. Achou que era indireta porque ela é gorda.

Gosto muito quando o trabalho exige pesquisa. Compramos os livros necessários e, enquanto um lê em voz alta, o outro vai anotando as possíveis dicas inspiradoras. Às vezes, apenas o conceito é aproveitado — mas, na pior das hipóteses, aprendemos muitas coisas.

Para *Amazônia*, por exemplo, consultamos o livro sobre o assunto do mestre Jacques Costeau e Mose Richards. Em *Apocalipse*, as fontes foram a Bíblia e alfarrábios que eu guardara sobre as profecias de Nostradamus. Um lia para o outro trechos imensos, falando do cordeiro de sete chifres e sete olhos, dos quatro cavaleiros, do sol negro, da lua vermelha, do lançamento da besta e do falso profeta no lago de fogo, da prisão de Satanás...

No meio desse cenário apocalíptico, o outro não aguentava o blablablá e pegava no sono. Foram várias noites assim. No final, usamos somente o conceito dessas descrições.

Há inspirações que vêm de lugares, não de pessoas. Quando fizemos, em Los Angeles, *Emoções*, as imagens gratificantes de carinho do público que nos vinham à mente remetiam ao Canecão, sem dúvida a casa de shows mais carismática do Brasil.

Além do Horizonte também nasceu de um lugar. Foi especial. Por dois dias do ano de 1975, viramos meninos de novo. Não que espiritualmente não fôssemos, mas o peso das responsabilidades, os incontáveis compromissos, a labuta e a lufa-lufa diária fizeram hibernar nossa alma de moleque. O sítio de Piracicaba era tranquilo, com flores, árvores frutíferas, uma casa simples e o rio Piracicaba passando nos fundos. O violão estava feliz, as frases fluíam e os versos foram nascendo naturalmente.

Só nós dois, como nos velhos tempos. A Tijuca e o Lins de Vasconcelos, o menino carioca e o menino capixaba, sob o Sol generoso do dia e a Lua exuberante da noite, apresentando o show das Estrelas. Nossos assuntos foram discos voadores, que naquela região dizem aparecer muito, guerras (sempre tem uma), família, recordações do nosso início, show business, religião, ecologia... Nos divertimos muito com os bichos do sítio, analisando suas características, do voo incerto das borboletas à importância dos beija-flores na invenção do helicóptero.

Quando vinha a fome, Roberto fritava ovos que comíamos com pão e, por duas vezes, saboreamos uma gostosa comidinha caseira oferecida pelos adoráveis vizinhos. Com a música, conseguimos transmitir toda a simplicidade da paz que sentimos naquele lugar:[9]

Lá nesse lugar o amanhecer é lindo
Com flores festejando mais um dia que vem vindo
Onde eu possa encontrar a natureza
Alegria e felicidade com certeza

* * *

Em *Cachaça Mecânica*, o processo destrutivo do personagem, João, combinado à euforia etílica com a alegria do carnaval, não acabaria bem. Ele morreria pisoteado por uma escola de samba no chão da avenida, completamente de porre.[10]

Dormiu no tombo e foi pisado pela escola
Morreu de samba, de cachaça e de folia

Num certo momento, Roberto me disse:

— Meu irmão, não dava para mudar esse final, não?

Diante do meu silêncio, negando a sugestão, ele lamentou:

— Pô, que crueldade, bicho... coitado do João.

UMA SINUCA DE BICO

O folclore que se criou em torno de o Roberto evitar, nas canções e no dia a dia, palavras e ideias negativas, gerou boas risadas certa vez, nos anos 90, durante uma partida de sinuca. O jogo era um hábito que eu tinha desde a juventude, na Tijuca, quando andava quilômetros ao redor de uma mesa de bilhar. Começava sábado à tarde e ia até a madrugada de segunda-feira, sem parar, a dinheiro ou simplesmente por gosto, num pé-sujo que ficava na esquina da rua Barão de Iguatemi com Joaquim Palhares, na praça da Bandeira.

A maratona era regada a cachaça e cerveja, com direito a azeitonas ressecadas, tremoços duros, manjubinhas fritas engorduradas, ovos cozidos coloridos e sanduíches de queijo minas já prontos, que ficavam expostos junto com uma ou outra mosca, dentro de tradicionais recipientes de vidro em cima do balcão. Os mais assíduos das partidas eram Renato Caravita, Raul, Paçoca, Marcos Aurélio, Pinto Nu, Zé Carlos, Timbó, Almir Ricardi e os Snakes.

No episódio da década de 90, o cenário era o hotel Brasilton (hoje Braston), em São Paulo, totalmente ocupado pela numerosa equipe de produção da TV Globo, ali hospedada em função da gravação do especial natalino do

Roberto. China, assistente da megaprodução e, como eu, remanescente daquela turma de viciados em sinuca da Tijuca, convidou um grupo para uma partida. Jogamos umas rodadas medíocres, cada um querendo aparentar mais destreza do que os outros, além de ostentar uma malandragem inexistente. Os erros se sucediam entre risos e gozações. Num certo momento, eis que Roberto adentra o recinto, alardeando, em tom de brincadeira, sua habilidade. Foi logo passando o giz no taco e se incluindo no jogo.

Sabendo que Roberto evitava certas palavras, China, com seu senso de humor incrível, abusando da intimidade que os unia desde os tempos dos Snakes, resolveu sacanear o amigo. Piscando o olho para mim, começou a criar em cada situação de jogo uma terminologia divertida, substituindo as tais palavras indesejáveis:

— Vou tirar a vida da bola Alcione — falava, para não dizer "vou matar a bola marrom".

Na hora de marcar os pontos no quadro-negro, ele escrevia 12+1 em vez de 13. E para evitar a frase "Que azar, meu taco espirrou", ele mandava:

— Que falta de sorte, meu bastão fez atchim!

Todos, inclusive Roberto, morríamos de rir com as tiradas.

Numa tacada mais forte, Roberto fez a bola branca cair na caçapa. China ficou calado e eu provoquei:

— E aí, bicho? O que você vai dizer que aconteceu com ele?

China não negou fogo. Empostando uma voz tragicômica e evitando falar "Se suicidou", disse:

— Xi, Roberto! Você tirou sua própria vida. Acabou de se autoimolar.

Bela saída da sinuca de bico.

AS USINAS DE CANÇÕES

Na minha casa, na Barra da Tijuca, tenho tudo de que preciso para compor. Estão nas prateleiras os dicionários de rimas de Mário de Alencar e de sinônimos e antônimos de Francisco Fernandes e Celso Pedro Luft, além dos indispensáveis Aurélio e Houaiss. Sobre a mesa, caneta, papel, um gravador cassete Califone e um Panasonic, que levo nas viagens. O violão é fundamental — são dois, um Hirade by Takamine nylon e um Ovation nylon exclusivo, para o meu quarto. Uso também uma bateria eletrônica Alesis, um amplificador Roland Jazz Chorus-90 e um piano Niendorf. Por fim, meus óculos de grau, para enxergar as minúsculas letrinhas dos livros.

Em seu apartamento na Urca, Roberto conta com quase todos os itens citados acima e ainda com um piano Yamaha PF 10 e... uma mesinha repleta de delícias. Chá, café, creme, biscoitos, queijo, geleia, torradas e o sempre delicioso bolo que, de vez em quando, me é presenteado por ele, para ser saboreado quando eu chego em casa.

Nosso trabalho não se resume a encontros esporádicos. Individualmente, estamos sempre trabalhando, anotando ou gravando poemas, pensamentos e ideias ou inspirações coletadas em nossas andanças pelo mundo. Tudo pode virar música ou letra e, quando a necessidade assim exige, aí sim nos encontramos já com um vasto material arquivado, pronto para ser ouvido, discutido e desenvolvido. Tem sido assim e assim será. Afinal, das quinhentas músicas que tenho gravadas desde 1963, pelo menos quatrocentas são filhas desse casamento.

TERREMOTO OU ALUCINAÇÃO?

Muitas vezes, em função das viagens e compromissos, somos obrigados a compor em hotéis. Numa dessas ocasiões nasceu *Tudo Para*. Exatamente como no surreal conto da gula do filme *Os Sete Pecados Capitais*, de Philippe de Broca, no qual a sopa transborda da panela, se espalha pela casa, chega à janela e inunda as ruas do pequeno lugarejo da Itália, o amor da nossa canção também não teria limite. Ele sairia do quarto, onde um casal se amava intensamente, e ganharia as ruas, contagiando a tudo e a todos. Ficou assim:

É tão grande o amor que a gente faz
Que em nosso quarto já não cabe mais
Pelas frestas da janela se derrama pela rua
E provoca inexplicáveis emoções
Tudo para quando a gente faz amor

O ano era 1981 e estávamos na suíte do Roberto no Beverly Hilton Hotel, de Los Angeles, em plena madrugada, queimando as pestanas para desenvolver esse tema. Outras imagens vieram, sempre com o tal amor avassalador se expandindo pela cidade e tomando conta do país.

Já com o dia se anunciando, veio o sono e, entre bocejos e cochiladas, Roberto sugeriu que parássemos, pois às quatro da tarde ele teria gravação de base instrumental no Evergreen Studios. Nos despedimos e desci para o meu quarto. Como era de praxe, antes de dormir eu tomava meu banho, fazia um lanchinho com cookies, muffins e leite que Carminha, secretária dele, gentilmente comprava para mim num mercado. Depois, me deitava para ler, ver televisão e esperar o sono merecido.

Nesse dia não foi diferente. Mas quando uma legião de sonhos felizes já se enfileirava para ocupar minha mente, comecei a ouvir um rumor crescente, que me deixou com as orelhas em pé. Atento, me perguntei que barulho surdo seria aquele, enquanto notava que a cama e os objetos do quarto balançavam. Levantei e senti o chão tremendo sob meus pés. Apoiei-me na parede, que também tremia. Apavorado, caí na real e, indignado, comecei a reclamar com Deus:

— Quem mandou me tirar da minha terra para me fazer morrer aqui? Deve ser a falha de San Andreas que se fodeu. Adeus, Narinha, mãe, Gugu, Léo e Gil.

Toda essa eternidade duraria apenas uns 15 ou 20 segundos. Assim como surgiu, o tremor se foi. Corri então para a janela e vi um ciclista solitário atravessando tranquilamente o pátio do hotel. Olhei ao redor e tudo estava calmo e deserto. Ainda com o coração aos pulos, peguei o telefone e liguei para a suíte do Roberto. Já eram nove horas. Atendeu Myrian Rios, sua mulher na época:

— Você sentiu o terremoto? — perguntei sobressaltado.

E ela, tranquila:

— Não, que terremoto?

— Como não? Tremeu tudo! Você não viu? Cadê o Roberto?

— Roberto está dormindo. Eu estava pegando um sol no terraço e não vi nada — me disse ela.

Decepcionado, desliguei e fui dormir, sonhando com abismos e destruições. Ao acordar, mais tarde, era grande minha ansiedade para saber do próprio Roberto suas impressões sobre o sismo. Eu já tinha dado uns três telefonemas para o Brasil contando o ocorrido e, é claro, exagerando bastante para valorizar minha experiência:

— Mãe, eu quase morri.

— Meus filhos, papai escapou por milagre.

— Narinha, meu amor, pensei que não ia mais te ver.

Ao ver Roberto, nem dei boa tarde e fui logo perguntando:

— Bicho, como é que você se comportou no terremoto?

E ele, interrompendo uma baforada do cachimbo, completamente alheio à minha realidade, me respondeu com outra pergunta:

— Que terremoto, bicho?

Comecei a pensar se estaria ficando maluco. A resposta veio no *Los Angeles Times* do dia seguinte: "*Earthquake in L.A. — 5.1 in the Richter scale.*" Não, eu não estava enlouquecendo. E nem era medroso demais, como alguns podem pensar. Prefiro pensar que tenho uma sensibilidade maior aos humores da Terra.

MEU SEGUNDO MELHOR AMIGO

Em outra ocasião, na mesma Los Angeles, Roberto me deu provas de seu humor e, vá lá, sua amizade. Num domingo, logo após a missa das seis na igreja de Santa Mônica, Roberto, Myrian, Narinha e eu fomos jantar num bistrô simpático, perto do Beverly Hilton, onde sempre nos hospedávamos. Narinha estava empolgadíssima com uma superloja que descobrira no centro da cidade, especializada em materiais para artes plásticas. Fez uma festa comprando misturadores de tinta, formas, maçaricos especiais, pincéis, moldes, pulverizadores, serras elétricas, luvas, máscaras. Fui obrigado até a pedir umas "doletas" emprestadas ao Roberto.

Após nossa sobremesa, eu e Roberto deixamos Nara e Myrian saboreando um morango com chantilly e fomos ao banheiro. Ao conduzir instintivamente minha mão para a maçaneta da porta vai e vem do banheiro, fui impedido por Roberto, que abriu usando o ombro:

— Erasmo, evite sempre pegar em maçanetas de banheiro público. É um perigo, bicho. Tem micróbios de todo tipo.

Admiti, calado, que ele estava certo e me encaminhei para o mictório, pois estava apertado. Roberto foi para a pia lavar as mãos, tendo o cuidado de antes pegar papel higiênico para abrir a torneira. Ao ver a pia do lado vazia e perceber que eu não o acompanhara, perguntou:

— Bicho, você não lava as mãos para pegar no seu piru, não?

Feliz da vida pelo alívio do xixi saindo, respondi que não. Em tom didático, ele retrucou:

— Mas deve lavar, meu irmão. Os médicos não se cansam de dizer que os órgãos sexuais masculinos e femininos são muito sensíveis a infecções, por isso sempre recomendam o máximo de higiene. Não custa nada você fazer isso, é uma questão de preservação do corpo. Se é que você gosta do seu corpo — provocou.

— Gosto muito, principalmente do meu piru — respondi veemente, admitindo que havia algum fundamento em sua preocupação. — Adoro ele. É o símbolo da minha virilidade, é o instrumento do meu prazer, me obedece, me entende, não me pede nada, não dá trabalho nenhum, está sempre pronto para guerra. Quer saber? Acho que ele é meu melhor amigo!

Ao me ouvir falar isso, Roberto rebateu na hora:

— Seu melhor amigo?

Já enxugando as mãos, após tê-las lavado, eu disse:

— É bicho, ele sou eu, eu sou ele, somos um só, enfrentando a vida, perseguindo nossa felicidade, nos aturando um ao outro. Não posso viver sem ele.

Pensando que a conversa chegara ao fim, me preparei para abrir a porta com os ombros, já pensando no cigarrinho que fumaria na volta à mesa. Foi quando Roberto me parou e perguntou, com cara de gozador:

— Seu piru já te emprestou dinheiro?

Sem entender na hora a intenção da pergunta, respondi que não.

Foi quando sua fisionomia se transformou. Com um largo sorriso comemorando minha negativa, fez um sinal de positivo com o polegar, dizendo:

— Ah! Então eu sou o seu melhor amigo!

MR. CARLOS ERRADO

A preocupação de Roberto com vírus e micróbios se manifestou mais uma vez em 1987, também em Los Angeles. A história começou quando eu soube que os Doobie Brothers estavam reunidos de novo e tocariam no Hollywood Bowl, lendária casa de shows da cidade. Assim que li o anúncio no jornal, mostrei-o para Narinha. Ficamos eufóricos, nos imaginando lá, cantando e dançando.

Naquela noite, jantaríamos com Roberto e Myrian no restaurante do próprio hotel, onde poderia comer meu prato preferido nos Estados Unidos, *roast prime ribs* — um corte especial de costela bovina. O casal já nos esperava no bar anexo e, assim que cheguei, falei do show. Ao sentir meu entusiasmo e notar a minha intenção de comprar ingressos para todos, Roberto se desculpou dizendo que ele e Myrian não poderiam ir. Pensei:

— Vou comprar ingressos só para mim e Narinha, então.

O assunto parecia encerrado. Mas, enquanto saboreávamos de sobremesa um melão *honeymoon* (deliciosa variedade da fruta), Roberto tentou se redimir da negativa ao meu convite:

— Pode deixar, meu irmão. Faço questão de dar os ingressos para vocês. É só eu pedir para o pessoal da CBS que eles providenciam tudo.

Aceitei a gentileza e a vida seguiu. Nos dias seguintes, entre um passeio e outro, eu lembrava:

— E aí, como é que está o lance dos ingressos?

E Roberto respondia, me tranquilizando:

— Tudo em cima!

A data se aproximava e nada. Eu insistia:

— Não vai esquecer dos meus ingressos não, hein...

Ele sempre dava a mesma resposta, com algumas variações: "Já está chegando", "Fica frio", "Não esquenta", "Já falei com a menina da CBS", "Relaxa, bicho", "Está tudo ok".

Finalmente, chegou o dia do show e os ingressos não tinham aparecido. Resolvi então, meio sem jeito, aumentar o tom:

— Bicho, não leve a mal... mas cadê os ingressos? Se não der, não tem problema. Eu compro. Porque eu vou de qualquer jeito.

Mirinha, que acompanhava o processo desde o início, tomou a frente da situação, ligou para a CBS e resolveu a questão. Os ingressos vieram num envelope branco endereçado a mr. Carlos e eram para um camarote de quatro lugares.

Fomos de táxi bem cedo com medo de perder a hora. Narinha, extasiada, disse que lá nos seus tempos de Porto Alegre, onde nasceu, jamais poderia imaginar que um dia estaria no Hollywood Bowl. Pensei, mas não falei:

— E eu, que de delinquente na Tijuca virei mr. Carlos?

Mr. Carlos? Mr. Carlos? Demorei uma fração de segundo para despertar dos meus pensamentos e ouvir uma voz me chamando:

— Mr. Carlos?

Sorri surpreso, lisonjeado por ser reconhecido em Los Angeles. Respondi com um altivo "yes".

— Que imensa satisfação conhecê-lo — disse o sujeito, em espanhol, apertando minha mão. — Sou Ramon (não lembro seu sobrenome), diretor editorial da RCA Victor do México. Essa é minha mulher Terezita. O pessoal da CBS me falou da sua presença e não poderíamos deixar de vir cumprimentá-lo. Podemos sentar aqui com vocês?

Claro que concordamos. Apresentei Narinha, caprichando no meu portunhol. O casal era extrovertido e atencioso. Ela ficou impressionada com a originalidade da pulseira Antônio Bernardo que Narinha usava e quis saber onde conseguir outras peças do artista. Inquieto, Ramon não sabia o que fazer para me agradar. Vendo que eu iria beber uma dose de Jack Daniel's de uma garrafinha de bolso que levara comigo, interrompeu meu gesto e chamou o garçom. Pediu um litro do uísque, gelo, azeitonas, picles e, para as mulheres, vinho branco.

No palco, *Rockin' Down the Highway* abriu a noite. O momento era mágico. A mulher que eu amava, uma banda maravilhosa, um lugar lendário, uma Lua do tamanho de um bonde me abençoando no céu... e Ramon me paparicando:

— Você soube que as crianças da Cidade do México cantaram sua música *Amigo* para o papa?

— Soube, vi pela televisão. Fiquei muito feliz — respondi.

O show seguiu num crescendo envolvente, com *Black Water*, *Minute by Minute* e outras. De vez em quando, Ramon se aproximava:

— Minha mulher é louca por *La Distancia* e *Detalles*.

E vieram outras perguntas e elogios, que já estavam passando dos limites. Até na hora do *What a Fool Believes*, enquanto eu beijava Nara apaixonadamente, Ramon queria saber o que eu havia achado do Prêmio Bravo que ganhei em Miami. Àquela altura, não falei nada e me limitei a fazer o sinal de positivo com o polegar.

No bis, a banda tocou *Listen to the Music*, num final apoteótico. Logo depois, enquanto tomávamos a saideira comentando o show, com a conta já paga por Ramon, Terezita me perguntou:

— Você fez a música *Amigo* para quem?

Respondi naturalmente:

— Para ninguém, ela foi um presente que o meu amigo me deu.

Sua expressão de dúvida me fez prosseguir:

— A música é nossa, mas a letra ele fez para me homenagear. O amigo que ele exalta na letra da música sou eu.

— Ele quem? — ela quis saber.

Já um pouco irritado, falei:

— Roberto Carlos!

Foi quando Ramon interveio:

— Mas você não é o Roberto Carlos?

Nara me socorreu:

— Não! Ele é o Erasmo Carlos. O Roberto não veio.

Os dois ficaram passados, sem palavras. A Myrian, quando pediu os convites para a CBS, o fez em nome do Roberto. Na reserva e no envelope, estava escrito "mr. Carlos", que também servia para mim.

O casal deu uma "esfriada". Ramon me deu seu cartão, mandou abraços para o Roberto, disse que gostou muito de nos conhecer, essas coisas. Os dois foram saindo, papeando com outras pessoas que conheciam. Provavelmente, nunca mais esqueceram que nós, mr. Carlos, somos dois.

Só muito depois fomos entender o comportamento de Roberto com os ingressos. Reza a lenda que a demora em nos dar os convites foi proposital. Ele não queria que eu e Narinha fôssemos ao evento, temendo o que diziam os boatos sobre a aids e sua possível disseminação em lugares públicos. Na época, tateava-se no escuro, e especulava-se que sangue, saliva, esperma, suor, lágrimas, urina, roupas, pratos, talheres, copos, barbearias, cabeleireiros, piscinas e até o vento poderiam ser formas de contágio. Ou seja, era o amigo se preocupando com o amigo e com a mulher do amigo. Como um pai substituto, ele zelava pelo nosso bem-estar e pela nossa saúde.

EM QUALQUER CAMINHADA

Amigo cantada para o papa na voz das crianças mexicanas foi emocionante. Mas nada se compara à minha sensação ao ouvi-la pela primeira vez.

Nos intervalos das nossas composições, sempre surgem, de brincadeira, levadas empolgantes no piano e no violão, que nos fazem improvisar algum tema. Pode ser qualquer tipo de ritmo: toada, rock, samba, blues... Quando isso acontece, gravamos para avaliação posterior. Temos toneladas desses momentos arquivados, com letras começadas, melodias assoviadas, firulas em inglês fictício, intenções de arranjo, vocais, riffs, lá-rá-rás e tchu-ru-rus. Quase todos esses registros jamais serão aproveitados, pois sempre estamos fazendo músicas novas. Mas, de vez em quando, recorremos a esse baú.

Foi assim em 1977. Nice, então casada com Roberto, telefonou para Narinha, confidenciando que ele fizera uma surpresa para mim e que gostaria de me mostrar. Não disse, porém, do que se tratava e pediu que Narinha não me contasse nada. Ele chegara com um disco pronto dos Estados Unidos, onde costumava gravar — por cerca de duas décadas, íamos todo ano para lá para terminar de escrever as letras. Roberto trouxe em sua bagagem uma cópia em fita cassete para ouvirmos juntos e combinaram então que ele iria lá em casa, naquela mesma noite. Antes de se despedir, Nice ratificou que eu iria "a-do-rar" a surpresa. Narinha gritou para mim em seguida, usando o carinhoso apelido mútuo que era obrigatório entre nós:

— Puiú, o Roberto vem aqui hoje mostrar o disco novo para você.

Eu estava mesmo ansioso para ouvir como ficaram *Cavalgada*, *Jovens Tardes de Domingo* e *Muito Romântico*, música de Caetano Veloso que já ouvira com voz-guia (registrada apenas para servir de referência para os outros músicos gravarem seus instrumentos).

Jantamos, vimos a novela, pusemos as crianças para dormir e fomos para a varanda esperar Roberto.

Nessa época, morávamos na avenida Vieira Souto, de frente para o mar de Ipanema e, do segundo andar, ouvíamos além do barulho das ondas, os ruídos da rua, inclusive as conversas das prostitutas que faziam *trottoir* naquele trecho do calçadão. Apagávamos a luz para não sermos notados e ficávamos ali, vendo e ouvindo as "moças" dialogando entre elas, se acertando ou dando esporro nos fregueses que paravam a toda hora com seus carrões de grife.

Ao verem um carrão dar meia trava para entrar na garagem, as meninas se entusiasmaram, pensando ser um novo cliente. Com o vidro fechado, elas nem viram que era Roberto Carlos. Narinha comentou:

— Imagina se elas descobrissem que era o Roberto. Fariam um escândalo.

Nunca o vi tão empolgado para mostrar um trabalho como naquela noite. Conversou um pouco e foi logo dizendo:

— Meu irmão, fiz essa homenagem para uma pessoa e tomara que ela goste. Bota logo a fita que tô doido para você ouvir.

Apertei o *play* e imediatamente os metais da introdução ecoaram pelo apartamento, surpreendendo meus ouvidos, com uma alegria que me induzia a balançar o corpo. Começou então:

Você meu amigo de fé, meu irmão camarada
Amigo de tantos caminhos e tantas jornadas
Cabeça de homem mas o coração de menino
Aquele que está do meu lado em qualquer caminhada

Talvez por distração minha, ao ouvir os primeiros versos nem me passou pela cabeça que o amigo cantado na música fosse eu. Continuei ouvindo e me emocionando aos poucos com a descrição profunda de uma amizade verdadeira:

Me lembro de todas as lutas, meu bom companheiro
Você tantas vezes provou que é um grande guerreiro
O seu coração é uma casa de portas abertas
Amigo você é o mais certo das horas incertas

Às vezes em certos momentos difíceis da vida
Em que precisamos de alguém pra ajudar na saída
A sua palavra de força, de fé e de carinho
Me dá a certeza de que eu nunca estive sozinho

Você meu amigo de fé, meu irmão camarada
Sorriso e abraço festivo da minha chegada

Você que me diz as verdades com frases abertas
Amigo você é o mais certo das horas incertas

As palavras me tocavam cada vez mais fundo e eu pensava: "Era exatamente isso que eu gostaria de dizer para ele. Esse épico é a história de grandes amigos. É a nossa história, igualzinha em todos os sentidos."

E deduzi: "Se não está falando do pai dele, seu Robertino, só pode estar falando de mim."

Não tive mais dúvidas, o amigo da música era eu. Narinha carinhosamente veio me dar um beijo. Olhei para Roberto e vi uma expressão cativante de felicidade em seu rosto. Ele aproveitara uma daquelas melodias do baú e me presenteava com uma demonstração comovente de fraternidade. Minhas lágrimas vieram com uma abundância de fazer inveja ao mar de Ipanema. Nos abraçamos demoradamente enquanto a música prosseguia:

Não preciso nem dizer
Tudo isso que eu lhe digo
Mas é muito bom saber
Que você é meu amigo

Não preciso nem dizer
Tudo isso que eu lhe digo
Mas é muito bom saber
Que eu tenho um grande amigo...

Quando Roberto foi embora, Narinha me disse que jamais vira uma demonstração tão pura de amizade. Acrescentou que gostaria de ter tido alguma amiga que sentisse algo assim por ela. De madrugada, ouvi setecentos e noventa vezes a homenagem e acabei me apaixonando também por *Outra Vez*, da querida compositora Isolda.

Guardei algumas lágrimas para chorar no futuro, adivinhando o impacto positivo que *Amigo* causaria nos corações de todos que, como eu e

Roberto, cultivávamos esse sentimento. A música se tornaria um sucesso mundial. Desde que foi cantada para o papa, é sempre lembrada para saudar estadistas, pessoas ilustres ou queridas, virando um hino e sendo gravada por inúmeros intérpretes e bandas do planeta. Roberto conseguiu transformar a amizade numa instituição da qual, com inenarrável satisfação, sou reconhecido pela memória popular como principal representante.

"És responsável pelo que cativas", aprendi lendo Saint-Exupéry. Roberto e eu somos responsáveis pela nossa amizade, que não tem nada de fingimento ou marketing. Existe realmente, forte como uma rocha. Para alguns, pode parecer que é feita de isopor, como aquelas grandes pedras que nos filmes caem sobre as pessoas sem machucá-las, mas na verdade se fundamenta em sentimentos sinceros e na predisposição de nos aceitarmos como somos, jamais tentando mudar o outro. Absorvemos as transformações de cada um, sem a obrigação castrante de adotá-las. Para o bem de nossas personalidades, que embora parecidas são completamente diferentes — por exemplo, sou mais explosivo e despachado, enquanto ele é mais reflexivo e reservado.

Não nos cobramos nada porque temos certeza de que nos damos tudo. Se alguém disser que Roberto me xingou de "feio", respondo que é mentira, porque sei que meu amigo me vê por dentro e sabe que, internamente, sou bonito como ele. Brigas nem pensar, apesar de estarem sempre inventando algumas. Claro que existem discordâncias de opinião, até porque somos parceiros musicais e, constantemente, nos vemos diante de situações polêmicas, provocadas pelos personagens de nossas músicas.

Tenho o máximo respeito e admiração por ele e pelo seu canto. Aprendi como aluno atento às inúmeras lições de vida que Roberto me deu. Fico horas e horas conversando com ele e, ao fim, lamento, pois queria conversar muito mais.

Seu carisma e sua bondade levam muitas pessoas a mitificá-lo, num patamar de uma entidade como um anjo ou coisa assim. Embora o chamem normalmente de "Rei", já ouvi alguns o chamarem de "santo" e até de "Deus". Para mim, é o Amigo, com maiúscula.

capítulo 4

QUE FESTA D

E ARROMBA

os anos da jovem guarda

Com Eduardo Araújo, Wanderley Cardoso, Roberto, Martinha e Wanderléa no auge do fenômeno da Jovem Guarda.

Na TV Rio, gravando um programa da edição carioca do *Jovem Guarda*, que estreou em 1966: "Apesar de ter casa no Rio, eu ficava num hotel ao lado do estúdio. Afinal, a muvuca era lá, onde a equipe toda se hospedava. O que incluía as dançarinas..."

A MUVUCA DO MESSIAS

Foi o radialista José Messias, meu amigo, que me disse em 1964:

— Bicho, o ano que vem vai ser o seu ano. Aproveite bem!

Não deu outra. No dia 22 de agosto de 1965, foi ao ar o primeiro programa *Jovem Guarda*, tornando os nomes de Roberto Carlos, Erasmo Carlos e Wanderléa conhecidos em todo o Brasil.

Logo depois daquela profecia, Messias criou em seu programa na Rádio Guanabara o *Favoritos da Nova Geração*, concurso que movimentou a cidade com votos e torcida e culminou numa antológica festa na TV Rio. Aquele encontro foi o embrião da música *Festa de Arromba*, que eu comporia com Roberto algumas semanas depois e que também serviu de inspiração para o programa *Jovem Guarda*.

Holofotes iluminavam o céu, enquanto uma multidão acenava com bandeirinhas coloridas e fotos de revistas. Uma banda de música saudava a todos na chegada. A imprensa marcava presença, se acotovelando na porta da simpática TV de Copacabana para noticiar o que via, embora o cronista Stanislaw Ponte Preta, crítico ferrenho do que chamavam de iê-iê-iê, durante a semana inteira tivesse soltado farpas em sua coluna no jornal *Última Hora* — entre outras provocações, ele ironizou o boato de que Wanderléa chegaria a cavalo, escoltada pelos Dragões da Independência, o que não aconteceu. Carros luxuosos e calhambeques turbinados paravam a cada minuto, deixando os artistas desfilarem por um tapete vermelho cinematográfico e consagrador. Era a futura Jovem Guarda antecipando sua glória.

Recentemente, confessei a Messias:

— Zé, quero lhe dizer que eu gostava mais do seu programa da Rádio Guanabara do que o do Chacrinha, do Luiz de Carvalho e do Jair de Taumaturgo, que obviamente também eram merecedores do meu afeto e gratidão.

A grande muvuca acontecia no programa de Messias, com seu mulherio fantástico. O edifício Darke, na avenida Treze de Maio, com suas academias de ginástica, seus cursos variados, agências de modelos e estúdios fotográficos, reunia a fina-flor das garotas cariocas. Ao verem os artistas na fila do elevador, elas não contavam até três: ficavam loucas e subiam atrás.

Quanto mais eu falava, mais o olhar dele transparecia emoção. Continuei:

— Um dia, o elevador enguiçou comigo, Jerry Adriani e umas fãs. A sacanagem foi tanta que fomos até advertidos pelo diretor Amílcar de Carolis.

Aproveitando a minha deixa, Zé lembrou a Isabel, com quem eu transava na escada enquanto rolava *Direito de Nascer*. Ele recordava:

— Lembra que ela foi minha namorada e sua ao mesmo tempo?

— Lembro, claro — respondi enfático. — Eu sabia de você, você sabia de mim e ela não sabia que nós dois sabíamos um do outro. Algumas pessoas são assim, Zé. Diversificam os investimentos para ver qual dá lucro.

Parafraseando o livro que ele lançou em 2006 (*Somos uma Soma de Pessoas*), digo com segurança quo Zé faz parte da soma das pessoas que eu sou.

DUAS PARA DOIS

Meus primeiros meses em São Paulo, para onde me mudei pouco tempo antes do estouro da Jovem Guarda, foram de puro deslumbramento com a efervescência mulherística da cidade. Vivia essa euforia quando combinei com Juca Chaves, a quem havia acabado de conhecer num programa do qual participamos na TV Record, de sairmos para dar uma "agitada" na noite paulistana. Senti-me lisonjeado com a oportunidade de caçar com ele, já que era seu fã desde os tempos da Tijuca, quando ouvia no rádio seus hits *Presidente Bossa Nova*, *Nasal Sensual* e *Por Quem Sonha Ana Maria* e via sua figura na TV Rio, com o violão apoiado no ombro, de smoking e descalço.

Enquanto esperávamos a dispersão do povo que saía do auditório da TV Record, contei que em 1961 eu quase fora atropelado por ele na esquina da avenida Prado Júnior com Nossa Senhora de Copacabana, no Rio. Juca se interessou e quis saber mais sobre o ocorrido. Prossegui:

— Foi numa madrugada em que eu distraidamente corri para pegar o lotação, após saborear o caldo verde da Lindaura no beco Da Fome. Percebi um carro se aproximando e vi que era você num Corvette conversível vermelho, com uma loura incrível do lado. O carro passou zunindo, tirando um fino de mim, e dobrou a esquerda em direção ao túnel. Me chamou atenção o cabelão esvoaçante da loura. Me lembro que invejei você e pensei na hora: "Pô, que mulherão! Esse tal de Juca Chaves deve estar comendo todas."

— Então sinto muito decepcionar você — disse ele, com ar enigmático. — Porque naquela época eu não comia ninguém, elas é que me comiam...

Vimos que o povo já tinha ido embora. Antes de sairmos, perguntei:

— Onde é que a gente vai?

Ele pensou um pouco e disparou:

— Você já comeu mãe e filha?

Meus olhos pularam da órbita quando meu cérebro tentou visualizar aquela que era uma das maiores fantasias que um homem poderia sonhar:

— Não — respondi animado.

— Então você vai comer hoje — rebateu Juca, sorrindo maliciosamente, enquanto completava que as duas moravam juntas, adoravam uma sacanagem e iam ficar felizes de dar para um garotão da Jovem Guarda.

Pensei rápido e perguntei com o restinho de ingenuidade que ainda tinha na época:

— Peraí, bicho. Eu vou comer as duas. E você?

— Também — respondeu ele, com naturalidade.

Grande noite.

PRESENTES PERIGOSOS

Graças ao sucesso da Jovem Guarda, tornei-me um dos xodós da minha gravadora, a RGE. Contratado em 1963, numa época em que os ícones do selo eram, entre outros, a deusa Maysa, o rei da divisão rítmica Miltinho e o supercantor Agostinho dos Santos, fui aos poucos conseguindo meu espaço naquela constelação de bambas. Algum tempo depois, surgiria o monstro Chico Buarque de Hollanda, que viria com sua arte carimbar definitivamente a importância da gravadora na música brasileira.

Com a Jovem Guarda no auge, meus discos vendiam como água. O programa parava a cidade de São Paulo e despertava atenção de professores, historiadores, jornalistas, radialistas e psicólogos, todos procurando entender a loucura daquela catarse coletiva.

Quando eu ia à gravadora, na avenida Ipiranga, formava-se sempre uma roda para ouvir meus “causos”. Queriam saber fofocas dos bastidores. Era recebido como rei, com direito a tapete vermelho, cafezinho, simpatias insinuantes das secretárias e atenção full time do eficiente divulgador Aarão Percov.

Lembro-me, por exemplo, de contar do medo que tomava conta dos artistas em cada “jovem tarde de domingo”, com a quantidade de bombons, balas, chocolates, chicletes, bichinhos de pelúcia, caixas com presentes e flores que atiravam na gente, muitas vezes nos acertando em cheio na cabeça ou no rosto. Guloseimas mais pesadas como os pacotinhos de drops e as barras de chocolates eram as mais temidas, pois machucavam para valer. Eu mesmo fui atingido várias vezes, chegando a ficar com pequenos hematomas nos lábios ou galos na testa. Andava-se com cuidado, como se pisando em ovos, não somente para não amassar os doces e as flores, mas também para não destruir as caixinhas de presentes e rasgar os bichinhos de pelúcia.

Ao final, quando se fechavam as cortinas, era uma verdadeira guerra para pegar aquelas delícias. Batalha que, além dos artistas, envolvia os técnicos, contrarregras, maquiadores, camareiras, mães de cantoras etc. Um dia, numa caixa endereçada a Roberto, foi encontrada uma cobra, viva e serelepe. O fato o levou a nunca mais abrir presentes de desconhecidos sem que alguém checasse antes o que vinha dentro do embrulho.

A GUERRA DOS CARRÕES

Além dos mimos das fãs, nós mesmos começamos a nos dar presentes. E eles começaram a ficar bem caros. Roberto comprara um Jaguar. Aguinaldo Rayol, um Lincoln. Simonal, um Oldsmobile. Fulano, um Buick. Sicrano, um Camaro... Só dava carrão desfilando pelas ruas de São Paulo. A mídia não media espaços na hora de publicar matérias com fotos generosas dos artistas e seus bólidos maravilhosos.

"O príncipe Ronnie Von, a bordo da seu Corvette, tira onda pelo Morumbi", "Juca Chaves foi visto passeando com sua Mercedes pela rua Augusta" etc. Era a guerra dos carrões da TV Record. A mulherada ensandecida parecia adotar o lema "diga-me qual é o teu carro e te direi se me terás aos pés", não dando a mínima para quem dispusesse de um veículo simpático, honesto e discreto, como era o caso do meu valente Karmann Ghia.

Um dia, no programa *Jovem Guarda*, fui procurado por um intermediário interessado em me vender um sonho a motor que iria deixar no chinelo os carrões dos outros. Era o Frank Sinatra dos carros, o luxo do luxo em quatro rodas: o Rolls Royce 1950 que pertencera ao governador Adhemar de Barros.

No início, não me interessei, vendo as fotos que o sujeito me mostrava. Mas sua lábia era envolvente e acabou me convencendo a conferir a máquina no dia seguinte. Quando vi, não tive mais dúvidas. Comprei na hora, ficando até surpreso com o preço, bem inferior ao dos outros importados em circulação. Por coincidência, eu havia gravado uma música de Carlos Imperial e Nonato Buzar chamada *O Carango*, com versos que diziam:[11]

Camisa verde-clara, calça Saint-Tropez
Combinando com o carango todo mundo vê
Ninguém sabe o duro que dei
Pra ter fon-fon trabalhei, trabalhei

A notícia caiu como uma bomba nos meios de comunicação: "Erasmo Carlos acaba com a guerra dos carrões", "Erasmo humilha seus colegas com seu carango", "O carrão do Tremendão". O carro era um barato. De cor grafite, extremamente silencioso, volante e câmbio do lado direito, painel de madeira, teto solar na parte da frente, espaço amplo atrás, bancos fixos dobráveis, forro de tecido, bar, farolões, placa 112982 e o poderoso e altivo símbolo da marca, com as asas abertas no capô.

Contratei logo de cara um motorista indicado pelo intermediário, um profissional acostumado com o difícil trânsito paulista e também familiarizado com o sistema inglês de volante à direita. Era o Sebastião, um tipo bonachão e solícito, que usava um bigode grosso como uma marquise para seu sorriso. Imediatamente incrementei ao terno e gravata do Tião um estiloso chapéu preto de caubói, que era o principal lançamento da minha grife Tremendão. Então, carregando o cachorro Brasinha, mascote da Jovem Guarda, fomos conferir in loco os principais agitos de Sampa.

Com o tempo, surgiram boatos de que a Rolls Royce inglesa estaria me processando por eu estar depreciando a marca, transportando animais e tendo um motorista caricato. Tudo mentira, enquanto em Londres John Lennon desmistificava o seu, pintando-o com motivos psicodélicos.

Meu telefone não parava com pedidos e convites para tudo: comerciais de TV, casamentos, desfiles, feiras, exposições, fotos... Comecei inclusive a faturar com isso, embora na maioria das vezes meus interesses fossem outros. Como por ocasião dos concursos de Miss São Paulo ou rainha de alguma coisa, quando o emprestava para que as candidatas fizessem turismo pela cidade — com direito à minha presença nos jantares oferecidos para elas na boate Moustache (do amigo João Alberto Murad), onde ao som de *The More I See You*, com Chris Montez, as lindas moças tricotavam:

Num ensaio de moda, ao lado do Rolls-Royce: "Não gostava muito desse meu casaco de pele sintética, porque ele me deixava maior do que eu já era. Mas, prezando o estilo acima de tudo, não deixava de usar."

— Que carro maravilhoso. Era tudo o que eu queria.

Ou então:

— Erasmo, se alguma de nós namorar você, o carro vem junto?

O certo é que mulheres belíssimas deixavam suas digitais e seus perfumes impregnados no estofamento do carango. Por incontáveis vezes, desfrutei do seu conforto em momentos de muito amor e carinho com gatas especiais.

Emprestei o possante, pilotado por Sebastião, para a comitiva da rainha Elizabeth da Inglaterra, durante sua visita ao Brasil, em 1967. Também vim com ele ao Rio de Janeiro receber o troféu de Melhor Compositor de Música Jovem, no programa de Jair de Taumaturgo, na TV Rio. Na ocasião, despertei a ira de Stanislaw Ponte Preta, algoz declarado da Jovem Guarda: "O Rolls Royce não merece isso", provocou, preconceituosamente, no jornal.

Usei e abusei do carro. Aos poucos, porém, fui me convencendo de que ele não tinha, a longo prazo, a praticidade necessária para o meu dia a dia. Precisaria de um veículo mais ágil e menos ostentoso. A brincadeira acabara, mas foi muito boa enquanto durou. Estava na hora de passar o Rolls Royce adiante. A mídia que eu conseguira com ele ultrapassou o imaginado.

Entre os interessados, destacou-se um empresário que ganhara uma bolada no boom da bolsa de valores do final dos anos 60. Ele não admitia não ser o comprador, dispondo para isso de uma quantia superior à estipulada. Apaixonado pela esposa, o sujeito realizaria o desejo de presenteá-la no dia do aniversário, dando o carro como prova incontestável do seu amor. Fechou-se o negócio, com Sebastião indo junto na transação. O resto da história me foi contada pelo motorista, alguns dias depois:

— Seu Erasmo, isso é que é carinho. Ele deu uma grande festa para ela, convidou um monte de amigos e, numa certa hora, depois de uma declaração de amor, chamou os convidados para fora da casa. Debaixo de um céu estrelado e de uma Lua gigante, fez um sinal para que eu chegasse bem devagarinho dirigindo o carrão, todo embrulhado em papel celofane vermelho, com um imenso laço de fita branco amarrado no teto. Foi emocionante, só faltava o senhor lá para ver.

Hoje o meu Rolls Royce descansa na coleção do Milton, amigo da Wanderléa, ao lado de outros carros antigos. Dizem que, ao ouvir alguma canção minha no rádio, seus faróis marejam e vertem lágrimas de gasolina por sua bela carroceria. São saudades daqueles tempos agitados nos quais tínhamos que manter a nossa fama de maus.

SILÊNCIO NO BROOKLIN

Jornalistas circulando, tomando cafezinho e fotografando nossos objetos pessoais, vendedores oferecendo qualquer coisa, o telefone tocando, artistas nos visitando, crianças pedindo autógrafos, fãs eufóricas se insinuando, colegiais querendo entrevistas, o rádio tocando alto, carros passando e buzinando na porta, credores cobrando, o cachorro latindo e até helicóptero sobrevoando o local. Assim era o dia a dia da casa que eu alugara, em 1966, na rua Kansas 239, no bairro paulistano do Brooklin. Fui morar lá com meu amigo Jorge Ben e minha querida divulgadora e empresária Edi Silva.

Era um pequeno sobrado com três quartos, um para cada um de nós, dependências de empregada, um salão, um quintalzinho sem plantas, garagem para um carro e muros baixos com grade no topo. Uma vitrine, enfim. O movimento era intenso, mais parecendo uma mistura de feira livre, carnaval na Babilônia, motel e parque de diversões. De vez em quando, no auge daquela confusão, o bem-humorado Jorge interrompia a bagunça, levando o dedo indicador aos lábios e nariz e ordenando, a plenos pulmões:

— Shhhhhhhhhhhh, silêncio no Brooklin! — dizia, antecipando a frase que seria o título de seu disco de 1967.

Os vizinhos adoravam a animação da rua e até nos presenteavam com bolos, tortas, empadões ou pudins. Era a "jovem-guarda-mania"

Com Wanderléa e os bonecos Tremendão e Wandeca: “Eles estão vestidos com roupas das nossas grifes, lançadas durante a Jovem Guarda.”

pegando fogo no bairro. Edi, como divulgadora de sucesso, fora responsável pelos lançamentos de Agnaldo Rayol, Roberto Carlos, Ed Costa, Beatniks e Ed Wilson, além de mim. Jorge havia acabado de lançar o Bidu, um adorável ratinho de borracha parecido com o Jerry (do desenho animado com o Tom), ideal para pendurar no espelho do carro — jogada de marketing usada também por Simonal, que lançou o Mug. O Bidu se tornaria tão popular que acabaria virando o apelido do próprio Jorge. O Babulina — outro apelido de Jorge, que ele trazia desde os tempos da Tijuca, quando se especializou em tocar *Bop-A-Lena* — havia descoberto também a guitarra elétrica e estava maravilhado com a possibilidade de cantar em pé, comandando os músicos, em vez de usar os bons e velhos banquinho e violão.

Com a casa, acabariam alguns dos nossos maiores problemas. Agora sim, teríamos um lugar para desfrutar nossas conquistas amorosas. Finalmente não precisaríamos mais frequentar a Casa da Baiana, capítulo inesquecível na nossa história sexual daqueles tempos. Meia Jovem Guarda se deliciava em seus aposentos suntuosos, se revezando em noitadas memoráveis com acompanhantes nota dez, num período em que os motéis ainda eram uma necessidade não inventada.

O aposento mais disputado entre todos do casarão da rua Riachuelo, no centro de São Paulo, era o "quarto do Drácula". O recanto de decoração lúgubre e pesada — onde despontava uma cama majestosa com dossel, toda forrada com guirlandas, franjas e cortinas — provocava arrepios nas moças mais sensíveis.

Minha rotina era a mesma: com quem e onde estivesse, minha noite acabava lá. Claro que a boate Cave, com suas mulheres fantásticas e boazudas, servia como *point* oficial da madrugada, mas na hora do "confronto direto", eu nem precisava dirigir, pois meu carro já sabia de cor o caminho. Ao chegar, tomava meu drink e subia as escadas com meu avião. Na passagem, não resistia e provocava:

— Pessoal, cheguei. Quem tá aí?

E vinha a metralhadora de respostas dos quartos que ladeavam o corredor. Dedé, Roberto, Jorge, Almir e outros, todos respondiam, fazendo uma grande algazarra:

— Tô aqui com uma vampira no "quarto do Drácula".

— Pô, Erasmo... pensei que você não vinha mais hoje.

— Estou com uma deusa. Vou ficar aqui para sempre.

— Bicho, morri. A mulher me matou.

Conversas, brigas, risos, gritos, gozos escandalosos, estranhos ou engraçados, tudo era ouvido entre as paredes daqueles quartos. Até hoje, todas as vezes que ouço *A Casa d'Irene*, com Nico Fidenco, ou *The House of the Rising Sun*, com The Animals, lembro-me com afeição dos momentos plenos que rolaram na Casa da Baiana.

Com a convivência, fui me tornando ainda mais fã do Jorge. Antes, na época de nossa amizade tímida na Tijuca, nos víamos na esquina do bar Divino, nas quermesses das igrejas de São Francisco Xavier e São Sebastião, nos clubes portugueses (Vila da Feira, Casa da Beira e Orfeão Português), nos ensaios do Salgueiro, no America Football Club, nos ensaios do Bloco Carnavalesco Bafo da Onça, no Clube Minerva ou no Rio Comprido, onde ele morava. Mas a gente se falava pouco. Eram os tempos das rodas de violão e da inocência.

Quando estourou com *Mas Que Nada*, em 1963, eu não unia o nome à pessoa. Fiquei bestificado quando soube que era dele aquele balanço que eu ouvia no rádio. Agora Jorge me surpreendia com sua espontaneidade, seu improviso e suas sacadas geniais. Uma vez ele ficou um tempão improvisando:

Lá na curva o trem apita
Tá com fome quer canjica
Sacum dum, sacum dem
Lá na curva o trem apita
Tá com fome quer canjica
sacum dum, sacum dem

Eu fiquei curioso, me perguntando de onde ele tirara essa relação do apito do trem com a fome de canjica, mas deixei para lá. O que importava é que eu estava ali à toa, sem fazer nada, ouvindo Jorge Ben tocar. Resolvi aproveitar a harmonia que rolava e cantarolei:

Menina Gata Augusta
Lá lá lá, rá rá rá

Jorge emendou no ato:

Menina gata Augusta
Menina Augusta gata

Naquele dia, nasceu *Menina Gata Augusta*, nossa primeira e única parceria, que faria parte do LP *Silêncio no Brooklin*.[12] Às vezes Jorge ficava tocando violão e compondo sentado na janela do seu quarto, com as pernas penduradas para fora. Ele jogava bola e soltava pipa com os meninos da rua, parecendo um moleque também.

A essa altura da adaptação à rua, eu já havia feito contato com o comércio local que nos interessava, como padaria, farmácia, mercadinhos etc. Certo dia, ao sentir aquela ardência indesejável na uretra, vi que havia contraído gonorreia, fato que não era incomum na época. Como todo mundo já conhecia o tratamento, as pessoas relaxavam na prevenção. Nem se consultava o médico. Bastava ir à farmácia e se automedicar, tomando Tetrex de seis em seis horas durante três dias, e pronto.

Como não me sentia à vontade para mandar ninguém comprar o remédio para mim, lá fui eu para o meu calvário. Na hora do pedido, tive medo de que o farmacêutico alardeasse o ocorrido, quem sabe até chegando ao ouvido de algum jornalista mais ligado, que "o Erasmo Carlos da Jovem Guarda está com blenorragia". Meio sem jeito e disfarçando, confidenciei para o homem que um amigo meu estava sofrendo do mal e me pedira para comprar o medicamento.

Saí de lá tranquilo para iniciar o tratamento. No dia seguinte, ao tocar o telefone, Edi corre para atender: era o cara da farmácia querendo falar comigo ou com o Jorge. Ela respondeu que não dava, pois ele viajara e eu não estava em casa. Com a máxima discrição, o farmacêutico disse que esquecera de avisar que o Jorge deveria evitar bebidas alcoólicas durante o processo de cura. Edi agradeceu, respondeu que ele não bebia e desligou.

Dois dias depois, passei rapidamente na farmácia para comprar algo e assim que o farmacêutico me viu, gritou:

— E aí Erasmo, o Jorge Ben melhorou?

Eu, surpreso, respondi:

— De quê?

Ele se aproximou de mim e falou baixinho no meu ouvido:

— Da gonorreia...

Foi aí que caí em mim. Ao comprar o Tetrex dizendo que era para "um amigo meu", ele obviamente deduziu: se o Erasmo mora com o Jorge Ben, o amigo doente de que ele está falando só pode ser o próprio. Tentei consertar o mal-entendido, balbuciando algumas palavras, mas ele nem me ouviu, preocupado que estava em saber da melhora do freguês famoso. Ao ouvir minha confirmação de que "meu amigo" estava curado, ele, sério, emendou:

— Ah, que bom. Mas diga ao Jorge que, qualquer problema, a gente reforça a dose.

Foi Jorge que apareceu lá na casa com o Brasinha, o adorável cão bassê que se tornou o xodó das fãs e atingiu o máximo de popularidade ao ser apresentado por Roberto Carlos na TV como "o mascote da Jovem Guarda". Só faltava dar autógrafo. As meninas o requisitavam para dar voltinhas de carro pela cidade. Virou queridinho das crianças, ganhava presentes, tinha o nome citado nas colunas sociais e às vezes era tratado como uma pessoa — ouvíamos sempre "dá um beijo no Brasinha" ou "lembranças para o Brasinha".

O cachorro logo se adaptou a todos nós e vice-versa. Parecia gostar da vida de *dogstar* que levava e rapidamente se acostumara ao deslumbramento do *showbiz*. Tinha excelente trânsito no Teatro Record, onde semanalmente fazia seu número, que consistia em entrar correndo no palco, dar um salto a distância até os meus braços ou os do Jorge. O auditório vinha abaixo, gritando: "Brasinha, Brasinha, Brasinha."

Nossas aventuras naquele endereço durariam um ano. Depois, me mudei para a minha primeira casa própria, lá mesmo no Brooklin, onde moraria com a minha mãe. Quando eu, Jorge e Edi entregamos a casa no fim do contrato, a proprietária quase enfartou. As cortinas estavam despencando, os tapetes imundos, o portão envergado, vidros quebrados, quadros danificados. Sem falar na tinta que Cidinha — que cuidava da casa em troca de moradia, alimentação, algum dinheiro e a oportunidade de conviver com artistas — arrancara, deixando o reboco aparente, ao retirar fotos e pôsteres da parede. Rolou um longo processo judicial que terminou num acordo amigável. Mesmo tendo sobrado para mim, valeu a pena cada centavo pelo aprendizado que desfrutei com minha "família temporária".

Edi voltou para o seu apartamento da avenida São João, em cima da loja Mappin. Cidinha foi trabalhar no escritório de Roberto Carlos. Jorge seguiu sua carreira. Brasinha acabou ficando comigo mais uns dois anos, quando passeou de Rolls Royce, escandalizando os conservadores.

Meu amigo Vidal, programador e disc jockey da Rádio Piratininga, me convenceu a deixá-lo em seu espaçoso sítio no interior de São Paulo, onde nosso querido bassê correria livre e feliz na companhia de outros cachorros. A bagunça se acabara, a rua voltou a ser tranquila e o bairro emudeceu, como se obedecesse ao eco da voz do Jorge, ordenando:

— Shhhhhhhhhh! Silêncio no Brooklin!

SER OU NÃO SERGUEI

Entre as figuras que a Jovem Guarda fez cruzar o meu caminho naquele período, uma das mais impressionantes foi Serguei. Conheci-o na ponte aérea Rio-São Paulo, como o oficial de bordo Sérgio Augusto Bustamante. Usava camisa branca impecavelmente engomada, gravata e calça azul-marinho, mas já mostrava ousadia com suas lentes de contato azul-turquesa espetaculosas.

Em 1966, o programa *Jovem Guarda* estreou na TV Rio. A loucura crescia. Além de São Paulo, o público carioca também tinha a chance de participar ativamente daquela epopeia que se tornaria um marco da música brasileira — apesar de ter nascido de forma despretensiosa, para cobrir um buraco da programação dominical da TV Record, que perdera o direito de transmitir o campeonato paulista de futebol. Naquele ano, cheguei para ensaiar no Rio e me disseram:

— Sabe quem vai se apresentar hoje no programa? O Sérgio Augusto, aquele "aeromoço" amigo da gente. O das lentes de contato azuis.

Eu franzi a testa e perguntei:

— É mesmo? Fazendo o quê?

— Cantando, ué. Ele agora se chama Serguei e virou cantor.

Ainda sem acreditar, fui conferir no roteiro e realmente estava lá escrito: "Após os comerciais, Roberto Carlos anuncia Serguei e entra número musical." O diretor Carlos Manga assumira há pouco tempo o programa e tentava impor seu estilo disciplinador, herdado do cinema. Ainda não estava acostumado com a irreverência e o humor da Jovem Guarda. Ele não entendia bem nossas brincadeiras e nossa união. Tudo era visto como falta de profissionalismo e displicência. Ele gritava, dava bronca, se exasperava, e nós na maior tranquilidade do mundo:

— Calma, Manga. No fim vai dar tudo certo.

Aquilo era novo para ele: "Quem esses cabeludos pensam que são?", devia pensar. Com o tempo, Manga se tornaria um amigo querido por todos nós. Até hoje é um dos meus "gurus".

O programa era ao vivo e um simples erro poderia se tornar um desastre. O som rolava e o auditório cheio vibrava com os artistas. Duas bandas se alternavam no palco e os canhões de luz iluminavam as bailarinas, que encantavam a galera com seus passos. Roberto, Wanderléa e eu, como sempre, nos revezávamos, ora cantando, ora anunciando as atrações. Manga, empolgado, gesticulava sorridente, agradecendo a cada um por suas apresentações. Tudo seguia às mil maravilhas e a audiência deveria estar alta.

De repente, no momento em que alguém interpretava um tranquilo rock-balada, eis que surge, perambulando pelo palco, completamente deslumbrado por estar ali, a figura lânguida de Serguei. Todos se entreolharam surpresos, sem entender nada. Manga começou a ficar verde e virou o Incrível Hulk. Seus berros explodiram na coxia enquanto arrancava os cabelos:

— Tira esse maluco daí! O que é que ele está fazendo no palco? Ele quer ferrar a minha vida!

Wanderléa e eu ficamos sem ação, os contrarregras correram para todos os lados e, com gestos desesperados, faziam sinais para que Serguei saísse, o que ele fez, meio sem graça, assim que se tocou do mico. Tudo aconteceu tão rápido que o cantor que se apresentava nem viu. A plateia, que inicialmente se manifestara cochichando e apontando, deve ter pensado ser mais uma das extravagâncias costumeiras da Jovem Guarda. Pedimos ajuda ao exército, marinha, aeronáutica e às torcidas de Vasco, Flamengo, Botafogo e Fluminense para conter Manga, que queria simplesmente trucidar o boa-praça do Serguei.

Por um longo período, a vida nos afastou, mas acompanhei pelos jornais e por amigos as aventuras de Serguei pelo mundo: "Serguei foi visto no Hyde Park em Londres", "Serguei agora é andrógino", "Ele comeu a Janis Joplin numa boate no Leme", "Gravou na BMG", "Participou do Rock in Rio II", "Foi morar em Saquarema" etc.

Nos anos 90, ele me enviou uma canção para que eu avaliasse a possibilidade de gravar. O nome era *Burro Cor-de-Rosa*[13] e a letra tinha versos como:

Sobre calças apertadas eu vestia um sobretudo
Sobre tudo uma casaca devagar me estrangulava
Na cidade grande o óleo do motor
Or, or, or...

De vez em quando o vejo na televisão e não deixo de me surpreender com suas entrevistas hilárias. Sua naturalidade, irreverência e as inseparáveis lentes de contato faiscantes já fazem parte do folclore roqueiro nacional. Quase morri de rir quando o vi no *Programa do Jô*, contando que havia transado com uma árvore e, perante os risos do auditório, o apresentador perguntou:

— O quê? Me conte como foi.

A ingenuidade, a rebeldia, a loucura e o absurdo de Serguei se uniram na resposta:

— Ah! Sabe como é, né, Jô? Achei ela atraente, encostei, tava bom. Então mandei ver!

VEM QUENTE QUE EU ESTOU FERVENDO

Em meio aos carrões, às festas e às brincadeiras, houve em 1967 um equivocado processo de corrupção de menores, que quase acabou com a nossa vida. Eu e Eduardo Araújo encontramos por acaso, na TV Rio, umas meninas que já conhecíamos de São Paulo e as levamos para a casa do Imperial, que ficava em frente. Cheguei, peguei a letra de uma música que ia gravar (*O Carango*) e fui embora. Tinha que chegar cedo na casa da minha namorada na época — depois de certa hora a portaria fechava. Mais tarde, a polícia pegou as meninas, que eram menores, andando sozinhas em Copacabana. Elas disseram que estavam na casa do Imperial, comigo e com Eduardo, numa festinha regada a álcool e sexo. Nasceu daí o processo.

Fiquei um ano proibido de me apresentar em programas de TV e fazer shows no Rio, tendo ainda o desprazer de ver suspensa a execução das minhas músicas nas rádios. Muitos cantores, bandas e produtores foram envolvidos na palhaçada. O Juizado de Menores decretou voz de prisão para Eduardo Araújo e Imperial, que ficou foragido durante dois dias em minha casa, no Brooklin, saboreando a comidinha gostosa da minha mãe e bebendo litros de Coca-Cola. Já Eduardo "deu um tempo" na casa da tia Stela de Miranda, uma inesquecível senhora que, além de fã ardorosa de Cacilda Becker, era uma admiradora especial da turma da Jovem Guarda, pois nos acompanhava sempre e nos tratava como netos. Depois disso, ambos escafederam-se para Minas Gerais, onde ficaram um bom período. Lá, aproveitaram para compor várias músicas, entre as quais *Vem Quente que Eu Estou Fervendo*, *Faz Só Um Mês* e outras.

Lembro de Imperial, indignado, dizendo:

— Pô, justamente quando não comi a mulher, me dão voz de prisão.

Numa das acareações exigidas no decorrer desse processo, ficaria imortalizada mais uma de suas famosas frases, quando frente a frente com o juiz Gusmão, ele disse:

— Vossa excelência me desculpe, mas quando conheço uma mulher não peço a carteira de identidade dela!

Vem Quente que Eu Estou Fervendo é um exemplo perfeito de como funcionava a mente marqueteira de Imperial. Quando lançava uma música nova, sua cabeça funcionava a mil. Ele sempre criava algo extraordinário para badalar a canção na imprensa. Como um diretor de cena, explicava com detalhes para as partes envolvidas como queria que fosse armado o circo. Sua estratégia costumava dar excelentes resultados.

Em *Vem Quente que Eu Estou Fervendo*, eu era uma das partes envolvidas. Entre nós, já sabíamos que eu gravaria a música e que seria um hit, mas Imperial achava pouco. Fazia questão que o disco, antes de ser lançado, gerasse uma expectativa. Queria a canção estourando em todas as rádios do país e com as fãs na porta das lojas fazendo fila para comprar. A expressão "vem quente..." teria que estar na ponta da língua de todos e virar moda nas rodas de bate-papo, antes mesmo do petardo ser lançado.

— Como obter esse resultado antes de lançar a música? — era a pergunta dos executivos da RGE.

— É muito fácil, meus jovens. É só criarmos uma polêmica — respondeu ele, maquiavélico.

Logo em seguida, sugeriu que todos arregaçássemos as mangas e convocássemos os repórteres das revistas e dos jornais de São Paulo a comparecer na festa de aniversário do disc jockey Luis Aguiar, na Rádio Bandeirantes. Lá, Imperial faria uma denúncia grave contra o cidadão Erasmo Esteves, conhecido popularmente como Erasmo Carlos.

Ele ligou para mim, me pondo a par do que estava acontecendo. Pediu que eu fizesse o litígio parecer real, rebatendo as ofensas e até revidando agressões físicas, se houvessem. Assustado, respondi:

— Caramba! Então vou fazer um seguro de vida antes.

A bola de neve começou a crescer. Luis Aguiar anunciou com estardalhaço o grande encontro em seu programa, seguido de outros colegas da mesma emissora. Os telefones não pararam de tocar e a imprensa tentava saber mais. A curiosidade aumentava e a expectativa era grande.

De algum canto da cidade, bêbado de Coca-Cola e rindo por antecipação, o mago Imperial consultava sua bola de cristal, antevendo o desdobramento emocionante da sua armação.

Quando cheguei à Bandeirantes, o estúdio estava lotado e o programa no ar. Vários artistas marcavam presença, entre os quais Roberto, Martinha, Leno & Lilian, Os Vips e Marcos Roberto. O clima era de alto astral.

Assim que me viu, Imperial começou a berrar:

— Você quer ganhar dinheiro às minhas custas? Prometeu que ia gravar outra música minha no lado B do *Vem Quente que Eu Estou Fervendo* e não cumpriu a promessa. Você é um moleque mentiroso!

As pessoas ficaram em silêncio e o ambiente se tornou tenso. Na mesma hora, rebati:

— Qual é, rapaz? Não devo satisfações a você! Sou dono do meu nariz e gravo o que eu quiser.

O bate-boca foi aumentando e saímos do estúdio para discutir lá fora. Os amigos foram atrás e tentavam administrar o barraco. Uns sabiam da encenação, outros não — entre eles Roberto. Com mais espaço ao seu redor, Imperial me deu um tremendo chute, seguido de uma sucessão de socos, que doeram! Pensei: "Porra, Imperial está levando muito a sério a representação. Assim não dá, vou revidar."

Aí, a briga se tornou real, sobrando para todo mundo. Nos engalfinhamos e os amigos apanharam tentando apartar. Como nós, saíram cansados e amarrotados, cheios de arranhões. Minha camisa listrada ficou rasgada e a do Imperial também. O chinelo dele se desmilinguiu e quebrei meus óculos escuros. À noite, comentamos pelo telefone:

— Pô, Imperial. Seu chute fez um hematoma na minha perna.

— E um dos sopapos que você me deu, que pegou em cheio na minha cara? Não conta não, major?

Nos dias seguintes, a *Revista do Rádio* e os jornais deitaram e rolaram exibindo fotos em que um inocente Roberto Carlos, sem saber que estava sendo usado, fazia um esforço danado para separar seus amigos fanfarrões. Nas semanas que se seguiram, Imperial faria a manutenção da farsa declarando que seus advogados iriam exigir que eu gravasse também a música *Faz Só Um Mês*, dele e de Eduardo Araújo, como lado B do compacto, além de uma indenização de 20 mil cruzeiros novos por quebra de contrato.

Confiante, cínico e mascando chicletes, eu daria o troco, respondendo com cara de mau:

— Digam ao Imperial que ele pode vir quente que eu estou fervendo!

Além de um grande sucesso quando do seu lançamento, *Vem Quente...* se tornaria um dos maiores clássicos da Jovem Guarda.[14]

FEIRA MODERNA E DESCONHECIDA

Enquanto a gente tocava para a frente a Jovem Guarda, muitas outras coisas aconteciam na música brasileira. Algumas das mais importante delas saíam das mãos e da mente de Chico Buarque. A primeira vez que o vi cantar ao vivo foi no Teatro Record, acompanhado pelo quinteto de Luiz

Loy. A música era *Pedro Pedreiro*, e eu estava na coxia de um *Show do Dia Sete*, atração mensal que a emissora realizava com seu *cast* milionário. A história do pedreiro que vivia esperando, esperando, esperando uma porção de coisas que jamais viriam me comoveu imediatamente. Lembrei-me da minha infância pobre, onde o vintém faltava mas a esperança sobrevivia.

Pouco depois, protagonizamos disputas no *Esta Noite se Improvisa*, atração semanal da TV Record apresentada pelo amigo Blota Jr. O objetivo dos participantes do programa era cantar o trecho de uma canção que contivesse a palavra solicitada pela produção. Uma vez por mês, um Gordini era entregue ao vencedor, junto com um pequeno troféu.

Imperial, ao vestir a camisa do Corinthians, incitava as torcidas de futebol umas contra as outras. Inaugurei a facção Vasco/Palmeiras. Caetano Veloso possuía uma incrível memória musical e Chico, com seu espírito de moleque travesso, inventava letras na hora. Na verdade, muitos apelavam para esse artifício, fazendo de improviso combinações de letras e melodias que o público adorava. Isso tornava o programa mais atraente e divertido. Ficaria com Chico, porém, a fama de principal "inventor" de canções.

Fui campeão duas vezes e, numa delas, dividi o prêmio com Chico, numa disputa acirrada que empolgou São Paulo. Nesses casos, o valor do carro era dividido. Após esse programa, o autor de *A Banda*, que estava atrasado para pegar a ponte aérea, despediu-se apressadamente, anunciando, em tom de gozação:

— Olha aí, gente, já que o prêmio é dividido, o Erasmo fica com o troféu e eu fico com o Gordini. Tchau!

Anos depois, me lembrei do *Esta Noite se Improvisa* quando participei de uma versão "pirata" do programa, apresentada por Silvio Santos, na TV Globo. Na ocasião, Silvio anunciou:

— A palavra é... telefonista!

No tempo em que o beija-flor leva para dar dez batidas de asa, apertei o botão do painel. A luz verde acendeu e comecei a cantar:

Feira moderna, o convite sensual
Oh! telefonista, a palavra já morreu...

Eu acertara, mas... a vaia foi estrepitante. O apresentador começou a rir, fazendo troça e incentivando o auditório contra mim. Com sua risada característica (há há, hi hi), me acusou de inventar a música na hora. Ele perguntava:

— O Erasmo tá inventando?

E suas "colegas de trabalho" respondiam:

— Tááááá!

Tentei me defender, argumentando que a música existia, era do Beto Guedes e do Fernando Brant, com a gravação do Som Imaginário. Não adiantou. Ninguém me deu ouvidos. A pressão ficou maior com o coro do auditório me chamando de "mentiroso, mentiroso, mentiroso", inclusive os outros cantores que também participavam do programa. Indignado com o desconhecimento musical da galera e com a relutância de Silvio em acreditar em mim, abandonei o programa, causando um bafafá daqueles.

MAIS *VALLE* UMA MÚSICA NA MÃO...

Tudo que a Record fazia naquele período de ouro da segunda metade dos anos 60 virava sucesso. Em 1967, a emissora lançou o quadro *Faça uma Canção*, dentro de um programa de entrevistas. Logo no início, o apresentador Blota Jr. chamava dois compositores ao palco, com a missão de criar, individualmente, trancados em seus camarins, uma música inédita. Um sorteio definia a ordem de apresentação e, no último bloco, ambos voltavam para mostrar suas criações. A canção mais aplaudida era a vencedora, com direito a bis apoteótico.

Peguei meu violão e para lá me dirigi, junto com a divulgadora Edi e meus secretários Tito e Eduardo Luiz Negativo. Naquele dia, sem paciência, não estava no espírito de levar a sério o programa — queria cumprir a obrigação de contrato e ir para casa. Perguntei ao diretor Nilton Travesso quem seria o outro compositor convidado. Sua resposta foi curta e entusiasmada:

— Marcos e Paulo Sérgio Valle!

Arregalei os olhos e o ar descompromissado sumiu, dando lugar a uma reflexão: "Pô, os caras que fizeram *Preciso Aprender a Ser Só, Samba de Verão* e *Sonho de Maria,* músicas da bossa nova por quais sou apaixonado."

Pensava que ia tirar de letra, mas comecei a ficar tenso. Me lembrei que o público não seria o mesmo das "jovens tardes de domingo". Havia gente mais madura, do horário nobre da televisão. Antes daquele dia, só vira Marcos uma vez, no programa de Luiz de Carvalho na Rádio Globo, quando divulgava meu primeiro disco, *Terror dos Namorados.* Acho que naquela época ele nem sabia da minha existência. Ainda não tivera o prazer de conhecer Paulo também.

No palco, foi tudo rápido, com Blota Jr. fazendo as apresentações. Fui para o meu camarim como se estivesse indo para a guerra. Pedi que Edi, Negativo e Tito me deixassem só, incomunicável. Precisava de concentração. Pensei, pensei, pensei e... nem uma ideia.

Blim-blom, blim-blom, tlén-tlén... nada. O tempo passando rápido e eu não conseguindo encontrar inspiração. O nervosismo aumentava. Até que surgiu um lá-lá-rá, que tomei como ponto de partida para divagar sobre uma mulher bonita que despertava a paixão de um folião. A melodia foi saindo simples, com poucos acordes, letra curta. O personagem não diria o nome da mulher e faria de tudo na escola de samba, só para ficar perto dela. *Dela*? Seria esse o título.

Fui confiante para o palco. No caminho, ria por dentro: "Só quero ver a cara dos irmãos Valle quando eu mostrar minha música. Que é que eles estão pensando? Também sou carioca, sei fazer samba! Conheço as mesmas manhas, frequento as mesmas praias, sei das mulheres gostosas e do carnaval. Há, há, há! Podem ir tirando o cavalinho da chuva!"

Pelo sorteio, fui o primeiro. Comecei:

Lá-lá-rá lá-lá-rá
Tentei retratar a beleza dela,
Dela, que vem com ela...

Tentei musicar o nome dela
Dela, o nome dela

O povo ouvia em silêncio, aparentando curiosidade por me ver cantando samba, acostumado que estava com meus rockões da Jovem Guarda. Caprichei na segunda parte:

Já deixei a bateria da escola
Fui ser passista pra ficar,
Perto dela toda hora
Só assim, estou na minha
Meu Carnaval, vai ter rainha
Lá-lá-rá lá-lá-rá

Após repetir várias vezes o lá-lá-rá lá-lá-rá final, para que grudasse no ouvido da galera, acabei. Vieram os aplausos e saí de cena, para que o Blota anunciasse Marcos e Paulo Sérgio com a outra canção da noite. Fiquei na coxia ouvindo os acordes do violão de Marcos. Eles começaram a cantar:

A mão que toca um violão
Se for preciso faz a guerra
Mata o mundo, fere a terra
A voz que canta uma canção
Se for preciso canta um hino
Louva a morte...

Bastou esse início para o público irromper em aplausos, se identificando no ato com a proposta poética guerrilheira da canção, em pleno período da ditadura militar.

Viola em noite enluarada
No sertão é como espada
Esperança de vingança
O mesmo pé que dança um samba
Se preciso vai à luta
Capoeira...

A linguagem era simples e direta. O lamento da melodia e a ousadia da letra provocaram uma euforia instantânea. Alternava imagens bonitas e violentas, usando palavras de grande apelo popular, e ainda convocava:

Quem tem de noite a companheira
Sabe que a paz é passageira
Pra defendê-la se levanta
E grita: Eu vou!

O povo foi ao delírio com o crescimento da música nesse trecho, enquanto a dupla voltava a atacar suave:

Mão, violão, canção e espada
E viola enluarada
Pelo campo e cidade
Porta-bandeira, capoeira
Desfilando vão cantando
Liberdade
Liberdade, liberdade...

A essa altura, o teatro todo já estava de pé, repetindo a palavra mágica: "liberdade". Eu também. Embasbacado pela força da música, eu aplaudia e gritava ao mesmo tempo. Blota Jr. fez os preparativos para a decisão final e nem é preciso dizer que a canção dos irmãos massacrou a minha. Fui para a boate Cave, ainda com *Viola Enluarada* na cabeça. Uma pergunta não queria calar: como Marcos e Paulo Sérgio conseguiram compor uma obra tão poderosa em tão pouco tempo?

Os anos foram passando e muitas pedras rolaram. *Viola Enluarada* se tornou um sucesso gigantesco, imortalizando o encontro histórico entre Marcos Valle e Milton Nascimento, enquanto *Dela* virou um gostoso samba gravado pelo grande e querido "Formigão", Cyro Monteiro, em seu LP *Alô Jovens, Tio Cyro Monteiro Canta Sambas dos Sobrinhos*, de 1970. Marcos e Paulo Sérgio se abriram para outros estilos a partir de 1969, à procura de um som universal, desfilando uma sequência de hits como *Mustang Cor de Sangue*, *Os Grilos*, *Quarentão Simpático*, *Mais de Trinta*, *Pigmalião*, *Black Is Beautiful* etc. Em 1971, eu gravaria *26 anos de Vida Normal*, um presente deles para o meu LP *Carlos, Erasmo*. Ensaiamos a faixa à exaustão, durante vários dias em volta do piano na casa dos seus pais, no Leblon.

No início dos anos 80, eu seria mais uma vez surpreendido quando vi a dupla, recém-chegada de Nova York, anunciando no *Fantástico* uma nova técnica chamada "música das cidades". Nada mais era do que sobrepor uma pauta musical à foto panorâmica de algum lugar. No programa, eles usaram uma imagem da lagoa Rodrigo de Freitas, sobre a qual escreviam notas, utilizando a altura das casas e dos edifícios como referência. Na mesma hora comentei comigo:

— Pô, os caras são incríveis! Além de fazerem uma obra-prima em sessenta minutos, naquele dia do programa do Blota Jr., eles agora vão musicar um cartão-postal do Rio de Janeiro.

Em 1986, eu teria a satisfação de escrever os versos de *Sem Você Não Dá*, faixa do LP *Tempo da Gente*, de Marcos, inaugurando uma parceria promissora que renderia outros frutos, como *Frases do Silêncio*, lindamente interpretada pela musa Nana Caymmi, e *Hóstia*, gravada por Simone.

Com a parceria, cresceu nossa amizade. Era natural que Narinha, minha mulher, e Mônica, esposa dele, também ficassem amigas. Saíamos juntos e nos visitávamos frequentemente. Na primeira vez que isso aconteceu, Marcos nos contou que os vizinhos ouviam o som que saía do seu estúdio e davam palpites sobre as músicas. Nesse dia, o casal nos presenteou com uma cadelinha, que Narinha batizou de Blue Eyes.

Num dos natais que passamos juntos em minha casa, contei a Marcos que, na Tijuca, eu ouvia no rádio *Preciso Aprender a Ser Só* e jamais imaginaria ser seu amigo um dia. Me lembrei então daquela dúvida que cozinhava meu ser em banho-maria há mais de trinta anos. Chegara finalmente o momento de desvendar o mistério. Franzi o sobrolho e provoquei:

— Bicho, vocês fizeram mesmo *Viola Enluarada* naquele programa da TV Record?

Sincerão, Marcos sorriu e respondeu, lavando para sempre minha alma e me dando o melhor presente que eu poderia receber naquela noite de Natal:

— Claro que não, rapaz! Já levamos a música pronta de casa!

Respirei aliviado, enquanto brindávamos nossa amizade.

Ao lado de Wanderléa, "na época em que a espiava por um buraquinho que fizemos no camarim das mulheres da TV Record".

MADRE WANDECA DE CALCUTÁ

Perguntam-me sempre se não rolou nada entre mim e Wanderléa, no período da Jovem Guarda. Digo que não, embora da minha parte deva admitir que a intenção existia. Mas o forte policiamento do seu Salim — um verdadeiro pai-zagueiro, marcando em cima do lance qualquer tentativa de gol — não deixava espaços para atacantes matadores como eu.

Eu e Wanderléa chegamos a dividir um programa na TV Record, em 1966. Era o *Ternurinha & Tremendão*, com textos de Chico Anysio, Arnaud Rodrigues e Mario Wilson e direção de Carlos Manga — que costumava elogiar minhas interpretações, me chamando de "Orson Welles brasileiro", o que me deixava vaidosíssimo. No programa, fazíamos esquetes que eram adaptados de filmes de sucesso.

Wanderléa sempre foi muito criativa. Ela mesmo bolava sua coreografia, inventando passos e danças que, depois de serem mostradas na TV, eram imitadas por toda a juventude brasileira. Suas minissaias ousadas representavam o que havia de mais moderno na época. Ela e seu irmão Bil desenhavam e ele mesmo confeccionava as roupas extravagantes que Wanderléa usava em suas apresentações, misturando couro, franjas, tachas e camurça com botas acima do joelho, colares, cintões, pulseiras, chapéus etc.

Como todos nós da Jovem Guarda, Wanderléa sofreu com críticas vindas de setores politizados, que a tachavam de "alienada" e "americanizada". Mas ela contribuiu sim, do seu jeito, na luta pela liberdade, que era a principal preocupação do país naqueles tempos de ditadura. Numa época em que as mulheres viviam cerceadas por seus pais e maridos, ela colocou no coração de cada menina a semente do direito de se vestir, de dançar, de cantar e de ser feliz.

Um rubor adorável coloria seu rosto todas as vezes em que ouvia um palavrão nos bastidores machistas da TV Record dos anos 60. Mas seu semblante pegaria fogo mesmo se soubesse a verdadeira razão dos olhares maliciosos que a acompanhavam ao vê-la sair do camarim feminino. Afinal, no masculino ao lado, músicos e cantores disputavam, com socos e empurrões, um buraquinho na parede pelo qual era possível desfrutar da nudez das artistas da emissora, inclusive a dela. Bons tempos aqueles em que o nu ainda carregava um mistério.

Em 1969, na filmagem de *Roberto Carlos e o Diamante Cor-de-Rosa*, após muitos meses de trabalho ininterrupto, a equipe desenvolveu uma cumplicidade e uma amizade fora do comum. Wanderléa, Roberto Carlos e sua mulher, Nice, os irmãos Roberto, Reginaldo, Riva e Rogério Farias, José Lewgoy, Berilo, Mendel, o maquiador Walter, Davi e o grande fotógrafo José Medeiros eram realmente muito especiais, temperando a labuta com bom humor. Surgiam brincadeiras, piadas e gozações por qualquer motivo, com destaque para os trocadilhos infames que pipocavam a todo momento nos sets. Aproveitávamos o fato de ninguém saber português em Israel ou Japão (países onde filmávamos) para falar as frases mais absurdas e idiotas que se pode conceber. Com a fisionomia compenetrada, destilávamos escatologia verbal em elevadores e restaurantes. Coisas como:

— O cagalhão de mel mandou o apocalipse foder a meleca da piroca puta.

É claro que essas imbecilidades se davam longe dos ouvidos de Nice e Wanderléa, pois elas não acreditariam no nosso grau de babaquice. Mas era divertido, aliviava as tensões e combatia o estresse. Só que acabou sobrando para Wanderléa. No último dia de filmagem no Rio, a produção comprou flores para ela e para mim, como um carinho pelo nosso companheirismo e comportamento profissional. Roberto terminara dias antes sua participação e viajara com Nice. Com a conivência maquiavélica da equipe, cheguei para Wanderléa e disse:

— Léa, o pessoal vai nos homenagear. Passaram numa floricultura e compraram dois lindos buquês de testículos do campo. Finja que não sabe de nada, pois é surpresa.

Ela, com carinha de curiosa e sem a mínima maldade, perguntou:

— Tes... o quê? Que flor é essa?

E respondi de pronto:

— Testículos do campo. É uma flor muito rara, difícil de ser encontrada. É importada da Holanda e só dá uma vez por ano.

— Ah, sim... que interessante — ela balbuciou.

Nessa hora, entre olhares de cumplicidade, a equipe nos deu as flores, com direito a um pequeno discurso. "Vocês são fantásticos, foi ótimo trabalhar aqui, blablablá...". Ao ver o buquê, num misto de surpresa e decepção, Wanderléa reclamou, suavemente indignada:

— Ué, Erasmo... isto são rosas. Cadê aquelas flores que você falou?

A gargalhada foi geral e todos correram para abraçá-la, divertindo-se com sua ingenuidade inacreditável.

Nos despedimos da turma indo para o Hotel Glória, onde estávamos hospedados. Eu alugara um Volkswagen com a intenção de passar meu primeiro fim de semana livre, leve e solto no Rio de Janeiro, depois do périplo cinematográfico. Além das flores, também ganhei da produção a estatueta com a réplica da Pedra da Gávea, a mesma que passava de mão em mão no filme e que abrigava o desejado mapa do tesouro fenício.

Ao chegarmos ao hotel, convidei Wanderléa para tomar um drinque no bar da piscina, enquanto recordávamos os momentos que passamos em Israel, onde andamos de camelo, fizemos pedidos no Muro das Lamentações e conhecemos o Monte das Oliveiras. Foi grande a emoção de percorrer os mesmos caminhos de Cristo. Não esquecemos do mico que ela pagou ao insistir em não usar véu — algumas mulheres muçulmanas a xingavam pelas vielas estreitas de Jerusalém, confundindo-a com uma prostituta. Falamos também da amizade que fizemos com o diretor Richard Donner, de *Super-Homem*, e uma das minhas musas cinematográficas da adolescência, a atriz Romy Schneider, que participavam como convidados de um programa da TV local e estavam hospedados no mesmo hotel que nosso grupo, em Tel-Aviv.

O bate-papo estava bom quando, de repente, Wanderléa disse que iria para São Paulo ainda naquela noite, mas antes gostaria de passar na Tijuca para dar um beijo nos seus pais, seu Salim e dona Odete. Pediu emprestado o meu carro alugado. Respondi que não teria problema, já que eu só iria precisar dele lá pelas onze da noite, quando ela já estaria em Sampa.

Levei-a ao carro, dei-lhe a chave, nos despedimos e subi para o meu quarto até para ver se dormia um pouco antes de ir para a farra.

Acordei do cochilo, olhei o relógio e já eram nove e meia. Preocupado com o carro, telefonei para a portaria e logo me tranquilizaram dizendo que dona Wanderléa havia deixado a chave e um beijo para mim. Mais relaxado, rolei várias vezes na cama, pedi um sanduba gostoso, tomei um banho demorado, me perfumei todo, caprichei no visual e desci rumo à *night*. Apanhei as chaves e saí feliz, cumprimentando a todos. Quando cheguei na vaga... putz... O carro estava batido, com um grande amassado bem na frente.

Não me desesperei. Estava começando a namorar Narinha, marcara uma ida à boate e não iria estragar nossa noite. Liguei para o meu amigo faz-tudo Dedé e pedi ajuda, explicando-lhe a situação. Ele me atendeu prontamente:

— Bicho, não devolva o carro assim, pois a locadora vai cobrar os olhos da cara. Deixa comigo. Vá para o seu encontro em paz. Na oficina de um amigo meu, o conserto é baratinho. E te garanto que ele vai ficar novinho. Tô indo para aí, deixa a ordem na recepção para me darem a chave.

Fui namorar de táxi. Peguei Narinha, fomos à boate, voltamos para o hotel, ficamos juntos o sábado inteiro, o domingo também e, na segunda-feira de manhã, o Volks chegou novinho. O amigo do Dedé tinha feito um serviço especial, um primor de mão de obra, rápido e barato. Agradeci ao Dedé, paguei, deixei Narinha em casa e fui para o aeroporto, rumo à terra da garoa.

Ao chegar, entreguei o carro na locadora e fiquei conversando com a recepcionista enquanto um funcionário fazia a vistoria. Demorou um pouco e ele voltou, sério:

— Sinto muito mas o carro, além de estar batido, está sem o estepe, o triângulo, o macaco e as ferramentas.

Fiquei gelado, torcendo para ficar invisível enquanto imaginava quem seria o ladrão. O encarregado esperava uma reação e eu, como se ainda estivesse no *Roberto Carlos e o Diamante Cor-de-rosa*, dei uma de ator e inventei uma história maluca e esfarrapada:

— Pô, bicho. É isso que dá confiar nos amigos. Fui filmar em Petrópolis e deixei o carro com um amigo... Deve ter acontecido alguma coisa que ele não me contou.

Mostrando as marcas deixadas pelo serviço de lanternagem na parte interna da lataria, o encarregado disse, ironicamente:

— É, eu não queria ter um amigo assim, não!

Engoli em seco, morri numa grana e peguei meu avião. Lá no céu, durante a viagem, fiquei pensando no mistério que se apresentava: foi na batida da Wanderléa, na oficina do amigo do Dedé ou no estacionamento do hotel que as peças sumiram? Final da história: Wanderléa garantiu que não foi com ela, desculpou-se por não ter explicado a batida, pois estava em cima da hora para pegar o avião, e quis me ressarcir do prejuízo, o que não aceitei. Dedé jurou que não foi com ele, nem na oficina do amigo, e no hotel o gerente afirmou que todos os funcionários eram de máxima confiança e jamais seriam perdoados se acontecesse algo assim. Sofri calado e a vida continuou, mas o que mais lamento no meio dessa confusão toda é que também sumiu minha estatueta do *Diamante Cor-de-Rosa*.

Ao longo de décadas, minha amizade com Wanderléa manteve a beleza e o humor. Madre Wandeca de Calcutá é o mais novo apelido que dei a ela, uma gozação pelo excesso de zelo que demonstra sempre que me vê. Quer saber como vai minha saúde, se estou fumando muito, bebendo, fazendo exercício, cuidando da pressão ou ainda se estou exercitando minha paz interior, lendo algum livro de autoajuda, praticando yoga, consultando gurus etc. Não satisfeita, ela emenda a parte estética, aconselhando a disfarçar minhas olheiras com uma pequena plástica, eliminar minha rugas com miniaplicações de botox — "Todos os homens estão fazendo isso", diz. Parece até minha mãe. Fico lisonjeado pela preocupação de amiga, mas brinco e respondo tudo ao contrário do que ela espera ouvir, de propósito, somente para irritá-la.

Seus outros apelidos são Léa e Leinha, para os íntimos, e Ternurinha, para o Brasil. Embora sem renegar esse último, Wanderléa se ressente um pouco da imagem dela que o apelido cristalizou no imaginário popular. Ternurinha sugere uma fada, a irmãzinha, o docinho, a florzinha, a moça frágil — e esconde a mulher forte, guerreira, com fé inabalável em si e que, além de inteligente e bela, tem se comportado de forma excepcional diante das adversidades que a vida lhe apresenta. Supermulher lhe cairia bem melhor.

UM XODÓ ESPATIFADO

Outra pessoa fantástica que tive o orgulho de conhecer naquela época foi Ronnie Von. Fui apresentado a ele em 1965, numa festa de aniversário no Bairro de Fátima, no Rio de Janeiro.

— Bicho, você tem que ir para São Paulo! — eu disse.

Ele foi apresentado pela aniversariante como "um cara que também cantava". Conversamos um pouco e não poupei elogios ao mercado de trabalho promissor que começava a nascer na cidade — e que inclusive me motivara a arrumar minhas malas e partir para lá.

Jamais poderia imaginar que ainda naquele ano começaria o *Programa Jovem Guarda*. Eu já aparecia bastante na televisão, havia gravado dois compactos e estava em pleno processo de mixagem do meu primeiro LP, *A Pescaria*. Nossa conversa girou em torno desses assuntos e da nossa admiração por Elvis, Ray Charles, Beatles e rock and roll em geral.

Fiquei impressionado com ele: seu nome de batismo era Ronaldo Lindenberg von Schilgen Cintra Nogueira, estudava economia, pilotava aviões, não usava gírias, citava Proust e Nietzsche — que eu nem sabia que existiam —, era filho de diplomata, elegante e educado. Ou seja, completamente diferente dos meus amigos delinquentes da Tijuca, ou mesmo dos roqueiros irreverentes, no máximo ginasianos, com quem eu convivia na época.

Em 1966, estreou com estardalhaço *O Pequeno Mundo de Ronnie Von*, na TV Record de São Paulo. Apelidado por Hebe Camargo de Pequeno Príncipe, fazia o Brasil inteiro cantar *Meu Bem*, uma versão feliz sua para *Girl*, de Lennon e McCartney.

Com produção esmerada, o programa se tornaria um grande sucesso. Mas, desde a estreia, ele era visivelmente direcionado pelo marketing para bater de frente com o *Jovem Guarda*, do trio Roberto, Wanderléa e Erasmo. A disputa se acirrou e a imprensa sensacionalista se encarregou do resto, jogando Ronnie contra Roberto e vice-versa. As fãs logo tomaram partido e na rua se digladiavam, chegando às vezes ao absurdo das vias de fato, exatamente como as torcidas de futebol. Os artistas que participavam de um programa não iam ao outro. As fofocas eram muitas: "Roberto disse isso de Ronnie", "Ronnie disse aquilo de Roberto", "Não convidem os dois para a mesma mesa".

O clima ficou horrível. Numa tarde, recebi um telefonema do meu empresário, Marcos Lázaro, perguntando se eu toparia participar do programa de Ronnie Von. A direção da emissora estava preocupada com os rumos que as coisas tomavam e seria ótimo se eu quebrasse o gelo. Serviria para acalmar as fãs e, ao mesmo tempo, esvaziar a suposta rivalidade. Respondi que não haveria problema algum, já que minhas relações com Ronnie eram as melhores possíveis.

Marcaram o dia e lá fui eu com minha banda Os Tremendões cantar *Você me Acende* e *Minha Fama de Mau*. Fui muito bem-recebido e aplaudido de pé, com tudo correndo às mil maravilhas. Depois da apresentação, fiquei sabendo que uma fã jovem-guardista, possuída pela febre da idolatria, num gesto tresloucado, jogara um ovo em Ronnie, lambuzando seu belo fardão de príncipe.

* * *

Pouco tempo depois, Ronnie me convidou para conhecer sua mansão no Morumbi, onde morava com sua mulher Aretuza. Bastante curioso, cheguei acompanhado pelo meu secretário Eduardo Negativo, querendo saber do casal como era morar naquele bairro tranquilo, de árvores frondosas, ruas largas e limpas, praças espaçosas e muitos passarinhos. Ronnie, um gentleman por natureza, gostava de botânica e cuidava pessoalmente de suas plantas. Aretuza não fazia por menos: simpática e boa anfitriã, foi nos deixando à vontade, ostentando um belo sorriso e um corte de cabelo à la Cleópatra. Naturalmente afável, demonstrou sinceridade ao dizer que era minha fã.

Ainda era meio verde em certos assuntos e me assustei quando Ronnie começou a mostrar sua discoteca de música erudita e seus livros — claro que *O Pequeno Príncipe*, de Antoine de Saint-Exupéry, estava lá. Como eu não bebia na época, me privei da degustação de vinhos excelentes que ele, enólogo, certamente me ofereceria. Por momentos fiquei admirando os quadros raros na parede, enquanto ele ia me informando sobre o currículo dos pintores. De vez em quando, eu olhava para o Negativo e fazia a expressão de quem diz: “Viu, bicho? Gente fina é outra coisa.”

Apaixonei-me por uma coleção de miniaturas de carros famosos que ocupava uma prateleira comprida feita sob medida para isso. Lá estavam carrinhos de todos os tipos: "baratinhas" de corrida, jipes, calhambeques, esportivos, coletivos... Havia até alguns aviões. Por um momento, virei criança me lembrando dos meus "automovinhos" — era assim que chamava meus carrinhos na infância — de galalite ou das diligências de caubói que eu mesmo fazia com caixas de charuto, papelão e rodas de tampas de latas, puxadas por dois cavalinhos azuis de chumbo.

De súbito, fui despertado dos meus flashbacks por Ronnie. Seus olhos brilharam quando, entusiasmado, me conduziu para um canto da sala de estar onde reinava uma autêntica cadeira Luís XV, do século XVII. Fiquei pasmo, enquanto Ronnie me explicava detalhes técnicos como sua confecção em madeira nobre, acho que de carvalho ou nogueira, dos arabescos florais do tecido e do requinte do laqueamento dourado. Pensei comigo: "Pô, que pés fininhos. Não parece ser uma cadeira confiável."

Parecendo adivinhar meu pensamento, Ronnie emendou:

— É claro que é uma peça decorativa, frágil demais para ser usada.

E foi atender o telefone num outro cômodo. Sorri e falei para o Negativo:

— Imagina quantas bundas sentaram nessa cadeira através dos séculos. Sinto muito, mas não resisto. Vou sentar a minha também.

— Olha lá o que você vai fazer, Erasmo. Tô achando ela muito fraquinha.

Sentei cuidadosamente, me ajeitando devagarinho, colocando pouco a pouco minhas mãos em seus braços. Me senti acomodado e até dei uma relaxada. Quando larguei o peso do corpo, porém... Creeeeectáááacplóccc! A cadeira que era o xodó do Ronnie foi ao chão, se desmanchando toda e me levando junto. Confesso que poucas vezes passei um vexame tão grande. Queria desaparecer ou não ter nascido. Pensei rapidamente na hipótese de levar a minha vida inteira trabalhando de sol a sol para pagar uma antiguidade tão valiosa.

Entre a divulgadora e amiga Edi Silva e D. Diva, na lendária casa do Brooklyn, em São Paulo: "É claro que minha mãe não gostava da zona que rolava naquele endereço, mas, educadamente, ela não deixa transparecer isso na foto."

Ronnie e Aretuza chegaram assustados com o barulho e perguntando o que acontecera. Ainda no chão, completamente sem graça, respondi:

— Pô, bicho... Não é que você tinha razão? A cadeira não é para ser usada.

Tempos depois, Ronnie mandaria um recado pelo Negativo:

— Diga ao Erasmo que já mandei restaurar a cadeira e que ela ficou novinha em folha. Quando ele quiser, pode ir lá em casa testar.

Com ar precavido, o Negativo respondeu:

— Obrigado, Ronnie, vou dar o recado ao Erasmo. Mas acho que se ele for, vai preferir ficar em pé mesmo.

A MANÍACA DOS TROTES

Pouco tempo depois da minha ida ao *Pequeno Mundo de Ronnie Von*, minha vida se tornaria um tormento. Todos os dias, exatamente à uma da tarde, escorada no anonimato, uma fã telefonava para mim e, por pura sacanagem, prendia a linha. Era um saco! A maluca cada dia dava um nome diferente e a lenga-lenga seguia mais ou menos assim:

— Alô, meu gostosão... Hoje vou me chamar Sandra. Minha mãe já foi trabalhar e cheguei agora da escola. Vamos conversar? Ah, não tá a fim? Então fique ouvindo a minha vida.

E aí, passava a conversar com a empregada, cúmplice do terrorismo. Ela ria, cantava músicas da Jovem Guarda, falava dos artistas e até colocava discos. Mais ou menos às quatro, ela se despedia dizendo que ia espalhar os livros, para que a mãe pensasse que a filhinha dela estava estudando:

— Amanhã eu volto, hein? Bye.

Nos primeiros dias, tentei levar numa boa a brincadeira, sendo educado e até carinhoso. Mas, aos poucos, fui perdendo a paciência. Conforme os dias se passavam e o martírio persistia, pedi ajuda à companhia telefônica para que identificassem a origem do trote e tomassem as devidas providências. Nada foi feito e a aporrinhação continuou.

Estava ficando louco. Não adiantava xingar, fazer ameaças e muito menos desligar, porque nada se alterava. Ao dar um tempo e pegar o telefone de novo, lá estava ela na linha, se divertindo com risadinhas, cochichos e provocações. Um dia Lúcia, outro Regina, Sueli, Rosa, Cristina...

Na época, eu fazia um programa diário na Rádio Jovem Pan e precisava me comunicar com o discotecário antes de sair de casa, para providenciarmos o repertório. Com a impossibilidade de usar o telefone, era obrigado a sair mais cedo de casa, chegar correndo no estúdio e selecionar as músicas pessoalmente. Ficava indignado, o que me levou a desabafar com meus ouvintes no ar sobre a maluca que estava infernizando minha vida e destruindo minha rotina. As cartinhas furiosas começaram a chegar e a fã desconhecida virou vilã.

Mais ou menos no 15º dia do nhém-nhém-nhém, minha divulgadora Edi Silva chegou esbaforida e me deu a notícia:

— Erasmo, descobri quem é a pestinha que te azucrina todos os dias. Já estou com o telefone e o endereço dela. E tem mais: foi ela quem jogou o ovo no Ronnie Von, naquela vez que você foi ao programa dele!

Era meu 13 de maio, dia da abolição da minha escravatura. Foi a empregada da pilantrinha, obrigada a ser coadjuvante da palhaçada, que contou tudo para a Edi.

Tudo aconteceu muito rápido: confirmei as informações, liguei para a dita cuja, que ficou surpresa ao ouvir minha voz, mandei que ela ligasse o rádio na Jovem Pan e fui fazer meu programa. Contei a história do ovo no ar, dei o nome, endereço e telefone da menina, dediquei músicas para o inferno que ela iria viver e me despedi cheio de moral.

Nem três minutos se passaram e os telefonemas começaram a chover na rádio. Os troncos da central telefônica ficaram congestionados. A todo momento chegavam recadinhos solidários das fãs da Jovem Guarda pelo fim do meu sufoco e mensagens de fãs de Ronnie, ensandecidas, condenando o episódio do ovo. Alguém chegou anunciando o pior: a casa da menina estava cercada pelas duas facções, a de Ronnie e a da Jovem Guarda. Todos gritando palavrões e ameaçando um linchamento.

Comecei a me preocupar. Teria eu exagerado? A resposta viria em seguida quando me disseram que Antônio Augusto Amaral de Carvalho, o Tuta, dono da rádio, e Raul Duarte, o diretor, estavam me chamando no escritório. Eram meus amigos, mas suas fisionomias mostravam tensão. Colocara todos numa monumental encrenca que, convenhamos, só eu mesmo poderia resolver.

Sem pensar duas vezes, me mandei para a casa da menina. Na saída, ainda ouvi o último recado da telefonista:

— Corre, Erasmo. A mãe da menina chegou do trabalho e passou mal vendo a confusão! A polícia já foi chamada!

Fui voando, levando inclusive um médico da Jovem Pan. Lá chegando, completamente atarantado, enfrentei a situação. Acuada, a menina chorava arrependida no quarto, explicando que jogara o ovo no Ronnie porque achava ele presunçoso e que me punira com a tortura dos trotes telefônicos por eu trair a Jovem Guarda, indo ao programa dele. Encostada no sofá da sala, a mãe tomava água com açúcar e era abanada por vizinhas. Não encontrei as palavras certas para me desculpar e me atrapalhei todo. Mas com tato e jogo de cintura consegui acalmar as fãs na rua. Quando a polícia chegou, a tempestade já havia passado.

Tempos depois fiquei sabendo que a menina mudara radicalmente: não frequentava mais o Teatro Record, resolvera encarar os estudos com seriedade e não passava mais trotes, graças a Deus — e à mãe, que instituiu como castigo trancar o telefone com cadeado ao sair para o trabalho.

Do episódio, guardaria para sempre a lição que aprendi no dia da confusão, dada por Raul Duarte:

— Erasmo, o microfone é uma arma mais poderosa do que milhões de metralhadoras. Cuidado com o uso que você faz dele.

Do empresário Marcos Lázaro, soltando baforadas em círculos do seu charuto cubano, restaria um consolo:

— Pelo menos você conseguiu reunir as duas torcidas lutando pela mesma causa.

TROPICÁLIA, UMA NOVA ESTRADA

Em 1967, quando a Jovem Guarda começava a demonstrar sinais de cansaço, nasceu a Tropicália. Desde o início, acompanhei o movimento com atenção e admiração, vislumbrando o mundo que havia para além dos brotos e carrões.

Os primeiros a me atrair foram os Mutantes. Arnaldo Baptista e Sérgio Dias possuíam carisma, presença de palco, eram virtuoses de seus instrumentos etc., mas Rita Lee tinha algo especial. Quando os Mutantes tocavam na TV Record, lá estava meu olho sacana ligado nela. Achava lindo seu cabelo comprido e escorrido. Quando tocava flauta doce, parecia uma fada dos contos dos Irmãos Grimm. Sua graça era inimitável e seu deboche contagiante. Talvez ela não saiba disso, mas todos nós da Jovem Guarda e da emissora tínhamos tesão nela.

A proposta dos Mutantes era bem mais avançada do que a nossa. Já demonstravam preocupação nítida com a mistura de elementos novos, harmonias e timbres inusitados, sonoridades ousadas e um quê de brasilidade que não havia em nosso primitivo, ingênuo e maravilhoso bê-á-bá do rock tupiniquim.

Os tropicalistas foram os primeiros a valorizar a Jovem Guarda. Houve um dia, bem no início da guerra babaca entre a linha dura da MPB e a

Jovem Guarda, na boate Moustache, em São Paulo, em que Gilberto Gil — gordo, de bigode e barba — me disse que reconhecia os méritos do nosso movimento e de seu efeito avassalador na mudança de comportamento dos jovens. Disse ainda gostar muito das músicas que eu fazia com Roberto e adorar o jeitinho da Wanderléa. Retribuí dizendo que a Tropicália viera para dar um passo além do nosso, com letras mais inteligentes e gente mais cabeluda e extravagante do que nós. Terminamos a conversa abraçados, desejando sucesso um ao outro.

Caetano Veloso também estava conosco. Gosto de compará-lo àquele dinossaurinho simpático do filme *Parque dos Dinossauros* que, ao ser provocado, solta um berro amedrontador, transformando-se num dragão poderoso e arrepiante. Isso aconteceu na final paulista do 3º FIC, Festival Internacional da Canção, em 1968, após a apresentação de *É Proibido Proibir*, quando ele deu um histórico carão no auditório, que urrava pedindo sua cabeça. Era a ditadura no seu auge e ele fazia um favor à juventude que teimava em não aceitar a proposta de liberdade de pensamento e comportamento que o tropicalismo trazia.

Imediatamente após o bafafá, Carlos Imperial e eu corremos para o apartamento da avenida São Luiz, no centro de São Paulo, onde Caetano morava, a fim de prestarmos nossa solidariedade pela sua coragem. Muitas pessoas fizeram o mesmo e era grande o movimento quando chegamos. Ficamos lá um bom tempo dando força e ouvimos mais do que falamos. O apartamento era amplo e quase não tinha móveis — mas havia uma mesa de pingue-pongue na sala e um manequim transparente e iluminado. Nos acomodamos no chão do quarto junto aos Mutantes, enquanto Caetano, sentado na cama, lembrava o episódio, dando ênfase ao desabafo na hora das vaias.

Num certo momento, fui ao banheiro e, na volta, Imperial me segredou ter escutado Caetano falar ao telefone para Chico Buarque: "A coisa mais importante é que João (Gilberto) sobreviva."

Na saída, resumi para Imperial a visão que tinha do movimento e que conservo até hoje:

— O Tropicalismo é a Jovem Guarda adulta e politizada, é a música brasileira universal.

A Jovem Guarda havia cumprido seu papel. Outras estradas se abriam e eu não ia ficar sentado à beira do caminho.

capítulo 5

EU ERA UM HOM

M, ENTENDIA TUDO

casamento e música além do iê-iê-iê

Posando com Narinha para a revista *Amiga*: “Foi minha primeira aparição com ela na imprensa depois que nós casamos.”

A MÃE DA MISS

Com a Jovem Guarda encerrada no final dos anos 60 (o último programa foi ao ar em 1968), eu vinha para o Rio de avião toda sexta-feira. Ainda não conhecia Narinha, e as boates me esperavam. Alugava um Fusca no aeroporto Santos Dumont, dava um pulo na Tijuca para ver minha mãe e curtia adoidado meu fim de semana hospedado no apartamento da amiga Tina, na avenida Atlântica, de frente para o mar de Copacabana.

Aquele fim de semana seria especial, tanto que não vim na sexta e sim no sábado de manhã. Bem dormido, descansado, me sentindo leve como o vento e com uma vontade enorme de andar sobre as águas da baía de Guanabara, cantarolando mentalmente *Minha Namorada*, de Carlos Lyra e Vinicius, e com a impressão nítida de que o Cristo Redentor sorria para mim. Nem quis saber do Fusca, a ocasião exigia um carro mais arejado, confortável e maneiro. Aluguei um Karmann Ghia vermelho. Afinal, iria encontrar a Miss Rio de Janeiro, uma deusa do Olimpo que eu conhecera uma semana antes no Programa *Almoço com as Estrelas*, do Aerton Perlingeiro, na TV Tupi.

Ela era inimaginável, uma morena tão bonita que deveria pagar imposto. Alta, cabelos compridos, corpo desenhado por Deus e olhos para serem admirados. Se fosse pelo meu voto, ela seria primeiro lugar sempre, aqui ou em Marte. Iríamos inicialmente ao Le Bateau para curtir os embalos de uma noite dançante, com opção de jantarmos depois, caso quiséssemos.

Como era o nosso primeiro encontro, achei que se fôssemos em grupo o entrosamento fluiria com mais naturalidade, tornando a noitada mais descontraída. Liguei para Imperial e falei:

— Bicho, organize uma turma e vamos ao Bateau hoje. Se der vontade, depois a gente sai para jantar em outro lugar. Atenção que eu vou com "a" boneca, hein! Onze horas lá. Tchau...

Caprichei no visual, botei meu perfume Calesh e fui apanhar a gata no bairro da Saúde, onde ela morava. A Lua se escondeu atrás das nuvens carregadas para evitar que seu esplendor fosse ofuscado pela beleza da miss. Ela estava linda. A família toda me esperava na porta e prontamente saltei para me apresentar. Sorri, querendo agradar, e cumprimentei a todos com educação. Não queria deixar dúvidas no quesito simpatia e me esforcei para transmitir confiança. Quando me encaminhei para abrir a porta do carro e me despedir da mãe, a miss sutilmente me comunicou o que eu não esperava:

— Mamãe vai junto com a gente — disse ela, com inacreditável naturalidade.

Um tonel de água gelada molhou minha alma. Lá se ia por terra minha esperança de intimidade com o avião. A "polícia" estaria ali me observando, analisando e julgando até meus pensamentos. O banco de trás do Karmann Ghia não é nada confortável, mas o que eu ia fazer? Quem mandou ela levar a mãe? Ia ter que aguentar.

Ao chegarmos ao aterro do Flamengo, os raios no horizonte e as trovoadas anunciaram a chuva que em breve começaria a cair. Quando vieram os primeiros pingos, liguei o limpador de para-brisas, mas ele não funcionou. Tentei de novo, dei umas porradas nele e neca — fazia um barulho estranho e não se mexia.

Liguei o pisca-alerta e olhei sem graça para a miss que começou a se apavorar vendo as luzes distorcidas dos faróis se aproximando pelo vidro do carro, a essa altura já encoberto pelo toró. Num gesto ultrarrápido, abri a janela e, com a mão esquerda, movi o limpador vilão. A tensão diminuiu e, a uma velocidade de 20 km/h, conseguimos chegar a Copacabana.

Ao saltar na boate, eu estava com a roupa encharcada e, o pior, a mãe também. Imperial já havia chegado, acompanhado de uma gata, e nos recebeu de pé, abrindo os braços e me saudando:

— Grande figura!

Ele levara também nosso amigo Ângelo Antônio, feliz da vida por estar acompanhado de sua grande paixão, a atriz Sandra Bréa, que na época apenas engatinhava em sua carreira. Cheguei reclamando da chuva e contando o episódio do limpador de para-brisa. Elogiei a compreensão e a paciência da ensopada mãe da miss e apresentei-as ao grupo. Assim que sentamos, providenciei nossos drinques, respirei fundo e pude relaxar finalmente, me concentrando no que mais me interessava: a conquista da miss.

Por mais que tentasse ser natural, me sentia incomodado. Parecia que a mãe datilografava um relatório mental sobre meu comportamento. De repente, meus olhos se fixaram na gata do Imperial. Era lindinha, lourinha, jeitosinha, moderninha e outras "inhas". Adjetivos perfeitos para classificar o que ela era: uma menininha. Me toquei e exclamei para mim mesmo: "Caramba, essa menina deve ter no máximo 16 anos!"

A boate começava a encher e concluí ser uma boa hora para dançar com a mãe, aproveitando a rodada de músicas lentas que ainda rolava antes da pista ferver. Assim, faria uma média, que certamente iria somar pontos positivos para mim. Não sou um bom dançarino, mas mesmo assim costumo me sair bem, pois deixo o ritmo me dominar.

Dançamos formalmente até que a introdução de um mega-hit, colocado pelo discotecário Ademir, anunciou que ia começar a pauleira. Pensei empolgado: "Agora sim! Vou ver a gostosura da miss contorcendo seu corpão na minha frente, me olhando com aquele *zoião* escravizante, escancarando sua boca pidona deliciosa, cheia de veneno disfarçado de mel."

Mas, ao voltarmos para a mesa, a mãe ficou estática de repente, como se tivesse visto Jesus Cristo sem barba: Imperial, alheio à plateia em volta, beijava alucinadamente sua ninfeta, revirando os cabelos dourados da menina com as duas mãos e sem o mínimo receio de ser feliz. Com a fisionomia alterada, a mãe, apontando para ele, começou a falar coisas inaudíveis para mim. O som estava altíssimo. Em seguida, ela pegou a bolsa, falou algo no ouvido da filha e saíram apressadas em direção à porta.

Ninguém entendeu nada, muito menos eu, que, após um breve momento de indecisão, fui atrás saber o que acontecera. Quando cheguei ao lado de fora, elas já entravam no primeiro táxi da fila e a mãe, possessa, em altos brados, praguejava:

— Deus me livre deixar minha filha com essa corja. São todos uns animais pervertidos.

Virando-se para o porteiro, ela completou:

— Moço, acho bom o senhor chamar a polícia porque o cafajeste do Carlos Imperial está lá dentro beijando a filha dele na boca!

A TURMA DO LAMÊ

A miss estava perdida para sempre. Mas mal tive tempo de lamentar, porque no carnaval de 1969 eu viria a conhecer Narinha, a mulher da minha vida. Foi num baile no clube Monte Líbano, na Lagoa, onde fui com Jerry Adriani. Ela estava com o cantor Taiguara, mas correspondia aos meus olhares. Pedi então o telefone da sua irmã, Scheila, que provavelmente era o dela também. No dia seguinte liguei, Scheila atendeu e eu disse: "Tudo bem? Posso falar com a sua irmã?" Até hoje desconfio que Scheila ficou magoada com a situação, mas foi assim que começou minha história com Nara.

Ela já tinha ido à TV Rio em 1968 ver a gravação do *Jovem Guarda* — o sucesso do programa havia gerado uma versão carioca, que estreou em 1967. Mas me achou meio besta, mascarado — impressão que comecei a desfazer naquele papo por telefone.

Em 1971, eu "juntaria as escovas de dentes" com Narinha. Formávamos um casal único. Querido pelos amigos e afagado pelo povão. Todos achavam uma façanha ela amansar um brutamontes machão como eu e ficaram radiantes com o anúncio do nosso noivado pelos jornais. O apelido "Narinha do Coqueiro Verde" lhe caía bem e estávamos felizes.

Morando no Rio de Janeiro, eu cumpria os últimos compromissos artísticos em São Paulo, contratado que era do Programa Sílvio Santos para cantar no quadro *Os Galãs Cantam e Dançam*. Um dia, Narinha ligou para São Paulo:

— Meu bem, você já leu a coluna do Imperial na revista *Amiga*? Ele está falando da gente.

— É mesmo? Falando o quê? — perguntei, meio desligado.

— Nem te conto... Ele inventou que todas as minhas amigas de Ipanema cortaram relações comigo, viram a cara quando passo na rua, não respondem mais ao meu "bom-dia" e vão para bem longe quando chego na praia.

— Mas que história maluca, meu bem. Você quase não tem amigas — argumentei.

— Pois é — continuou ela do outro lado da linha. — Ele disse também que eu, de tão rejeitada, perguntei para uma delas: "Por que vocês não falam mais comigo? O que é que eu fiz de errado?" Sabe o que ele disse que minha amiga falou?

Meu silêncio fez ela continuar:

— "Pô, Narinha! Estamos todas decepcionadas com você, porque seu noivo, Erasmo Carlos, canta no programa brega do Sílvio Santos. Isso é cafona, de um mau gosto terrível. Logo ele que vai casar com você, ficar dançando com fãs histéricas junto com a turma do lamê: Wanderley Cardoso, Jerry Adriani, Ary Sanchez, Arthurzinho, Antônio Marcos, Paulo Sérgio e Marcos Roberto."

A essa altura, Narinha deu uma risada e continuou:

— No final ele diz que eu, inconformada com a discriminação, cobrei de você uma atitude: "Erasmo, ou você deixa a turma do lamê ou arranja outra noiva."

Quando acabei de falar com ela, fiquei pensando o que o Gordo estaria tramando daquela vez. Será que ele iria lançar alguma música nova e teríamos que "brigar" de novo? Resolvi ligar para a redação da *Amiga*:

— Bicho, que história inacreditável é essa que saiu hoje na sua coluna?

— Ah, meu jovem, isso é apenas o começo. Vou lançar o troféu *O Rei do Lamê* para sacanear a turma que dança no Sílvio Santos e fiquei sabendo pela nossa amiga Leleca Novidade (pseudônimo na época da jornalista Léa Penteado) que você vai casar com Narinha e sair do programa. Achei ótimo aproveitar esse gancho para promover o concurso. Aguarde na semana que vem a continuação da história: "Erasmo deixa o lamê para casar com Narinha" — respondeu, mais maquiavélico que nunca.

MUITO OBRIGADO, GIL

Dois anos antes do casamento com Narinha, Gilberto Gil me faria voltar a morar no Rio. Sim, o baiano não sabe, mas foi ele. Em 1969, ouvi *Aquele Abraço* pela primeira vez. Estava em São Paulo, onde morava, meio desorientado pelo fim do programa *Jovem Guarda*, me sentindo só e sem perspectiva de vida. Ao ouvir aqueles versos, não titubeei. Vendi minha casa, peguei meu violão e voltei para a minha Cidade Maravilhosa.

Gil cruzou meu caminho algumas vezes, sempre de forma doce e contundente. Como na década de 60, quando, na contramão da turma da MPB, elogiou as minhas músicas com Roberto e a Jovem Guarda. Depois, voltamos a nos cruzar em 1976, quando ele me emprestou suas palavras para que eu, em nome da humanidade, questionasse o sistema gravando sua *Queremos Saber*.[15] Tive a honra de lançar a canção.

Outra de suas composições entrou no meu disco *Buraco Negro*, de 1984. Sua mulher, Flora Gil, me ligou de Recife dizendo que Gil havia feito uma música, chamada *Índigo Blue*, que era a minha cara. E realmente era, pois só uso jeans. Gravei com direito a levada reggae do próprio, e improviso no final, quando canto: "Índigo Blue, índigo Gil, índigo paixão."

VOU LER MEU *PASQUIM*

Algo mudou na minha vida quando Tarso de Castro falou na redação do *Pasquim*:

— Vamos entrevistar o Erasmo Carlos. Ele frequenta um Brasil do qual a gente só ouve falar. Além do mais, ele sabe das coisas, tem humor e... bebe! Tudo que precisamos para fazer uma boa entrevista.

Tarso e Sérgio Cabral foram me encontrar no Hotel Excelsior, em Copacabana, onde me hospedava durante a gravação de um filme. Trocamos telefones e, algumas semanas depois, lá estava eu numa rua de Ipanema, tenso mas confiante, encarando um pelotão pronto para me metralhar com várias perguntas, sem dó nem piedade. Além de Tarso e Cabral, Cristina Autran, Ângelo de Aquino e Jaguar eram alguns dos soldados. Narinha, minha noiva na época, também foi ao encontro, o que me ajudou a ter a descontração necessária. As perguntas certamente seriam armadilhas e eu, humilde tijucano e considerado um alienado jovem-guardista, não poderia fazer feio.

Paulo Francis e Magali, mulher do Sérgio Cabral, somente assistiram, e Paulo Garcez fotografou. Um litro de uísque, copos e gelo serviram de combustível. A entrevista foi uma festa e se tornaria um grande sucesso. Pela primeira vez respondia a perguntas sobre racismo, machismo e drogas (na época, eu ainda não havia experimentado). Falei também sobre a humanização dos super-heróis criados por Stan Lee, como Surfista Prateado, Namor, Homem de Ferro e Nick Fury, o que deixou Tarso interessadíssimo:

— Isso é genial — dizia ele. — Os super-heróis agora são iguais a nós. Cagam, mijam, trepam e dão a bunda...

Esses assuntos eram completamente distantes das pautas inocentes dos jornalistas que cobriam o universo simplista do iê-iê-iê. Os rounds foram passando e eu me defendendo bem. Uma gargalhada aqui, um gole ali, uma pergunta mais ousada acolá, e eu falando tudo o que tinha direito. Senti que gostaram de mim e, independentemente do artista, me acharam "um cara legal" — conforme a manchete do tabloide diria em 1º de janeiro de 1970, quando a entrevista foi publicada. Depois do bláblábla, me convidaram para jantar no Antônio's, famoso templo gastronômico de Ipanema, onde se dava de cara com Rubem Braga, Tom Jobim, Vinicius de Moraes, Chico Buarque, Walter Clark, Fernando Sabino, Boni, Leila Diniz, Beth Faria, Ziraldo, Millôr e muitos outros.

Sentei com Narinha, Sérgio Cabral, Magali e Tarso na varanda do restaurante, após ser apresentado ao gentil Manolo, proprietário da casa, que no futuro também se tornaria meu amigo. Eu e Narinha pedimos o nosso rango, ficamos conversando e morrendo de rir com o humor inteligente da turma. Até que Sérgio Cabral soltou essa:

— Narinha, você não gostaria de posar nua para o *Pasquim*?

Antes que ela esboçasse qualquer reação, de bate-pronto emendei:

— Que é isso, bicho? Minha mulher não vai tirar foto nua para *Pasquim* nenhum, não!

Tarso de Castro pôs mais lenha na fogueira, maliciosamente:

— Seria uma boa: "Namorada do Tremendão como veio ao mundo" — completou, como quem visualizava uma manchete.

— Porra nenhuma! Vocês estão malucos? Qual é? Tão pensando que é assim? Vão chegando e fotografando quem vocês querem? — respondi, com cara de poucos amigos e já aumentando o tom de voz.

Foi aí que Sérgio Cabral, continuando a provocação, entornou o caldo:

— Tudo bem, Erasmo. Calma. Nós a fotografamos nua e depois pintamos com nanquim um biquininho na parte íntima.

Até hoje rimos lembrando disso todas as vezes que nos encontramos. Cabral é um dos maiores cariocas que eu conheço. Jamais esquecerei das suas palavras ao ouvir pela primeira vez, na boate Sucata, ao comando do DJ Dom Pepe, a fita com a então inédita *Coqueiro Verde*, samba no qual homenageei Narinha, Leila Diniz, o *Pasquim* e a boate Le Bateau:[16]

— Puta que pariu, Erasmo! Essa música é um novo *Aquele Abraço.*

COTOVELADA AMIGA

Quando voltei a morar no Rio, em 1970, comprei um pequeno apartamento para minha mãe, na rua Barata Ribeiro, em Copacabana, onde fiz minha base carioca enquanto vendia minha casa em São Paulo. No andar de baixo, morava meu grande amigo Wanderley Dias, sua irmã Wanda e a mãe, dona Ormia. Foi Wanda quem me sugeriu:

— Você precisa ver o show do Milton Nascimento com o Som Imaginário, no teatro Opinião.

Confessei que a ideia não me era tentadora, pois apesar de gostar muito de *Travessia*, imaginava Milton Nascimento de terno e gravata, cantando músicas lentas e herméticas. Ela rebateu, indignada:

— O quê? Você está por fora! As roupas são maravilhosas e o som é de altíssimo nível. No dia que eu fui, estava tão cheio que não cabia nem mais uma formiga. Se você quiser ir, vou de novo. Vale a pena.

Fomos todos ao tal show. Puta que pariu! Deve ter entrado um monte de moscas na minha boca, pois fiquei com ela aberta a noite toda. O teatro estava lotado e o que eu via era novo, muito forte, bonito, um tropicalismo sem Carmem Miranda, com cheiro de campo, com montanhas no lugar da maresia. A presença de Milton, de colete e sem camisa, era um ímã de carne e osso, atraindo a atenção geral e cantando maravilhosamente bem. Na mesma hora me tornei fã.

Na saída, um cara me deu um toque:

— E aí, Erasmão, veio aprender a fazer som, né?

O Som Imaginário também havia me conquistado e jamais imaginaria que, num futuro próximo, eu tocaria com alguns de seus músicos, como Robertinho Silva, Tavito e Luis Alves — completavam a banda Wagner Tiso, Zé Rodrix e Naná Vasconcelos.

Algum tempo depois, eu e Milton nos encontramos na TV Tupi do Rio, participando do programa *Almoço com as Estrelas*, apresentado por Aerton

Perlingeiro. Simonal também estava lá. O formato unia entrevistas e números musicais, enquanto um almoço era servido aos convidados. Naquele dia, o menu incluía uma maionese de camarão que, embora apetitosa, não aguentou o tremendo calor do estúdio. Não deu outra: o glutão Simonal abusou da iguaria antes do programa e foi parar no hospital com início de intoxicação. Depois dessa surpresa, ninguém comeu mais nada. As travessas ficaram na mesa sem serem tocadas.

Na saída, todos comentavam o ocorrido. Até chegarmos à entrada principal da TV, na avenida João Luiz Alves, uma das mais movimentadas da Urca. Enquanto esperávamos para atravessar a rua de mão dupla, notei que Milton, ao meu lado, conversava distraidamente com a cantora e compositora Joyce. Ele estava tão absorto que se descuidou do fluxo de carros. Foi quando vi um imenso ônibus se aproximando em altíssima velocidade.

Tudo aconteceu numa fração de segundos. Se eu gritasse para alertá-lo, Milton levaria um susto e o choque com o coletivo seria inevitável. Optei por dar-lhe uma cotovelada que o acertou entre o braço e as costelas. Só que exagerei na força e ele soltou um grito. Imagino que Milton deve ter pensado em revidar a agressão, mas o barulho do ônibus, que passara tirando um fino de nós, o fez entender a gravidade do ocorrido.

Embora machucado, Milton me agradeceu, brincando que o impacto com o veículo poderia ser menos doloroso do que minha cotovelada. Pois é, a MPB ficou me devendo essa, pois salvei a vida de um de seus maiores intérpretes de todos os tempos.

Em seguida, dei uma carona para ele até a rua Siqueira Campos, em Copacabana. No carro, revelou-se nossa enorme timidez. Não falamos quase nada. Apenas obviedades, como comentários sem graça sobre o trânsito ou o calor. No entanto, minha cabeça fervilhava. Queria contar da minha reação ao seu show do Opinião, saber dos seus parceiros, suas propostas, seu time de futebol, onde morava, se tinha alguma escola de samba favorita, se ele gostava da Jovem Guarda, enfim, dezenas de perguntas. Mas não falei nada. Pensei: "Que fã que eu sou... tenho a oportunidade de falar com o artista e não aproveito, só para não correr o risco de ser chamado de 'mala'."

O WOODSTOCK BRASILEIRO

Em fevereiro de 1971, seria realizado o Festival de Verão de Guarapari, no Espírito Santo. A notícia agitou o meio artístico, sedento de reuniões desse tipo, que se tornavam cada vez mais comuns nos Estados Unidos e na Europa. Seria o Woodstock brasileiro, era o que se dizia. Fui convidado para me apresentar no evento. Estava prestes a me casar, de mudança de São Paulo para o Rio e sem banda. Liguei para o guitarrista Tony Ozanah, líder dos Beat Boys, que acompanhara Caetano Veloso quatro anos antes, em *Alegria, Alegria*, no festival da TV Record. Poucos dias depois, lá estávamos nós, ensaiando no teatro Mesbla, na praça Paris. Narinha deu a ideia:

— Meu bem, dizem que Guarapari é lindo. Por que não vamos de carro antes, passamos alguns dias na praia e, no dia do show, a banda encontra a gente lá?

Concordei na hora. Enchi meu Dodge Dart de tralhas e botei o motor na estrada. Narinha soube que muitos amigos iriam acampar numa praia perto do festival e isso seria ótimo, pois dormiríamos de noite no hotel que já estava reservado e ficaríamos curtindo o sol com eles durante o dia. Pelo que eu sabia, mais de 50 mil pessoas eram esperadas no evento e vários artistas famosos, identificados com a cultura hippie que tomara conta do Brasil, confirmaram presença.

Chegamos a Guarapari e nos deparamos com o caos. Gente de todos os lugares lotando os hotéis e acampando onde desse. Mochileiros, andarilhos, estudantes e turistas disputavam palmo a palmo as ruas, praças e praias da pequena e linda cidade. Mal desfizemos as malas e começaram as (más) notícias: "os telefones estão mudos", "está faltando água", "Milton Nascimento não vem mais", "Simonal só vai assistir", "os contratantes não conseguiram equipamento de som", "a polícia proibiu a presença dos hippies", "os produtores não conseguiram as cotas de patrocínio prometidas". Me benzi três vezes e disse para Narinha:

— Caramba, meu bem, vamos procurar nossa turma!

Acampados numa praia que não me lembro o nome, lá estavam eles, maravilhosos com todos os colares, pulseiras, tiaras, barbas, cabelos compridos, tatuagens e bandanas a que tinham direito. Lidoca e Leiloca (antes de serem Frenéticas) e Gastão Lamounier estavam lá. Fizeram uma farra com a nossa chegada e rapidamente nos informaram que a vida andava complicada por ali: não conseguiam tomar banho, dormiam mal, ir ao banheiro era um problema, a polícia enchia o saco a toda hora e a água potável rareava.

Narinha começou a tomar providências, comprando de um vendedor ambulante todo seu estoque de brevidades — bolinho feito de farinha de araruta. Encomendou ao homem igual quantidade para o dia seguinte, para distribuir no acampamento. Falei para o Gastão:

— Bicho, vamos sair para comprar birita, água e comida.

Voltamos com três galetos, um litro de uísque e garrafas de água mineral. Após a degustação tribal, anunciei:

— Vamos todos tomar banho no hotel.

Fomos uns dez, de dois em dois, para não dar bandeira. Após o banho, Gastão diria:

— Somos hippies, porém cheirosos.

No dia seguinte, mais novidades: "não existem agências telegráficas para os duzentos jornalistas", "Simonal foi embora", "Luiz Gonzaga, Gal Costa e Paulinho da Viola não vêm mais", "a Prefeitura está tentando salvar o evento", "a polícia pegou maconha e ácido lisérgico com um cara". E o pior: "os Beat Boys não conseguiram embarcar no aeroporto, porque a produção do festival não mandara as passagens". Era o fim, eu não teria banda para me apresentar.

Triste com a notícia e sem poder fazer nada, resolvi incrementar o lazer da praia. Peguei o possante rádio JVC que meu pai me dera de presente, comprei mais galetos, bisnagas, mortadela, água, cerveja e uísque e fui encontrar meus amigos de novo. O som do meu rádio fez a festa e deu a tônica que faltava. O ambiente ficou mais alegre e nos tornamos a atração do lugar. Os turistas invadiam nossa intimidade para tirar fotografias.

Narinha aproveitava a "turistada" para oferecer anéis e brinquinhos artesanais que as "empresárias" Lidoca e Leiloca levaram para vender. Nós, acompanhados por palmas, num recanto mais distante da praia, fazíamos som com violão, gaita e flauta doce para a galera que se formara. Não podíamos abrir a boca senão alguém jogava um ácido dentro.

No dia do festival, as notícias não eram das melhores: "ninguém vem mais", "fracassa o evento de Guarapari". As informações chegavam desencontradas e confusas. Sem telefone, ninguém falava com o resto do mundo, as ligações eram feitas através da capital Vitória e levavam séculos para serem completadas. A coisa foi ficando "russa", como se dizia na época. Resolvemos então não ir ao festival, já que ele supostamente não iria acontecer, e ficar o resto do dia curtindo o que a praia oferecia.

Na manhã seguinte, Narinha e eu voltamos para o Rio. Na portaria do hotel estavam Gastão e companhia, para se despedir. Botei as tralhas no carro e paguei a conta, pois a produção do evento descumpriu o combinado de arcar com as despesas de hospedagem. Eu estava curioso para saber o que rolara na véspera. Foi quando ouvi que The Bubbles, Soma e Novos Baianos improvisaram um som e que Chacrinha e Carlos Imperial acalmaram as 4 mil pessoas presentes, indignadas pelas ausências e ameaçando quebrar tudo. Soube também que Tony Tornado havia "voado" do palco, caindo em cima de uma mulher da plateia, mandando a infeliz para o hospital.

De novo, me benzi três vezes. Nos despedimos e iniciamos a volta para casa. Mal chegamos, minha mãe e Gil (filho do primeiro casamento de Narinha e meu filho desde que o conheci) estavam aflitos:

— Pai, já telefonaram uma porção de vezes do lugar onde vocês foram, dizendo que você ficasse tranquilo porque já prenderam o ladrão que roubou seu rádio.

Fazendo um esforço para entender o recado, olhei para Narinha e ela disse:

— Ih, meu bem... Esquecemos lá no hotel o rádio que teu pai te deu.

Imediatamente liguei para Guarapari (via Vitória). Depois de esperar muito, consegui que me explicassem o ocorrido:

— O senhor esqueceu seu rádio no balcão da recepção. Quando vi um hippie sair de fininho com ele, chamei a polícia e o sem-vergonha está preso. Ah, ele jurou que era seu amigo, mas ninguém acreditou. É um tal de Gastão.

Telefonei para o delegado e resolvi o mal-entendido. O próprio Gastão traria o rádio, que para nós fora o verdadeiro astro do festival de Guarapari.

MASSAGENS, ROLHAS, SPRAYS

Vivia em plena fase hippie quando, aos 31 anos, notei que meus cabelos estavam caindo. Fiquei apavorado. A calvície do meu pai já sinalizava essa possibilidade, mas eu preferia não pensar sobre isso. Quis me enganar acreditando que fosse um problema ligeiro causado pela poluição, pelo uso de shampoo inadequado ou, quem sabe, por praga de alguma ex-namorada. Um fio aqui, alguns na escova, outros espalhados pelo travesseiro, na toalha e até no meu chapéu de caubói.

Dividi com Narinha minha preocupação. Consultamos vários amigos e ouvimos sugestões para o problema. Teve de tudo: "passe babosa", "passe baba de mamoeiro", "corte o cabelo nas fases certas da Lua", "isso é falta de vitamina A", "coma bastante fígado, cenoura e mamão". Minha mãe se saiu com a melhor tirada:

— Esse menino pensa muito. O cabelo cai porque o cérebro dele está cansado.

Negativo, meu secretário na época, lembrou do meu passado:

— É a consequência da brilhantina, do gumex e da tal da Timbolina que você usava antigamente.

Nas revistas e nos jornais, lia-se diariamente "Só fica careca quem quer" ou "Consulte o Hair Club Center". O maquiador e ator Márcio Hatay, que filmara *Os Machões* comigo, nos falou de um argentino amigo dele que havia descoberto um tratamento revolucionário contra a calvície. Me interessei de imediato e resolvi conhecê-lo. Clemente era seu nome, uma figura portenha interessantíssima, gay assumido, que logo no início demonstrou não gostar de ser contrariado.

Chegou mostrando um book com fotos e reportagens sobre o lançamento do seu método, publicado em diversos periódicos sul-americanos. Enquanto Nara lia as matérias, interessada, eu ouvia desconfiado sua teoria de comparação da terra com o couro cabeludo, que precisariam ser remexidos e adubados para que houvesse uma boa colheita. Clemente me massagearia com um aditivo natural importado da Alemanha, que só ele tinha e não revelava o nome.

A essa altura, eu e Nara ouvíamos atentos suas palavras impositivas, exigindo disciplina, dedicação e paciência da minha parte, num portunhol hilário. O tratamento seria de graça, eu só pagaria pelo aditivo milagroso. Sua intenção real era popularizar sua técnica no Brasil, e eu naturalmente seria o veículo ideal para isso. Dois dias depois, lá estava sentado em frente ao espelho do meu banheiro, esperando que Clemente, de jaleco branco e luvas de borracha, começasse a primeira sessão.

— Primeiro vamos adubar a terra — dizia Clemente, com ar professoral, enquanto borrifava minha cabeça com o tal líquido "miraculoso". — Agora entra o arado, que são os meus dedos, para remexer a terra — continuava, enquanto massageava não apenas a região do couro cabeludo mas também minha testa, meu pescoço e até em volta da orelha.

Devo admitir que a massagem estava ótima, mas me calei para não incentivar a turma que certamente iria me sacanear pelo fato de o massageador ser gay. De repente, ele parou, olhou para todos e para mim, refletido no espelho. Fazendo suspense, anunciou:

— Gente, agora chegou o momento *magic* do meu tratamento, o *the best*. Vou desentupir os poros para que os cabelos cresçam. Tremendão, não se assuste que é assim mesmo.

E começou a dar tapinhas em alta velocidade no meu quengo, explicando que era para ativar a circulação sanguínea. Os tapinhas viraram tapões e em seguida porrada mesmo, me obrigando a levantar bruscamente meu 1,86 metro de altura:

— Calma, Erasmo — disse ele, acuado pela minha reação de indignação. — Não se zangue. Essa é a fase mais importante do meu método. Vai valer o sacrifício, você vai ver — e olhava para Nara, igualmente espantada, pedindo ajuda. — Explica para ele, Narinha, explica para ele.

Acabaram me convencendo e marcamos nova sessão. A dor de cabeça passou a ser uma constante na minha vida. Quanto mais eu reclamava, mais Nara me lembrava: "É para seu próprio bem." Quinze dias depois, ao constatar a toalha manchada por gotículas de sangue, dei um basta. Ele, com uma lupa na mão, eufórico, implorava:

— Não faça isso, Erasmo. Logo agora que já estão nascendo alguns pelinhos você quer desistir? E a minha reputação, como é que fica? Tenho um nome a zelar — dizia, enquanto mostrava a todos o progresso que só ele via.

Não quis saber. Estava decidido e ponto final. Me descobrira ridículo fazendo aquele papel, apanhando daquele argentino sádico, gastando o meu tempo precioso, sofrendo com aquela tortura na cabeça e, ainda por cima, pagando uma nota preta por um elixir alemão que poderia ser simplesmente água. Ele foi embora me xingando e dando chiliques, frustrado pela popularidade que deixou de ganhar. Nunca mais ouvi falar dele, o que prova que seu método era fajuto.

Lembrei-me da imagem do meu pai falando a frase que ficou marcada na minha memória, apesar de nossa pouca convivência: "Você vai ser igual a mim, não pode fugir da genética." Nos anos 80, meus cabelos continuavam rareando. Já era possível notar a indesejável "coroinha" em início de formação, além do prolongamento da testa, que se acentuava cada vez mais.

Os implantes se tornaram cada vez mais populares e não se falava de outra coisa entre os calvos. Eram tufos cobrados em dólares tirados da região fértil e aplicados na área desejada. Meus amigos insistiam comigo para que eu fizesse parte do clube, mas sempre dei um jeito de sair pela tangente. Não gostava dos resultados, aquele cabelo delineado do implante, semelhante aos cabelos de bonecas.

Resisti firmemente a esse período de assédio da medicina especializada, quando alguns médicos se propunham até a fazer a primeira aplicação de graça. O cabelo grande ajudava a esconder a "coroinha" e a testa, mas mesmo assim o problema existia e me incomodava.

Minha preocupação maior deixou de ser a de encobrir a calvície e passou a ser a de não chamar a atenção sobre ela. A iluminação dos programas de TV e dos shows era ingrata e chapava a luz direto no alvo, provocando reflexos brilhantes que eu odiava. Comecei então a usar pilot preto, riscando várias vezes a região agonizante. Em seguida, com um lenço de papel ou algodão, espalhava os riscos até escurecer, disfarçando bastante. Ao ver esse procedimento no camarim, enquanto me preparava para participar do programa *Os Trapalhões*, Renato Aragão me alertou:

— Erasmo, meu camarada, não faça isso. O pilot é químico e vai estragar seu cabelo. Por que você não usa rolha queimada?

Jamais tinha pensado nisso. Gostei da ideia, seria muito mais saudável. Passei rapidamente a usar rolhas, encarregando meu secretário Alcides de jamais deixá-las faltar em minha bagagem pessoal. Inaugurou-se a Era da Rolha. Não bebíamos tanto vinho assim em casa, portanto a solução seria pegá-las nos bares e restaurantes aonde íamos.

Cada rolha rendia pelo menos dois shows. Mas nem todas serviam, pois havia um tipo de cortiça que queimava pouco e não dava cinzas. Com o tempo me tornei um especialista e só de olhar eu já sabia se ela seria aproveitável ou não. Um dia, ao chegarmos a Cuiabá para o show de inauguração de uma fábrica da Coca-Cola, constatei mexendo na minha bagagem:

— Alcides, só tem aquelas rolhas que não prestam. Preciso de uma nova.

Lá se foi ele atrás da dita cuja. Estranhamente, não havia nenhuma no restaurante nem no *room service* do hotel. Então, Alcides saiu alucinado pela cidade atrás de rolhas boas. Como resposta, só negativas. Vários quarteirões adiante da avenida principal, ele vislumbrou um botequim, entrou e fez a pergunta:

— Meu amigo, por um acaso o senhor tem rolhas?

O cara, desconfiado:

— Roooolha? Como assim?

E Alcides, sem graça:

— Rolha de vinho, de cachaça.

— A que tem é a garrafa do vinho, a cachaça é de chapinha.

Alcides insistiu:

— Eu queria eram rolhas avulsas. Todo botequim tem. Deve ter alguma sobrando aí. Se tiver eu pago.

Após mais uma negativa, cansado da procura no calor ferrenho de Cuiabá, Alcides tomou a decisão:

— Me vê então uma garrafa de vinho e um saca-rolhas, por favor.

Foi prontamente atendido. Abriu a garrafa, viu que a rolha servia, pagou e deixou o vinho intacto no balcão.

E houve a época da febre do "quatorze zero meia", telefone anunciado na TV para se adquirir produtos milagrosos com garantia absoluta. O amigo Miguel Falabella disse na época ser um comprador obsessivo das tais mercadorias. Eu também. Principalmente das facas Ginsu, que cortavam até prego sem perder a lâmina. Pois lançaram um spray que se anunciava como fazedor instantâneo de cabelo, segundo o efeito especial que o anúncio mostrava à exaustão na TV.

Fiquei louco! Pronto, acabaram-se meus problemas. Vou encomendar o estoque inteiro. Aproveitei uma estada em São Paulo e fui de táxi ao bairro de Santo Amaro, com o produtor José Carlos Marinho, que também sofria do mesmo problema, comprar in loco a maravilha. No dia seguinte,

Em 1972, na boate Flag, em Copacabana, numa apresentação da sua primeira turnê pós-Jovem Guarda: "Eu cantava sentado em cima do piano. Uma noite eu ouvi alguém dizer 'pô, como o Erasmo mudou'."

embarcaríamos para Maceió, onde toda equipe nos esperava para um show no hotel da Praia de Pajuçara.

Assim foi feito. Entrevistas, passagem de som etc. não me permitiram testar o spray antes. Consegui aplicá-lo apenas quase na hora da minha apresentação. Para quê? O negócio não era tão sensacional como eu via na propaganda da TV. Na verdade, mais parecia um colorjet daqueles que os grafiteiros e os pichadores usam para fazer sua arte ou pichar os muros. Era tinta preta pura em forma de espuma, que molhou os meus cabelos e começou a escorrer pelo meu cangote e pela minha testa se prolongando pelas costas e pela minha cara como se fossem lágrimas escuras.

Me olhei no espelho e o que vi era terrível. Sujei uma toalha inteira me limpando e não adiantou. Fui então para o chuveiro e enfiei minha cabeça embaixo d'água, manchando minha calça e meu tênis branco do show. Eu maldizia a experiência enquanto a produção me chamava aos berros. O espetáculo iria começar em quinze minutos. O chão do box estava coberto de tinta preta, e eu já usara todas as toalhas tentando me limpar. Pedi com urgência um secador e, com os cabelos secos, usei a boa e velha rolha, abandonando de vez e para sempre o spray "mágico".

Com o embranquecimento dos meus cabelos, o contraste com o preto tornou a rolha queimada inviável. Resolvi assumir de vez a minha calvície, com o respeito e a dignidade que ela merecia. Joguei fora todos os apetrechos que alimentavam minha ilusão e me senti livre. Nunca mais eu teria que aparentar o que não era. As lembranças do cabeleireiro Clemente, do pilot e da rolha ficaram no passado.

GRANDEZA CONFIRMADA

Chico Buarque foi intimado por mim certa vez a ir lá em casa. Era 1972, eu estava recém-casado com Narinha, morando no Leme. Confessei a ele que teríamos o maior prazer em dar-lhe uma surra... de totó. Eu e Narinha, jogando em dupla ou separados, éramos imbatíveis e vivíamos caçando adversários. Nosso "estádio", o Colosso do Tremendão, tinha uma decoração cuidadosamente feita por mim, com propagandas recortadas das revistas. O placar eu mesmo construíra, com uma armação de papelão e cartolina. A lista de amigos que sucumbiram ao poderio das nossas táticas ofensivas e à nossa raça era enorme: Fagner, Hyldon, Luis Vagner, Waly Salomão, Tarso de Castro, Bráulio Pedroso, Reginaldo Faria, Ornella Vanoni e muitos outros.

Chico chegou sozinho e logo na entrada do apartamento já me sacaneou:

— Pô, Erasmo. Você e Roberto, lá na Record, eram mais velhos do que eu. Como é que agora vocês estão mais novos?

Ele brincava com o fato de uma reportagem da época afirmar que Roberto e Erasmo nasceram em 1945, quando na verdade somos de 1941. Ou seja, pela revista, éramos um ano mais novos que ele, que é de 1944.

Chegara a hora do totó. As camisas originais dos jogadores eram de Vasco e Flamengo, mas Chico foi logo anunciando que na hora que ele jogasse imaginaria as do Fluminense no seu time. As partidas seriam de dez gols, e cada um jogaria uma partida com os outros dois. Quem fizesse mais pontos seria o campeão do primeiro turno. Depois, repetiríamos os jogos para definir o vencedor do segundo turno. Os dois disputariam a final. A bola era de pingue-pongue e não valia rodopiar os bonecos. Sorteamos a ordem dos jogos e começamos.

Não sei o que deu em mim, que estava lento. Chico me surpreendeu e começou arrasador, fazendo um gol atrás do outro. Venceu a mim e a Narinha, e eu perdi para ela o terceiro jogo. Minhas jogadas ensaiadas não davam certo, os dribles não saíam, o goleiro falhou e até uma jogada mortal que eu preparara pelas pontas não funcionou. Restava para mim e Narinha vencermos o turno seguinte, para um ou outro disputar a final com Chico. Eu, que antes me gabava de massacrar os adversários, agora emudecia. Onde estaria a determinação? E a atitude? Eu teria que reagir. A torcida imaginária clamava por isso.

Começou o segundo turno e o desastre foi maior. Mergulhei meu dedo no copo de uísque e passei na boca dos meus bonecos para dopá-los, mas não adiantou. Chico ganhou todas e foi o campeão da noite. Ainda ouvimos o LP *Sonhos e Memórias: 1941-1972*, que eu acabara de gravar na Phonogram. Ele gostou muito, principalmente da frase "Quero me enforcar nos seus cabelos", da música *Sábado Morto*.

Algumas semanas depois, estrearia meu primeiro show pós-Jovem Guarda no Rio de Janeiro. Seria na boate Flag, lendária casa em Copacabana que estava bombando com *pocket shows* de grandes nomes da MPB. Eu e Narinha já tínhamos visto o de Nara Leão e naquela noite iríamos assistir ao último da temporada de Jorge Ben. Na semana seguinte, começaria o meu. As produções eram do Tarso de Castro, com quem nos sentamos para jantar, após o show de Jorge, no restaurante que ficava no subsolo.

O papo rolava animado, descontraído e bem-humorado. Num certo momento, alguém surge na escada e diz:

— Tarso, corre aqui que tem uma confusão com o Chico Buarque.

Tarso saiu atropelando tudo. Fui atrás. Lá em cima estava um alvoroço só. Várias pessoas falavam ao mesmo tempo e gesticulavam entre as mesas da casa. Chico dizia algumas palavras que não consegui ouvir. Mas, ao me ver, pegou o microfone e desabafou:

— Erasmo, estão matando gente! Isso não pode acontecer Erasmo... Estão matando gente!

Tarso e alguns amigos levaram Chico para longe dali e os ânimos foram se acalmando. Só então perguntei a um garçom o que estava acontecendo. Ele me respondeu:

— É que o seu Chico se recusou a dar autógrafo para um "milico". O cara não gostou e soltou os bichos.

Tempos depois, Chico me diria que estava bravo naquele dia porque na manhã seguinte iria depor no Departamento de Ordem Política e Social

(DOPS). Admirei a coragem daquele compositor que, de peito aberto, enfrentava a opressão imbecil que assombrava o país, usando somente as palavras como arma.

Teria outras oportunidades de confirmar a grandeza de Chico. Como em 1974, quando fui massacrado por parte da imprensa quando lancei *Cachaça Mecânica*, meu grande sucesso naquele ano. Fui acusado de plagiar *Construção*, clássico de Chico, o que me magoou bastante. Minha inspiração para a música veio do processo autodestrutivo do personagem do filme de Stanley Kubrick, *Laranja Mecânica*, que transpus para a realidade do carnaval carioca.

Os críticos citavam as semelhanças entre as duas canções, enfatizando o meu "roubo". Ambas eram sambas tensos, em tom menor e contavam uma fábula do povão com o personagem morrendo no final. O lendário colunista José Carlos de Oliveira, do *Jornal do Brasil*, escreveria: "O que Erasmo Carlos fez na verdade foi intuir um gênero do qual o poema de Chico não é o fundamento, e sim, a continuação." O operário de Chico beija a mulher e sobe no edifício sabendo que vai cair, e o meu anônimo, de maneira similar, procura na cachaça a morte que sabe inevitável. Carlinhos Oliveira prosseguiria, citando o compositor Paulo Vanzolini, que muitos anos antes fizera *Cravo Branco*, também dentro da mesma estrutura.

Mas o que Chico teria a dizer sobre tudo isso? Seria plágio na opinião dele? Era a pergunta que não queria calar no meu pensamento. Perguntei então ao meu guru André Midani, que me tranquilizou com seu sotaque franco-sírio:

— Que é isso, *minino*. O Chico não está nem aí para as fofocas. Não ligue não, deixe os desinformados falarem e siga sua vida.

Tenho o inenarrável orgulho de fazer parte dos artistas brasileiros listados na canção *Paratodos*, de Chico. Lá estou eu, no meio deles, feliz pra caramba:[17]

Viva Erasmo, Ben, Roberto
Gil e Hermeto, palmas para
Todos os instrumentistas
Salve Edu, Bituca, Nara
Gal, Bethânia, Rita, Clara
Evoé, jovens à vista

A SAGA DO ARROZ-DOCE

Em março de 1973, Nara engravidou. Milhões de comemorações, parabéns, uma alegria sem fim. Seria meu primeiro filho e, é claro, eu estava radiante, querendo viver cada minuto do processo, me desdobrando de corpo e alma para que ela se sentisse como uma rainha. Era a mulher que eu amava em sua plenitude.

Lembrei que, no início do casamento, Narinha havia me dito:

— Desejo na gravidez não existe. É pura frescura.

Na época, fiquei chocado. Para mim, eternamente interessado no universo feminino, os desejos eram mais que reais. Desde criança, ouvia falar que "fulana de tal teve desejo de comer telhas e o marido, desesperado, teve que satisfazê-la, retirando algumas do telhado da própria casa". Todas as pessoas que eu conhecia tinham "causos" desses para contar, e o assunto me fascinava. Eu considerava os desejos de grávida algo muito sério. Fiquei desconcertado quando ouvi o contrário da minha própria mulher, que já tinha um filho.

Minha mãe contava que, na Bahia, uma mulher grávida teve desejo de comer... cocô. A Paula Toller me disse que comia gelo. A irmã da minha arrumadeira Ana chorava, querendo ração de sabiá. Minha nora Danielle não dispensava um "apetitoso" sabonete. Minha cozinheira Rosângela se entupia de melancia com pimenta, para vomitar em seguida.

Livre de desejos estranhos de Narinha, segui acompanhando o crescimento de sua barriga. Um mês, dois meses, três meses...

Comecei a compor uma canção baseada no milagre da fundição de nossos corpos e nossas mentes que possibilitaria sermos uma só pessoa. Inspirado nos momentos mágicos dos dias lindos que desfrutávamos, eu trabalhava todas as noites no ambiente tranquilo do meu escritório, enquanto no quarto ao lado Narinha lia ou assistia televisão. De vez em quando eu ia até lá, fazia um afago e beijava sua barriga.

Numa noite em que a chuva, o frio e o vento açoitavam a nossa janela, valorizando nosso aconchego, ela surgiu na porta e, dengosa, disse:

— Meu bem, estou com desejo de comer arroz-doce.

Zóinnnnnnn! Desafinei o acorde do violão na hora, mas me tranquilizei, em seguida, ao me lembrar das suas palavras convictas, afirmando serem frescura esses desejos. Balancei a cabeça positivamente e respondi:

— Que bom, você precisa mesmo se alimentar. Amanhã peço para a cozinheira fazer.

E voltei para minha música, quando sua voz soou mais firme:

— Meu bem, você não está entendendo. Quero comer arroz-doce agora e não é um arroz-doce qualquer. Quero aquele de padaria que eu comia em Porto Alegre quando era menina.

Tentei argumentar apelando para o mau tempo que fazia, mas não adiantou. Ela já estava com água na boca e pronto. Tinha que me virar. O tal arroz-doce a que Narinha se referia era de um tipo tradicional vendido nas leiterias e padarias. Vinha numa tigelinha de vidro, com cravo-da-índia para dar gosto. Quando o progresso decretou o fim das leiterias e a modernização das padarias, a gostosura foi rareando até sumir totalmente.

Naqueles dias, ainda era possível encontrá-la na lanchonete do aeroporto Santos Dumont. Desci para pegar meu carro quando dei de cara com o porteiro Manoel, que só me chamava de "seu Arasmo" e contei-lhe da minha missão. Ele, que era muito prestativo, ficou aflito, já imaginando a dificuldade que eu teria para encontrar o doce às duas da madrugada. Querendo me agradar, sugeriu:

— Não serve outro doce?

— Não, *Manel*, só serve o arroz igualzinho ao que ela comia em Porto Alegre — respondi secamente.

Ao chegar ao aeroporto, decepção. A lanchonete estava fechada. O pior é que eu via as tigelinhas pelos vidros grossos do freezer, mas não podia fazer nada. Tentei pedir ajuda a um funcionário. Não adiantou, pois só os donos tinham a chave. Pensei até em arrombar os cadeados e ressarcir o prejuízo no dia seguinte, mas o bom senso me impediu.

O jeito seria tentar a Lapa, onde ainda existiam botequins e restaurantes com resquícios dos anos 50. E lá fui eu... O tempo chuvoso, as ruas desertas e o barulho do limpador de para-brisa — *slap, slap, slap* — aumentavam minha angústia e impaciência. Eu rodava obstinado pela Lapa, vasculhando cada canto. O resultado foi nulo. Como seria também no Catete, no Flamengo, Humaitá, Botafogo e em Laranjeiras. O papo era sempre o mesmo:

— Companheiro, tem arroz-doce?

— Não — respondia alguém. — Temos pudim, tortas, goiabada com queijo, fios de ovos e frutas da época.

— Obrigado — eu respondia, desolado.

E arrancava com o carro. Já eram quatro da matina e me lembrei do beco da Fome, na avenida Prado Junior, no Leme, onde eu morava. Voltei para lá, certo de que finalmente encontraria o doce. Mais uma vez, porém, a busca foi em vão. Resolvi então desistir da empreitada e ir para casa, chateado por não ter encontrado o arroz-doce. No caminho, não pude disfarçar meu abatimento: eu falhara na minha missão, era um Hércules que não abateu a Hidra, um Neil Armstrong que não pisou na Lua.

As superstições da minha avó me vieram à cabeça:

— Se não satisfizerem o desejo de uma grávida, a criança nasce com a boca aberta e fica assim para o resto da vida.

Cheguei em casa arrasado e, enquanto desligava o carro na garagem, desabafei com Manoel:

— Pois é, Manel, procurei o Rio de Janeiro inteiro e não achei o doce.

Ele abriu a porta do elevador com uma expressão galhofeira, e disse:

— Não vai ter problema, seu Arasmo. Garanto que a dona Narinha vai entender e perdoar o senhor. Há, há, há.

Tentei continuar:

— É que a essa hora ficou difícil.

Com o elevador subindo, ainda ouvi ele dizer:

— Não esquenta, seu Arasmo. Uma boa noite para o senhor e para a dona Narinha.

Assim que abri a porta, antes de poder explicar a extensão e o fracasso da minha saga, deparei-me com Narinha sentada na cabeceira da mesa de jantar, comendo de colher alguma coisa numa imensa tigela. Ao me ver, exultou:

— Meu bem, você não sabe o que aconteceu assim que você saiu. A Maria, mulher do Manel, telefonou para cá dizendo que fazia questão de matar meu desejo e fez arroz-doce para mim. Eu disse que você foi comprar, mas ela insistiu tanto que aceitei.

A reação que tive na hora foi argumentar:

— Mas você não falou que queria aquele arroz-doce de padaria igual aos de Porto Alegre?

— Sim, mas você demorou tanto! Parece até que foi plantar o arroz, colher a cana para refinar o açúcar, tirar o leite da vaca e catar o cravo-da-índia para fazer o arroz-doce. Quase que o bebê nasce e nada de você chegar.

Encarei com bom humor aquelas palavras, um pouco injustas para um marido cuja intenção era simplesmente agradar, mas não me fiz de vítima. O bom cabrito não berra! Optei então por contemplar aquela visão de mulher grávida, no esplendor da sua existência, brincando de saborear seu desejo. Eu já não queria saber se era frescura, travessura ou falta de vitaminas. O importante era aproveitar aquele momento, vivendo os sentimentos exatos que eu queria transmitir na música que estava compondo.[18] Fiquei com desejo também. Por que não? Peguei uma colher e sentei-me a mesa para juntos degustarmos o arroz-doce.

O SAUDOSO TIÃO

Em 1973, minha cabeça era uma fábrica de planos. O sonho da felicidade morava comigo e com Narinha e eu me sentia um guerreiro do bem, destemido em busca de realizações. Vivia a fase hippie e ansiava por aquele mundo igualitário, sem guerras, que a "neovelha" filosofia decantava. Narinha, já com um filho de 7 anos e grávida, me mostrava a sequência da vida, dando-me a fé que eu precisava para remover minhas montanhas.

Com a venda da casa de São Paulo, eu havia conseguido um bom dinheiro e tinha como próximo objetivo comprar um sítio ou uma chácara, não muito distante do Rio, em que pudéssemos ter árvores frutíferas, cachorros, um campinho de futebol, piscina etc. Um lugar em que meus filhos pudessem correr livres, onde se ouvisse uma orquestra de passarinhos e que ficasse, logicamente, perto do mar, pois não vivo sem o saudável cheiro da maresia.

Contratei um corretor e lhe pedi que procurasse algo assim, enquanto eu e Narinha pesquisaríamos pelos jornais alguns preços e pediríamos indicações aos amigos. Alguns dias depois, o corretor me ligou entusiasmado:

— Erasmo, encontrei um lugar maravilhoso. Fica no Recreio dos Bandeirantes, tem 102 mil metros quadrados e o dono está com pressa de vender.

— Cento e dois mil metros quadrados? Desiste bicho, deve ser uma fortuna e não posso pagar.

— Pode sim, vamos lá ver — insistiu ele.

No dia seguinte nos encontramos e fomos conhecer a "terra prometida". No finalzinho da avenida das Américas, antes de subir a serra da Grota Funda, olhando para a esquerda, o vendedor falou:

— Tá vendo esse imenso vale? É aqui!

Não acreditei no que vi. O lugar, incrível, abrigava uma área verde extensa a perder de vista. Lindo e sereno, uma pintura da natureza. O paraíso era perto do mar e junto às montanhas. O corretor continuava:

— É uma pechincha. O homem está louco para vender. Já existe uma casa construída, a papelada está em ordem e ele quer somente 600 mil à vista.

Meus olhos brilharam e meu coração bateu mais forte, sabedores de que a grana da casa de São Paulo dava para comprar aquele sonho rural e praiano. Tudo o que aconteceu no resto do dia aumentou ainda mais minha utopia: Narinha adorou o lugar, nosso filho Gil também e até o Phillips, nosso cachorro hippie, abanou o rabo, concordando.

Logo na entrada, situada na estrada do Pontal, fomos recebidos por cabras montanhesas que estavam no alto de uma formação rochosa que existia no lugar. Na minha imaginação, vi uma horta e um galinheiro que nos abasteceria com ovos fresquinhos. Já ouvia até o som que vinha do estúdio de gravação que eu inevitavelmente teria e, quem sabe, de outras casas que construiríamos para abrigar nossas famílias. Moraríamos todos juntos em perfeita harmonia. Na volta para casa, um lampejo me fez anunciar:

— O lugar vai se chamar Rancho de Deus.

Alguns dias depois, marcamos um encontro para fechar o negócio. Seria no meu apartamento no Leme, com a presença das partes envolvidas. O proprietário morava em Petrópolis, era meu fã e fazia gosto de me vender o terreno, que ele chamava de Futuro do Rio. No dia D, o corretor me ligou apavorado:

— Erasmo, meu querido, sinto muito, mas tenho uma péssima notícia. O homem cancelou o negócio!

Eu senti meu castelo desmoronar:

— O quê? Como assim? Já estou com o cheque administrativo da Caixa Econômica na mão! Isso não se faz. O que vou dizer para minha família?

Sem resposta do outro lado da linha, prossegui:

— Por que ele fez isso?

— É que ele conhece umas garotas de programa que são amigas do Tim Maia e papo vai, papo vem, o sujeito comentou que estava vendendo um terreno para você. Elas contaram para o Tim e ele não pestanejou: "Digam para o seu amigo não fazer isso. Sei de fonte limpa que o Erasmo Carlos está fodido. Não tem onde cair morto. Está devendo a todo mundo, com o nome sujo na praça e o caramba. Pediu até dinheiro emprestado para o Roberto Carlos e ele não deu." Elas telefonaram para Petrópolis, deram a bombástica notícia e, sabe como é, o proprietário se assustou e vendeu o terreno para outra pessoa.

Levei um tempão para digerir aquilo até que, alguns meses depois, dei de cara com o Tim na porta do Cineac Trianon, na avenida Rio Branco. Ressentido, desabafei:

— Ô bicho, como é que você me apronta uma dessas, fazendo minha caveira com suas putas e destruindo o meu negócio?

Meio sem graça, ele abriu um sorriso amarelo e me desarmou:

— Ô Erasmo Carlos, não fica brabo não. É que elas estavam exagerando, porra. Numa suruba comigo, diziam que queriam dar para você! Aí pensei: "Que saco! Vou sacanear aquele filho da puta porque assim elas param de pensar nele e dão gostoso para mim."

Nada vindo dele me surpreendia. Dois anos depois, em 1975, ele me mandaria um exemplar do livro *Universo em Desencanto*, com a dedicatória:

"Sr. Erasmo Carlos:

Até os mais desacreditados e desbundados como você vão se imunizar. Basta somente ler e reler o livro *Universo em Desencanto: A Origem da Humanidade*. Leia com atenção e não dê opiniões antes de terminar de ler o livro todo. Assinado: Racional Tim Maia, antes louco, agora careta."

"Desacreditado" e "desbundado" eram apenas alguns exemplos do tratamento que o velho Tião dispensava a mim, com seu jeito ingênuo e carinhoso, mas também desconfiado e explosivo. Tudo ao mesmo tempo. Suas emoções se mostravam claras, comigo ele sempre foi aberto e franco. Eu entendia esse seu jeito de demonstrar amizade. Por eu ser filho único, me chamava de "cafetão da mãe". Sempre me jogava na cara os acordes de mi, lá e ré que ele me ensinara no violão quando dávamos nossos primeiros passos na música. Falava que eu não passava de um "branco comercial" por, na opinião dele, fazer mau uso desses acordes nas minhas composições. As músicas que eu fazia, Tim acusava, eram uma merda, apesar de, admitia, serem merdas benfeitas.

Nosso primeiro contato, na infância, já prometia. Ele entregava marmitas da pensão de seus pais, seu Altivo e dona Maria, na casa onde eu morava. Ficávamos sempre aflitos com a demora da marmita, atraso nada raro. Afinal, além da fome, todos tinham horário rígido para almoçar e ir trabalhar, ou estudar. Reclamava-se na pensão e o problema não se resolvia.

Decidi dar um basta naquilo e fui atrás do Tião marmiteiro. Fiz o mesmo caminho que ele fazia, só que ao contrário. Não foi preciso procurar muito. Logo depois da primeira esquina, na praça Afonso Pena, em frente ao America Football Club, lá estava o folgado carinha de pau. Todo suado, descansava, dando um tempo na pelada de rua, comendo os pastéis e bebendo a sopa das marmitas que iria entregar, inclusive as da minha casa.

Quando reclamei, ele surgiu com um ferro pontiagudo em suas mãos, e a correria começou. Ele atrás de mim, possesso, esbaforido e me xingando. Cheguei em casa apavorado, e ele ficou do lado de fora, me jurando de porrada. Quando soube, seu Altivo, seguindo o lema de que "o freguês tem sempre razão", colocou o filho de castigo por um bom tempo.

Castigos não funcionavam muito com Tim, que não tinha limites. Cansei de receber ligações dele que começavam com sua gravação de *Descobridor dos Sete Mares* em volume altíssimo, enquanto sua voz berrava:

— E aí seu puto, tá ouvindo? Isso é que é som, vê se aprende a fazer!

E meia hora depois:

— Agora, Erasmo Carlos, você vai ouvir o som do amor que as gatinhas estão fazendo comigo — e vinha o flaft, floft, flaft, floft.

Um dia lhe contei sobre minha passagem pela Holanda com Narinha, em 1972. Na ocasião, vimos prostitutas belíssimas se exibindo em vitrines nas ruas de Amsterdã, assistimos a um show de sexo ao vivo, experimentamos cocaína e haxixe na casa de uns amigos brasileiros — já fumava maconha socialmente, droga que conheci só nos anos 70, pois na época da Jovem Guarda não usávamos nada — e ficamos chocados e tristes com a visão decadente de usuários de drogas deitados no chão de uma praça local. Seu comentário foi:

— Pô, terrazinha boa essa, hein?

A ternura vinha forte quando lembrávamos nossa infância e adolescência. Falávamos das famosas festas de "Maria Cebola" (referência às histórias em quadrinhos do personagem Ferdinando Buscapé, de Al Capp), nas quais as mulheres é que tiravam os homens para dançar. Lembrávamos também das festas juninas, na vila Matoso, quando dançávamos quadrilha vestidos de caipira, tomávamos porre de fogo paulista e ficávamos ouriçados para dançar músicas lentas, não com as meninas da nossa idade, mas com algumas moradoras sacanas que disfarçadamente permitiam um "mela-cueca". Recordávamos também como assinávamos as cartas que trocávamos quando, em 1959, ele foi estudar televisão nos Estados Unidos. Na correspondência, éramos Tim Jobim e Erasmo Gilberto.

Quando a turma da Tijuca descobriu que ele era sensível a brincadeiras macabras, o pobre do Tião não teve mais sossego. Um fingia ser atropelado correndo de encontro ao bonde que vinha em alta velocidade no sentido oposto. Outro fazia o truque do cigarro aceso dentro da boca, que o deixava apavorado. Eu deitava e rolava. Encostava uma gilete na minha jugular, fazia pressão e fingia dar um corte:

— Erasmo, não faz isso, meu irmão. Não posso ver sangue — suplicava ele, aterrorizado.

Um dia, quando íamos de trem jogar futebol num subúrbio do Rio (ele não jogava, mas fazia parte da torcida), Tião se surpreendeu ao me ver pendurado ao sabor do vento, com o corpo totalmente fora do vagão em movimento, seguro apenas por uma das mãos e gritando:

— Adeus, Tião, adeus!

Suando frio, ele começou a passar mal no trem, sendo acudido por nós mesmos, enquanto eu me desculpava cínico:

— Pô Tião, você não aguenta brincadeira. Parece até mulherzinha!

Ele deu o troco em dezenas de oportunidades ao longo da vida. Como em 1980, quando gravou comigo *Além do Horizonte* para o meu disco *Erasmo Carlos Convida*. No estúdio, implicou com as palmas do grupo de umas vinte pessoas que marcavam o ritmo da música. Insistiu que uma delas estava atravessada. Todos ficaram tensos e as sessões foram se repetindo, sempre com ele apontando o mesmo erro. Já exaustos, depois de inúmeras tentativas, eu e o produtor Jairo Pires cobramos:

— Tim, assim não é possível. Diga logo quem está atravessando, porque não estamos percebendo nada!

Foi quando ele, com um sorriso sacana nos lábios, nos surpreendeu:

— Ninguém está atravessando nada, meus nobres colegas. É que eu gosto de ver cada um ficar sem graça pensando que é ele que está errando.

Saudades. Em 2000, gravei uma "carta musical" para ele, que deve ter ouvido onde quer que estivesse. Só não assinei "Erasmo Gilberto":[19]

Tim
Por que você foi embora?
Um pouco fora de hora
Nem ao menos se despediu

DE NOITE, NA CAMA

Sempre que pintava a oportunidade, era bom poder ter a companhia de Caetano Veloso. Pouco tempo antes, durante seu exílio, nosso contato se resumiu a uma fita — mas que fita!

Por meio de Manoel Barembein e André Midani, eu havia pedido uma música a ele. Quando chegou a fita, imaginei: "Pô, o cara lá em Londres, no exílio, longe do cheiro da terra natal, da sacanagem dos amigos, do beijo da mãe, conseguiu uma brecha na solidão, anestesiou as mágoas e fez uma música para mim."

De Noite na Cama encantou a todos de imediato. Tinha uma levada samba-rock e, de cara, comecei a imaginar o arranjo com berimbau. Sua execução na fita demorava bastante, pois ele cantava várias vezes com seu violão, insistindo sempre para que eu seguisse à risca a inversão das palavras no refrão.

Primeira vez:

De noite na cama, eu fico pensando
Se você me ama e quando
Se você me ama, eu fico pensando
De noite na cama e quando

Segunda vez:

Se você me ama eu fico pensando
De noite na cama e quando
De noite na cama eu fico pensando
Se você me ama e quando

Para aprender a música mais depressa, deixei o gravador ligado na hora de dormir. Enquanto o sono não vinha, eu ouvia e voltava a fita, ouvia e voltava a fita, ouvia e voltava a fita... Num dado momento, um cochilo me pegou e me levou para aquele estágio entre o sono e a realidade, quando a gente pensa que está acordado, mas não está. A fita continuou e comecei a ouvir ruídos e vozes, seguido de pequenos silêncios, e de novo vozes, silêncio... De repente: cataplóct, baimmmm. Um ruído mais forte me fez despertar abruptamente e ouvir uma voz não identificada (tenho quase certeza de que era Jards Macalé, mas ele não lembra):

— Ih, vocês deixaram o gravador ligado. Erasmo vai ouvir tudo!

De volta do exílio, Caetano me visitou com Dedé, Maria Bethânia, Waly Salomão e mais umas quinze pessoas. Comemos a geladeira inteira, bebemos tudo e cantamos muito até o Sol raiar. Me lembro que Narinha, Vera Manhães, Antônio Pitanga e eu choramos de rir, com uns goles a mais, achando que Caetano se referia a nós quando cantava, em *Você Não Entende Nada*:

Eu quero tocar fogo neste apartamento
Eu quero ir embora
Eu quero dar o fora...

ROMANCE NA LAGOA NEGRA

As viagens com Narinha eram inesquecíveis. Mas algumas mais inesquecíveis que outras. Como aquele fim de semana na lagoa Negra...

Do começo: Em 1974, convidaram algumas personalidades para compor o júri de um festival universitário em Goiânia, o IV Comunica — Som. Como não havia verba disponível para cachês, a produção do evento ofereceu em troca um fim de semana na Pousada do Rio Quente, em Caldas Novas, Goiás. Seria um descanso muito bem-vindo, num lugar maravilhoso e com mordomia total.

Pelo visto, muita gente estava precisando de umas feriazinhas. Eu e Narinha aceitamos o convite logo de cara, assim como os jornalistas e mestres Millôr Fernandes, Jaguar, Cora Rónai, o gordo amigo e ator Ângelo Antônio, a hilária sambista Miriam Batucada, o diretor Herval Rossano e as atrizes Bibi Voguel e Françoise Forton.

No dia do festival, no Cine Teatro Goiânia, o público lotava todos os espaços disponíveis, inclusive o palco. Grupos com faixas e cartazes explicitando suas preferências aumentavam a acirrada disputa que, embora amadora, seguia a fórmula dos famosos festivais da TV Record, da Excelsior e da Globo no final dos anos 60. As influências se tornavam visíveis entre os intérpretes. Identificávamos o estilo de *Arrastão*, também o de

Disparada. Lá estava *A Banda* e, por que não, *Alegria, Alegria*. Eu entrei no clima e, ao ver uma cantora insinuar um movimento de hélice com os braços, soltei:

— Olha aí, gente. A Elis Regina também veio!

No auge da disputa, surge um cantor magro, sem camisa, com o rosto pintado, cantando em falsete e se requebrando todo. Foi aí que Millôr sentenciou:

— Como já temos o Ney Matogrosso, esse só pode ser o Ney Goiás.

De lá seguimos para a pousada, naquela época ainda pouco badalada, com estrutura modesta e escassos turistas (bem diferente do complexo hoteleiro que é hoje). Oferecia ar puro, fauna e flora exuberantes, piscinas naturais de águas cristalinas e com efeitos medicinais.

Nossa rotina se limitava ao farto café da manhã, banho nas águas curandeiras, almoço, bate-papo regado a birita na beira da piscina, jantar, papo-saideira e... cama. Ângelo Antônio, que também era cantor, compositor e professor de violão, cantava e acompanhava Miriam Batucada que, batendo nas mãos, encerrou as noitadas nos brindando com seus sambas de breque engraçados.

Na última noite da nossa estadia, é claro que já estávamos de saco cheio de tanta paz e, após o costumeiro papo-saideira, fomos todos dormir. Só que na madrugada, entre um afago e outro na mesmice do nosso quarto, propus para Narinha:

— Meu bem, vamos ficar juntinhos lá na lagoa Negra (nome que eu dera para um dos lagos, em alusão ao filme *O Monstro da Lagoa Negra*).

— Vamos — respondeu ela, com a mesma vontade que eu estava.

O hotel dormia, tudo estava deserto e só ouvíamos o som dos grilos, das cachoeiras artificiais e das aves noturnas. O curto caminho pareceu muito longo naquela hora. Quando chegamos ao recanto, quase não tinha luz, mas dava perfeitamente para ver a fumaça que saía da água quente, iluminada pelo luar. Nesse cenário, nos amamos.

— Aqui não se pode fazer safadeza, não! Aqui é só para tomar banho — disse alguém, subitamente.

Quem seria aquele chato que interrompia o nosso pós-êxtase, falando com sotaque da terra e invadindo nossa intimidade com a luz inconveniente de uma lanterna na nossa cara? Como ele ousava interromper um momento tão sublime?

— Aqui é lugar de família e não de pouca vergonha. Vou chamar o gerente.

Só então me dei conta de que se tratava do segurança da pousada que, inflexível, não estava nem aí para a nossa felicidade. Ainda tentei argumentar dizendo que apenas tomávamos banho, mas o homem não quis nem ouvir e sumiu no breu da escuridão. Devo dizer que eu e Narinha morremos de rir com o flagra. Valeu a pena, pois fizemos nossa noite feliz.

O segurança fez a queixa e nós negamos tudo, jurando inocência. O gerente se desculpou e fomos embora no dia seguinte contando a aventura para os amigos. A coisa vazou para os jornais de Goiânia e até no Rio saíram notinhas maliciosas.

Tempos depois, ao dar à luz nosso filho Leonardo, Narinha me diria, felicíssima:

— Ele foi feito naquela noite de amor na Pousada do Rio Quente.

P.S. para os amigos Millôr e Jaguar: peço desculpas pela péssima filmagem que fiz da gente em Super-8. As cenas saíram todas desfocadas. Mas dá para ouvir as risadas.

A COBRA DO ALICE

Naquele ano de 1974, fui apresentado ao tal "rock espetáculo", ou seja, aquele que vem acompanhado da mise-en-scène de luzes mirabolantes, lasers, efeitos especiais, fumaças coloridas, rostos pintados e outros elementos teatrais. No caso de Alice Cooper, que fui ver com Narinha no Canecão, o aparato incluía ainda serpentes, com as quais o espírito brincalhão carioca aproveitou para fazer piadinhas maldosas.

Eu preferia shows mais simples, onde toda a minha concentração se voltava para o som, que era o que realmente me interessava. Mas sabe como é, né? Novidades sempre são boas de se ver.

Havia outro motivo para eu ir lá. Na época, os músicos brasileiros tentavam adquirir instrumentos ou aparelhagem de qualquer estrangeiro que viesse aqui, pois no governo Médici, com a inflação à beira da loucura e o dólar pela hora da morte, as importações se tornaram impossíveis para o bolso da moçada. Alguns gringos deixavam sempre um baixo, uma guitarra, um amplificador por aqui, por preços acessíveis.

Vimos o show com olhos e ouvidos de aprendiz. No final, gostamos muito. Encontramos o DJ Big Boy e sua mulher, Lúcia, que também deram opiniões favoráveis.

Com as luzes do Canecão acesas, começamos a identificar vários grupos de amigos e a ouvir variações da mesma piada:

— Agora é que a Alice vai engolir a cobra.

— Ai, ai, que cobrinha linda.

— Olha a cobra da Alicinha.

Na verdade, era a androginia e o glitter assustando as pessoas, tão mal-acostumadas a manifestações de liberdade, devido à praga da ditadura. O nome Alice num homem mais a cobra eram um prato cheio.

Manifestei a Big Boy o desejo de comprar algum instrumento da banda. Ele prontamente se ofereceu para traduzir e intermediar, pois eu não falava bulhufas de inglês. Fomos para os camarins e, quando me dei conta, no meio da confusão geral, Big Boy me apresentava como um *hitmaker*, fazendo comparação da dupla Erasmo e Roberto a Lennon e McCartney. Alice, já de cara lavada, apertou minha mão, receptivo. Sobre os instrumentos, rapidamente respondeu que seria impossível, pois estavam em turnê e precisariam deles.

Com o papo praticamente encerrado, todos olharam para mim, esperando que eu dissesse algo. Encurralado, falei o que me veio na hora:

— Pergunte se ele sabe sobre as piadas maldosas que rolam na cidade sobre as cobras.

Um silêncio se abateu sobre nós por alguns segundos. Nara e Lúcia se entreolharam. Big Boy fez cara de quem estava numa sinuca. Vai que o sujeito não tem fair play e se ofende? Depois de meditar, Big Boy virou para o Alice e disse alguma coisa em inglês.

Qual não foi minha surpresa quando Alice levantou os braços, soltou um sonoro "good" e, em seguida, me abraçou.

Quando nosso grupo saiu do camarim e passou pela plateia já quase vazia, comentei:

— O cara é legal. Entendeu numa boa o humor carioca.

Foi quando Big Boy, com a serenidade de sempre, pôs a mão no meu ombro e confessou:

— Pô, Erasmo, não foi bem assim. Fiquei sem graça de traduzir aquilo. Disse que você também iria usar um bicho nos seus shows, só que seria uma iguana.

QUEM GRAVOU 'BLUEBERRY HILL'?

Esse era o Big Boy. Conheci-o em 1957. Ouvia sempre no rádio: "Vocês acabaram de ouvir *Sleep Walk,* com Santo & Johnny, gentileza do ouvinte Newton Duarte", ou "Vocês vão ouvir agora *Johnny B. Goode*, com Chuck Berry, gentileza do nosso ouvinte Newton Duarte".

Eu nem sonhava com a vida artística, porém já começava a tomar forma dentro de mim o embrião do que seria minha paixão maior, o rock and roll. Um dia lá se foi o fã Erasmo Esteves visitar o estúdio da rádio Metropolitana, na rua do Riachuelo, no Rio, e qual não foi minha surpresa ao encontrar o gentil ouvinte Newton Duarte! Ele estava lá com mais uma leva de discos para emprestar à rádio. Conversamos bastante, trocando ideias sobre músicas, e Newton me confessou que, por cortesia de várias aeromoças e comissários, ele conseguia discos importados. Sabendo do hit parade pela revista *Cash-Box*, da qual era assinante, ele adiantava o dinheiro e a aeromoçada trazia. Tinha quase um exército fazendo isso.

Nos despedimos e não nos vimos mais por um bom período. O tempo passou e fomos desenvolvendo nossas carreiras. Virei cantor e compositor, acrescentei Carlos ao meu nome, gravei discos, veio a Jovem Guarda e a fama. Ele, de simples fornecedor de sucessos internacionais, se tornou programador da rádio Mundial, até se transformar no lendário e explosivo DJ Big Boy, que revolucionou a postura radiofônica na época, com suas intervenções personalíssimas. Ele falava no rádio num tom de voz elevado, beirando o grito, com gírias e chavões que o transformaram no preferido da juventude descolada do Rio. Seu cartão de visitas era a imbatível saudação "*Hello, crazy people*", que ainda hoje ecoa no subconsciente de todos nós.

Nesse período, nos encontrávamos, às vezes, na discoteca da rádio Mundial e batíamos demorados papos sobre Elvis, Beatles e rock em geral.

Tínhamos uma brincadeira peculiar. Ao nos vermos, logo um desafiava:

— Quem canta *Stagger Lee*?

E o outro respondia:

— Lloyd Price.

Aí era a vez do segundo perguntar:

— E *Way Down Yonder in New Orleans*?

O primeiro respondia:

— Freddy Cannon.

E assim íamos, sob o olhar das pessoas em volta, que não sabiam quando terminaria aquele lenga-lenga. Só valiam as perguntas sobre a cultura rock da segunda metade dos anos 50. Geralmente desistíamos, pois era difícil errarmos.

Depois do sucesso no rádio, Big Boy foi para a TV. Tive a oportunidade rara de participar de alguns de seus programas, pois ele dificilmente tocava música brasileira, abrindo pouquíssimas exceções para pessoas de quem ele gostava ou que admirava, como eu. Com a popularização do funk de James Brown, Kool and the Gang e Harold Melvin and Blue Notes, e outros gêneros dançantes nos anos 70, Big Boy ampliou sua área de ação, criando sua própria equipe de som, o Baile da Pesada, verdadeira viagem de música e luz, que lotava os clubes e não deixava ninguém parado.

Nossas famílias se aproximaram. Lúcia era sua adorável mulher. Os Esteves e os Duartes ficaram amigos e, de vez em quando, se encontravam nas quebradas. Vivíamos a cultura hippie e nossas indumentárias mostravam isso. Aos olhos de muitos, poderíamos passar por desleixados ou malvestidos, porém éramos "limpinhos e cheirosos", conforme nós mesmos dizíamos, rindo aos borbotões sob os olhares reprovadores das patricinhas e mauricinhos da época.

Um dia em São Paulo, na boate Papagaio, ouviu-se um "Ahhhhhhhh" geral aos primeiros acordes de *Isn't She Lovely?*, com Stevie Wonder, bomba de efeito arrasador que estava explodindo nas rádios. A pista encheu e não resistimos, fomos dançar também. Dançamos e beijamos muito nossas mulheres.

Depois fomos para o restaurante e pedimos o jantar. Lembrei que apertei a mão do Stevie Wonder quando ele esteve no programa do Flávio Cavalcanti, na TV Tupi do Rio de Janeiro, cantando *For Once in my Life* e *My Cherie Amour*. Big Boy então me contou que a voz da menininha que se ouvia no início do *Isn't She Lovely?* era da filha do Esteves Maravilha, num trocadilho com Stevie Wonder e meu sobrenome. Em seguida, não pudemos deixar de dizer que se Deus é amor, e o amor é cego, então Stevie Wonder é Deus.

Certa vez, Big Boy levou a pressão do Baile da Pesada para minha casa. Ele se ofereceu para fazer o som do aniversário de 13 anos de meu filho Gil Eduardo, em 1976. Como morávamos há pouco tempo ali (na rua Professor Saldanha, no Jardim Botânico), íamos aproveitar a festa para celebrar também o endereço novo.

— Bicho, que é isso?! Não temos grana para pagar você. Estamos construindo a nossa casa na Barra e a grana tá curta. Além do mais, é só uma reuniãozinha familiar.

Ele foi taxativo:

— Não se preocupe com a grana. Vamos fazer e pronto. Depois a gente conversa.

No dia esperado, Nara e eu estávamos nos acertos finais da festa quando começamos a ouvir buzinas insistentes na rua. Fomos olhar e nos deparamos com um caminhão gigantesco tentando estacionar. A rua, que ficava logo à direita de quem saía do túnel Rebouças, era mão única e tinha passagem para apenas um carro. Formou-se logo um congestionamento.

Resolvido o problema, me surpreendi com a parafernália técnica que começou a desfilar na minha frente. Funcionários montavam caixas de som imensas com cornetas de grave-médio-agudo, pickups, gravadores, mesas que piscavam, reguladores de voltagem, spots, luzes negra e estroboscópica. Foi difícil acomodar tudo no hall de entrada.

Na hora da festa, Big Boy e seu parceiro Peixinho — que depois montou sua própria equipe de som e chegou a ser diretor de rádio — comandavam as carrapetas. Meu filho Gil estava compenetrado e parecia trazer escrito em sua testa: não sou mais criança, e sim um adulto. A descontração já reinava com *Stormy*, do Classics IV, tocando sem parar. O vozerio intenso estava no auge quando o volume aumenta e *Listen to the Music* começa a tocar. O bairro inteiro se sacudiu. O grave do bumbo da bateria vibrava compassadamente, fazendo tremer os vidros do quarteirão.

Os cachorros da vizinhança latiam como se perguntassem: "Que que é isso? Que que é isso?" Meu dinamarquês latia de volta como se respondesse: "Não sei, não sei." Os pássaros assustados, em revoada, encheram o céu enluarado como no filme de Alfred Hitchcock. O Cristo Redentor abandonou sua posição habitual para discretamente tapar os ouvidos. Parecia que os Doobie Brothers se apresentavam ao vivo dentro da nossa sala.

Com Narinha e o inseparável Alcides num aniversário dela, na boate Calígula: “O cigarro que seguro na foto não era nenhuma provocação. Eram tempos em que não existia a patrulha ao fumo que existe hoje.”

Apavorado, já imaginava o edifício em frente nos jogando ovos ou a polícia chegando e acabando com a zorra. Ao ver minha cara de preocupação, Big Boy abaixou o volume. Todos se divertiram para valer e a festa foi maravilhosa. Gil e seus amigos ficaram felizes e nós também. Na saída, entre um abraço e outro, zilhões de agradecimentos e parabéns pelo sonzaço, eu, meio sem jeito, tomei coragem e perguntei:

— E aí, bicho... Vê lá, hein? Quanto é que eu devo?

Ele, com a calma que Deus lhe deu, vestindo seu casaco militar indefectível e chapéu preto de aba mole, cheio de insígnias e botons de vários países, respondeu:

— Você está louco. Foi um presente para o seu filho em nome da nossa amizade. Dá só uma gorjeta para os carregadores e tudo bem.

E não satisfeito, tirou o chapéu da cabeça e me deu, dizendo que o comprara em Londres e que cada insígnia daquela tinha sido adquirida em países que ele visitou. Fiquei comovido com o gesto. Antes de ir embora, ele ainda me perguntou:

— Quem gravou *Five Months Two Weeks Two Days*?

Eu sabia que foi Louis Prima, mas, emocionado com o carinho de Big Boy, não pude responder.

Hoje, quando pergunto "quem gravou *Blueberry Hill*?", não tenho resposta.

MEU SECRETÁRIO ALCIDES

De Big Boy a Imperial, tive a oportunidade de cruzar com figuras folclóricas ao longo da vida. Alcides é uma delas. Quando o conheci, em 1975, brinquei com ele logo de cara:

— Bicho, você tem nome de personagem de Nelson Rodrigues!

Ao saber que seu sobrenome era Dutra, emendei:

— Ah, é por causa do seu avô que os cassinos estão fechados, né? — disse, numa alusão ao presidente que proibiu o jogo no país em 1946.

E continuei quando alguém o chamou pelo apelido "Doca":

— Pô, você deve ser um cara "docaralho". Há, há, há!

Ele deve ter pensado que eu era mais um desses artistas mimados, convencidos e metidos a engraçadinhos, que fazem piadas inoportunas sem dó de ninguém. Acertou.

Casado com Darly (a morena com os olhos verdes mais lindos que já vi), ex-bebedor de uísque puro malte, ex-fumante de Lincoln, Hollywood e Minister, provador e fiscal conceituado do extinto Instituto Brasileiro do Café (IBC) e malandro que fez escola na Madureira dos anos 50, Alcides elegeu Copacabana como seu lar, onde frequenta assiduamente o quiosque "A um passo da eternidade".

Alcides foi me ganhando aos poucos. Gostava de viajar, tinha excelente humor e jogo de cintura. Sabia lidar com bancos, editoras e gravadoras. Valorizava a estrutura familiar, passava respeitabilidade, era educado, honesto e conhecia o meio artístico — já havia assessorado artistas como Agildo Ribeiro, Valéria, Rogéria e outros.

Quando o convidei para trabalhar comigo, Alcides aceitou de pronto e só então me contou que anos antes, em 1965, me conhecera na porta do Teatro Record, em São Paulo. Na ocasião, ele me entregou um cobertor de lã, ingresso obrigatório da campanha "Me aqueça nesse inverno" — maratona beneficente de 24 horas no ar que Roberto Carlos, Wanderléa e eu realizamos no programa *Jovem Guarda*.

Desde então, como um vírus benéfico de óculos escuros e revistinha de palavras cruzadas na mão, o "Rei da cultura inútil" infectou minha vida, conquistando minha amizade, assim como minha família e meus amigos. Alcides é testemunha ocular, auditiva e participativa da minha saga, conferindo de perto meus erros e acertos, altos e baixos.

Bem, nem sempre tão de perto assim. Numa ocasião, estávamos hospedados no Hotel Braston, meu favorito em São Paulo, quando decidi tirar um cochilo à tarde. Queria recompor as energias para estar com a cara boa no show que faria à noite com o Clube do Balanço, no Blén Blén. Eu estava virado, cansadão, saíra bem cedo do Rio e acabara de almoçar um feijãozinho amigo. Uma caminha era tudo o que eu pedia a Deus. A suíte em que sempre fico é espelhada, característica que a deixa maior do que já é. Combinei com o Alcides:

— Bicho, me acorde às cinco. É o tempo que preciso para tomar banho com calma, fazer a barba devagar, dar uns telefonemas e me vestir sem pressa para o show.

Dito isso, ele foi para o quarto dele e mergulhei no meu sono desejado. Quando abri um olho e vi que no meu relógio já eram seis e meia, desabafei com meus neurônios: "Puta que pariu! Alcides não me acordou na hora combinada. Lá vou eu correr."

Levantei a jato e comecei o meu périplo:

1) Tomei um banho tão rápido que não curti a ducha;
2) Fiz a barba em tempo recorde e cortei o meu rosto;
3) Me vesti depressa, amarrotando a minha roupa e prejudicando o meu visual;
4) Esqueci minha pulseira;
5) Fiquei de mau humor;
6) Perdi a concentração para o show;
7) Não dei os telefonemas que precisava dar.

No caminho, começamos a discutir:

— Olha aí, Alcides. Tá vendo? Essa correria só está acontecendo porque você não me acordou às cinco como pedi.

— Que é isso, Erasmo? Você está maluco — respondeu ele. — Fui no quarto e você já estava acordado.

— Eu? Quem tá maluco é você. Você não me acordou. Quando vi, já eram seis e meia — respondi, convicto.

Ele, que estava sentado no banco da frente do carro que nos levava para o show, virou a cabeça para trás e me falou, sério:

— Erasmo, fui na sua suíte exatamente na hora que você pediu e quando abri a porta você estava parado em pé. Fiz um sinal de positivo para você, sorri e saí.

Como eu já estava me estressando, deixei o assunto morrer e passei a pensar no show. Chegamos em Pinheiros e a casa botava gente pelo ladrão. Não havia lugar nem para uma formiga. Com dificuldade, consegui chegar no camarim:

— Como tem mulher bonita no Blén Blén — fui logo dizendo para o amigo Marco Mattoli.

Ele respondeu brincando:

— É a mulherada que veio te ver.

Tereza Gama, Gringo, Edu Peixe, Tiquinho, Fred Prince, Bocão, Marcelo e Reginaldo 16 nos receberam com a finesse de sempre: birita, carinho e muita energia. Cantei seis números com a galera chegando junto e dançando o samba-rock para valer.

No dia seguinte, eu estava no banheiro do hotel, me preparando para a volta ao Rio, quando ouvi a porta da suíte bater. Era Alcides. Passaram-se alguns segundos e ouvi sua voz estarrecida me dizer:

— Ih, Erasmo. Me desculpe. Acho que quem está maluco sou eu. Descobri agora que não era você que eu vi acordado ontem, não! Era eu mesmo refletido no espelho.

JON VOIGHT E O MEU CHAPÉU

Na rica antologia de distrações do Alcides, existe um clássico que considero o máximo do absurdo, o cúmulo do inacreditável. Nos anos 80, meu visual era meio western. Usava jeans, botas, camisas sem mangas, lenço no pescoço e um chapéu de caubói marrom inseparável, comprado na Disney, que até hoje é o meu titular absoluto. Eu não gostava daqueles modelos texanos com o bojo longo e abas largas, tipo magnata do petróleo. Nem tampouco os de vaqueiro mauricinho. Preferia os que Clint Eastwood e Franco Nero usavam nos célebres filmes de faroeste feitos por diretores italianos nos anos

60, apelidados de westerns spaghetti: *O Dólar Furado*, *Por um Punhado de Dólares*, *Django*...

Com essa indumentária, pousei com minha banda em Manaus naquela época para dar início a uma grande turnê pelo Norte. Estava um pouco tenso e ansioso, reação perfeitamente normal antes de uma estreia.

Quando o show é sábado, tenho por costume me orientar pela programação da Rede Globo enquanto me preparo no hotel. Vou seguindo: *Jornal Nacional* às oito, novela às nove, *Zorra Total* às dez e, por fim, o filme, hora que geralmente saio para o show. Só que o fuso horário de Manaus é de menos uma hora, comparado com o do Rio. No horário de verão, aumenta para menos duas horas, o que causa um nó na minha cabeça, detonando um curto-circuito na minha rotina. Sem sentir, vejo o jornal entrar às seis, a novela às sete, *Zorra Total* às oito e o filme às nove.

Essa confusão ferra completamente o meu esquema, o que, às vezes, me leva a um atraso. Eu já estava pronto da cintura para baixo, fazia a minha barba no banheiro e Alcides tomava as últimas providências, colocando a toalha e as pulseiras no cabideiro de couro preto que levo para os shows, enquanto começava a narrar mais uma de suas famosas histórias:

— Houve um tempo, bicho, em que mais de 250 mil nordestinos vieram para Manaus trabalhar nos seringais em regime de semiescravidão.

O filme do *Supercine* era *Amargo Pesadelo*, de John Boorman, com Jon Voight e Burt Reynolds, violento drama rural do meio-oeste americano que imortalizou a cena do duelo de banjos entre dois meninos. Eu ouvia o filme no banheiro e via as cenas na minha mente. Já acabara de me barbear e colocava meu perfume Vetiver, sem prestar atenção no que o Alcides contava. Ele continuava:

— Tenho alguma renitência sobre essa euforia do etanol, sabe, Erasmo, porque me faz lembrar do deslumbramento da vulcanização da borracha, que fez o Brasil acabar com os...

De repente, ele parou de falar, fez uma pausa e disse, entusiasmado:

— Erasmo, corre aqui que o cara do filme está usando um chapéu igual ao seu!

Corri, curioso, e qual não foi minha surpresa ao ver, estampado na tela, um grande close do Jon Voight e, em cima da televisão, o meu chapéu. Ao olhar de relance, distraído como é, Alcides achou que o ator estava usando o meu chapéu.

ALGEMAS NO AEROPORTO

Briguei com Alcides uma vez. Num dia de 1982, após dois shows maravilhosos em Aracruz e Conceição da Barra, no Espírito Santo, nós nos desentendemos no aeroporto de Vitória. O motivo foi bobo: achei que ele havia sido indelicado com meus filhos, Gugu e Léo, que estavam viajando comigo. Discutimos, nos xingamos e, num ímpeto juvenil, rolamos pelo chão, numa briga desajeitada e engraçada. Os socos não tinham força e errávamos os pontapés de propósito. As gravatas não eram apertadas e os *ippons* se davam em câmera lenta.

Nossa turma, sem acreditar no que via, logo nos separou:

— É briga entre amigos. Está tudo bem — diziam os músicos para as pessoas que assistiam àquele ridículo "vale-nada".

Sob a acusação de "perturbação da ordem em lugar público, com ocorrência de conflito", uma policial nos enquadrou e nos levou para um reservado. Lá chegando, tentei argumentar que éramos amigos, trabalhávamos juntos e que apenas acontecera um desentendimento corriqueiro. Ela, irredutível e exageradamente severa, entendeu que eu estava "resistindo à prisão" e imediatamente me... algemou!

Me senti um indivíduo de alta periculosidade, com a cabeça a prêmio, inimigo público número 1, procurado por FBI, Interpol, CIA e KGB. Algemado no aeroporto de Vitória, na frente dos meus filhos, só porque brinquei de brigar com um amigo que é como se fosse um irmão.

O circo pegou fogo. O produtor J.C. Marinho discutia com a policial, os músicos alegavam abuso de poder, as meninas do vocal ameaçavam dar um piti, o próprio Alcides se oferecia para ficar preso em meu lugar, os passageiros reclamavam que a lenga-lenga estava atrasando o voo... Eu, alheio à confusão, berrava para os meus filhos:

— Estão vendo o pai de vocês algemado? Não matei nem roubei ninguém e estou aqui pagando esse mico.

Um oficial superior foi chamado às pressas para interceder no caso e, ao se inteirar da situação, teve o bom senso de aceitar minhas explicações, retirando as algemas e ainda se desculpando pela humilhação que a subalterna me causara.

Eu e Alcides saímos abraçados rumo ao avião, rindo da experiência. Até hoje, todas as vezes que passamos pelo aeroporto de Vitória, um carregador de malas que testemunhou o episódio nos sacaneia:

— E aí, Erasmo? Vai brigar com o amigo hoje?

Para não correr o risco de ser algemado novamente por "perturbação da ordem", respondo apenas com um leve sorriso. Sorte do carregador.

DENTRO D'A BOLHA

Em 1976, o produtor Carlos Alberto Sion queria que eu fizesse uma curta temporada no MAM (Museu de Arte Moderna), que se anunciava como um novo point carioca para shows. Só que eu estava sem banda e injuriado com a proibição, pela Polícia Federal, de 32 concertos que faria com Rita Lee pelo Brasil, sob a alegação de que "os eventos incentivariam o consumo de drogas". Essa sacanagem me induziu a dissolver precocemente a Companhia Paulista de Rock, banda que eu formara com meus amigos Liminha, Rubão Sabino, Sérgio Kaffa, Dinho e Ion Muniz, para o pioneiro Hollywood Rock, em 1975:

— Por que não convidamos A Bolha, que são os antigos Bubbles? Eles estão com uma formação nova e adoram você — sugeriu Sion.

Achei a ideia ótima. Eu havia assistido aos meninos acompanhando Gal Costa em um antológico show da boate Sucata em 1970, e ficara impressionado com as levadas, o peso e a postura deles.

A Bolha aceitou o convite e marcamos um ensaio na Polygram, quando fui então apresentado à nova turma: Marcelo Sussekind e Pedrinho Lima nas guitarras, Lincoln Bittencourt no baixo, Rubinho Barra nos teclados e Serginho Herval na bateria. O Sion não cabia em si de contentamento ao ver nosso entrosamento imediato. Parecia que a gente já tocava junto há muito tempo. Estava formada uma quadrilha de rock and roll para ninguém botar defeito.

Fizemos o show no MAM, que seria perfeito não fosse por uma falha nos efeitos especiais. Uma explosão acabou causando pânico e queimando a mão de Lincoln. Mas o som não parou. Foi algo como a *big band* de Glenn Miller tocando enquanto era bombardeada pelos alemães na Segunda Guerra Mundial.

Eu ficaria com A Bolha por dois maravilhosos anos — o grupo marcou minha vida. No auge da nossa parceria, brincamos de homenagear o Rei do Rock, Elvis Presley, em 1977, no especial natalino de Roberto Carlos — número que pode ser visto no DVD *Duetos*, que Roberto lançou em 2006. Também marcou época a temporada de um mês que fizemos naquele ano no Canecão, no período em que a casa foi transformada na discoteca Tropicana. Foram memoráveis domingueiras de verão. Já no finalzinho do nosso "casamento", Renato Ladeira, um dos fundadores do grupo original, assumiria os teclados no lugar de Rubinho.

Numa de nossas andanças, fizemos uma infinidade de shows na periferia do Rio (Tijuca, Mackenzie, Ramos, Olaria, Portuguesa, Mauá, Nilópolis, Jacarepaguá, Caxias) e no Norte e Nordeste do Brasil. Narinha aproveitava para brincar de repórter, entrevistando a plateia com um gravador em nome da fictícia rádio difusora de Padre Miguel:

— Qual é a importância do Erasmo Carlos para o rock nacional?

Ou então, simplesmente:

— Gostou do show?

De noite, em casa, morríamos de rir com as respostas. "Erasmo canta muito mal" ou "ele é meio mal-encarado" foram algumas delas.

MISTÉRIOS RAULZESCOS

Eu admirava o baiano Raul Seixas desde que o vi cantando *Let me Sing* no Festival Internacional da Canção de 1972. Aquilo me provocou lágrimas, a ousadia de cantar um rock and roll puro para uma plateia sedenta por "músicas de protesto". Quando vi aquele magrelo se contorcendo, vestido de couro dos pés à cabeça, me senti representado. Ele fez o que não tive coragem de fazer — em 1967, em plena Jovem Guarda, apresentei no festival uma música que seguia a onda da MPB que fazia a cabeça da rapaziada, *Capoeirada*.

Em 1977, fui convidado para ir à casa de Raul. Era aniversário dele, e haveria uma reunião íntima, só para os amigos. Fiquei contente, pois, apesar da minha admiração e de nos conhecermos *en passant*, não tínhamos muita intimidade, embora da minha parte transbordasse respeito pelo seu trabalho.

Fomos então, Narinha e eu, para a Fonte da Saudade, juntinho da lagoa Rodrigo de Freitas. No caminho, fui informando a ela que não reparasse em nada fora do normal, pois comentava-se na Polygram que Raul e Paulo Coelho eram bruxos, faziam rituais satânicos e até sacrificavam bichos em cerimônias secretas. Meio assustada, Narinha ouvia.

Raul nos recebeu com um sorriso imenso, apresentando a sua então mulher Glória Vaquer, uma americana simpática e sorridente. Ela foi mostrando o apartamento e deixando-nos à vontade. Chamou Nara para mostrar a ela sua filha, Scarlet, ainda pequenina, que brincava no quarto com algumas pessoas.

Raul abria o litro de uísque que eu havia levado de presente para tomarmos. Parecia que a gente se conhecia desde criancinha. O papo girava em torno da nossa grande paixão: o rock de raiz. Éramos dois rockmaníacos num dia de gala, falando com autoridade sobre Little Richard, Everly Brothers, Gene Vincent, os grupos vocais Diamonds, Del Vikings... Com direito a cantarolar trechos de algumas músicas, ou seja, cada um querendo mostrar mais conhecimento que o outro.

Lamentamos a ausência de uma máquina fotográfica para registrar aquele encontro, como aconteceu, mantidas as devidas proporções, na reunião histórica entre Beatles e Elvis, na residência do cantor, onde jogaram sinuca, beberam e cantaram gospel e ninguém documentou.

Na hora de ir embora, entre promessas de novos encontros e muitos abraços, Raul me deu um disco e disse:

— Erasmo, aceite essa lembrança como prova do meu amor por você e do nosso amor pelo rei Elvis.

Enquanto agradecia, dei uma rápida olhada e notei que era um exemplar de *Elvis — A Legendary Performer — Vol I*, com uma dedicatória tão extensa que ocupava três quartos da capa.

No dia seguinte, quando as lembranças da festa tinham virado saudade, Narinha e eu fomos ouvir o disco. Foi quando ela me perguntou:

— Meu bem, onde estava a feitiçaria toda que você falou? Duvido que seja verdade, pois eles não têm cara de bruxos. A menininha é linda e eles são muito simpáticos.

Eu, concordando, respondi que havia perguntado a ele sobre isso. Raul me respondera que tudo não passava de boatos e interpretações distorcidas de pessoas que não entendiam as propostas místicas que ele e Paulo Coelho defendiam. Continuamos ouvindo o disco e vendo as fotos no encarte do álbum que, por sinal, era muito bom.

Mas por mais que tentássemos, usando até uma lupa para ajudar, não conseguíamos decifrar a dedicatória que Raul escrevera. Os dias se passaram, mostramos a vários amigos e nada. Foi então que Narinha sugeriu que levássemos o disco a um farmacêutico, que era especialista em "desvendar" letra de médico. Mas tentamos em várias farmácias através dos anos e ninguém conseguiu decifrar os hieróglifos da dinastia Seixas. Até hoje não sei o que ele escreveu para mim com tanto carinho.

No Festival de Rock de Juiz de Fora, em 1985, experimentei mais uma vez a alegria e as surpresas da convivência com Raul. Nós dois estávamos entre as atrações do evento e, num encontro rápido na chegada à cidade, ele me convidou para fazermos um número juntos no show dele. Como não haveria passagem de som, mais tarde nos reunimos em seu quarto para combinar o que faríamos. De cara, sugeri *Be-bop-a-lula*, na versão dos Everly Brothers, que permitiria que caprichássemos nas vocalizações. Com as guitarras desligadas, apenas para termos uma referência de como seria, ensaiamos até ficarmos satisfeitos.

Raul se empolgou:

— Vai ser porreta, o povão vai adorar nos ver cantando juntos — disse na despedida.

À noite, fiz meu show normalmente e, depois de descansar um pouco no camarim, fui ver Raul arrebentar no palco. Da coxia, fiquei assistindo a tudo, aguardando seu chamado. Os sucessos iam se sucedendo e eu esperando, esperando, esperando... Quando me dei conta, a apresentação acabou. Ingênuo, ainda pensei: "Agora vai ter um bis consagrador, com nós dois no palco cantando *Be-bop-a-lula*." Que nada. Raul desceu do palco e passou por mim como uma flecha suada. Ao lado dos hieróglifos do disco de Elvis, esse é outro mistério raulzesco que carrego até hoje: Será que ele se esqueceu de mim?

ALGUM DIA VOCÊ ME PAGA

Malucos-belezas como Raul circulavam por toda parte, nos anos 60 e 70. Os Mutantes, por exemplo, tinham sempre a acompanhá-los um exército de cabeludos do tipo. Um, em especial, me chamava a atenção. Mostrava-se sempre um cara legal, descolado, tranquilo, que parecia ter simpatia por mim, além de ser um gentleman e boa-praça. Eu ficava meses sem ver os Mutantes e, quando os encontrava, lá estava ele junto. Ensaios, shows, reportagens, programas de TV e ele sempre a tiracolo. Depois de encontros esporádicos, começamos a ficar meio amigos e passei a chamá-lo por seu nome. Tratava-se de Antônio Peticov, um artista plástico desbravador da leva de artífices da pop art.

A vida nos levou por caminhos diversos e ficamos alguns anos sem nos ver. Um belo dia, em 1978, quem bate à minha porta? O próprio. Estava com Arnaldo Baptista e passaram para dar um alô. Nos abraçamos, matamos a saudade relembrando as peripécias de ouro da época da Record, saudando os novos tempos de ideias fervilhantes e brindando à nossa saúde. Peticov já era famoso internacionalmente, tendo exposto seus quadros na Suíça e na Itália.

Para que eu me familiarizasse mais com seu trabalho, me presenteou com alguns pôsteres. Adorei seu estilo, identifiquei-me imediatamente com sua arte surrealista — eu era vidrado em Salvador Dali e fiquei encantado com suas janelas no céu, sua fixação por formas geométricas com predominâncias de retas, suas cores vivas, nuvens, cachoeiras e arco-íris interagindo com estrelas e luas.

Num dado momento, Peticov me mostrou uma gravura que ele havia feito pouco tempo antes, insinuando que estaria à venda. Falei:

— Bicho, eu bem que gostaria de comprar, mas tô mal de grana. Comprei um terreno para construir minha casa e estou tirando leite de pedra para poder pagá-lo.

Foi quando Toninho Peticov, sem querer, decretou uma maldição:

— Não tem problema, bicho. Algum dia você me paga.

Algum dia você me paga... Algum dia você me paga... Essa frase passou a existir dentro da minha cabeça como um mantra torturante. Os anos foram passando, meus filhos crescendo, a casa ficou pronta, enquanto eu lia nos jornais: "Antônio Peticov expõe na Bélgica", "Brasileiro recebe elogios em Milão", "Hong Kong aos pés de Peticov".

Eu pensava: "Quanto mais ele ficar famoso, mais cara vai ficar a gravura que comprei."

Meu desespero hibernou por uns tempos. Até que um dia o encontrei num show que eu apresentava em São Paulo e que, como bom amigo, ele foi prestigiar. Timidamente, balbuciei:

— Toninho... não esqueci aquela dívida com você não, viu?

E ele, relaxado, retrucou:

— Não tem problema, cara. Um dia você me paga.

Com essa resposta ele ressuscitou a minha preocupação. Tenho vivido, trabalhando de sol a sol, dando meu suor, show a show, sofrendo com as crises da indústria fonográfica, enfrentando a pirataria da internet, a família aumentando com a enxurrada de netos. Ele, impávido, segue seu périplo, colecionando êxitos pelo mundo: Bulgária, França, México, Estados Unidos... Seus quadros e gravuras devem estar valendo hoje milhões de dólares. O patrimônio que consegui com sacrifício é o que deixarei como herança para meus filhos e netos. Vivo fugindo do inevitável. Apavora-me a ideia de que, em algum dia de céu verde, com um grande astro brilhando, metade lua, metade sol e um arco-íris interligando as estrelas, meu telefone toque e eu ouça aquela voz familiar:

— Alô, Erasmo. Aqui é o seu amigo Peticov. Como vai você? Escuta, bicho... Não dá para acertar aquela gravura?

HISTÓRIAS QUE AS BABÁS NÃO CONTAVAM

Em 1979, Bethânia realizou uma grande festa para comemorar seu aniversário. Eu e Narinha recebemos o convite: seria uma feijoada e, num terreno anexo, haveria uma exibição de balonismo. Adoramos a ideia. Iríamos abraçar a diva, encontrar amigos e ainda matar a curiosidade sobre balões, esporte que sempre me fascinou. Já me imaginava baloneando pelos céus, com os meus filhos gritando aos prantos "Volte papai, volte! Não nos abandone!", quando Nara lembrou:

— Temos que comprar um presente.

— Pode deixar que eu mesmo vejo isso — respondi.

O videocassete era a grande sensação do momento. Estava engatinhando no Brasil, ainda como um privilégio de poucos. Chegara dos Estados Unidos trazendo meu aparelho e também vários filmes, como *Guerra dos Mundos* e *Duelo de Titãs*, além de desenhos como *Luluzinha* e fitas de Charlie Chaplin. Não podiam faltar sucessos pornográficos como *Garganta Profunda*, *O Diabo na Carne de Miss Jones* e *Debbie Does Dallas*, que eram novidade absoluta na época.

Mas a menina dos meus olhos era mesmo um desenho animado hilário, que contava histórias infantis consagradas como *João e Maria*, *Branca de Neve e os Sete Anões*, *Chapeuzinho Vermelho* etc., com lindos cenários coloridos, fauna exuberante, florestas bucólicas, música alegre e envolvente. Isso servia apenas de fundo para a tremenda sacanagem que rolava entre os personagens. Os anões excitados esperavam em fila a vez para transar com a Branca de Neve e não demorava muito para a bagunça se generalizar, com a rainha má entrando na farra e o príncipe rejeitado e expulso por ser maldotado.

Falei para Nara que daríamos um filme para Bethânia, mas não disse qual. No dia D, lá fomos nós. Muitos amigos, a Polygram em peso estava presente, um ambiente alegre e o dia lindo. E havia ainda o melhor da festa: a aniversariante com sua elegância natural e simples que a fazia maior entre maiores. Era um prazer vê-la e abraçá-la, sentindo toda sua energia positiva. Jamais esquecerei a primeira vez que vi Bethânia, num ginásio da avenida Miruna, em São Paulo, onde ensaiávamos para um programa da TV Record. Ela chegou usando coque e vestindo um casaco jeans e calça comprida. Quando cantou *Carcará*, caí no chão. Nunca uma presença musical feminina havia me causado tanto impacto.

De volta à festa, os balonistas, por um problema técnico qualquer, não conseguiam inflar o balão que faria viagens com os convidados. Meus filhos, junto com outros meninos, nem quiseram brincar. Ficaram sentados o tempo todo vendo a equipe em ação, e o balão fazendo *forfait*. Foram milhares de tentativas e nada, frustrando a todos. Mas foi uma reunião feliz. Bebemos, rimos, comemos e cantamos. Ao chegarmos em casa, Nara perguntou:

— Qual foi o filme que você deu para Bethânia?

Na maior naturalidade respondi:

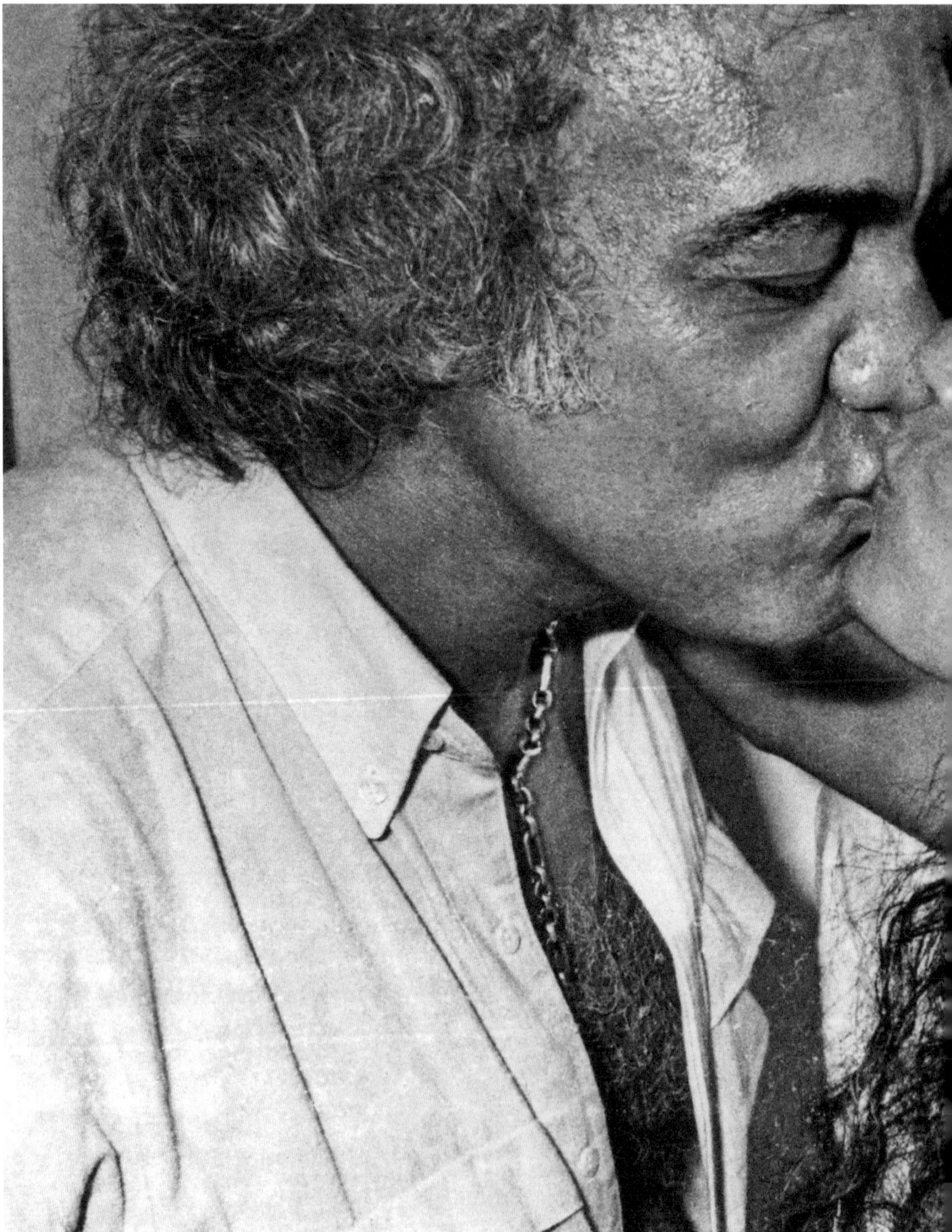

Maria Bethânia recebe Erasmo no camarim do Canecão, em 1985, depois de um show dela

— Ah, dei aquele desenho animado pornográfico.

Para quê! Nara me chamou de Erasmo — o que era raro, pois só nos tratávamos pelo apelido Puiú — e soltou os bichos:

— O quê, Erasmo? Você teve coragem de fazer uma coisa dessas? Dar um vídeo de sacanagem para Maria Bethânia? Você ficou maluco?

Engoli em seco e tentei argumentar:

— Mas, Puiú, é desenho animado. Não tem maldade nenhuma. É engraçado.

E ela, cada vez mais zangada:

— É engraçado para você, que é um devasso. Não temos intimidade com a Bethânia. Isso é falta de respeito. Com que cara vamos olhar para ela quando a gente se encontrar? Vá já ligar para ela, pedindo desculpas. Meu Deus, você parece criança.

Acabei ficando encucado. Será que ela estava com a razão? Afinal, Bethânia era uma dama e poderia ficar ofendida. Àquela hora poderia estar comentando com alguém:

— Veja só o que aquele casalzinho abusado me deu. Não vejo essas baixarias.

Com aquele grilo enorme fazendo cri-cri na minha cabeça, deixei rolar a vida, mas, de tempos em tempos, Nara se lembrava da história e me perguntava se eu já havia pedido as desculpas. Enrolado, ia empurrando com a barriga.

Até que um dia encontrei Bethânia nos estúdios da Polygram. Ela gravaria *Cavalgada* comigo, para o LP *Erasmo Carlos Convida*. Nara ainda estava sem graça. Eu disfarçava o nervosismo pela responsa da minha performance, já que não é todo dia que se faz dueto com uma rainha. Finalmente Bethânia surgiu, com um sorriso do tamanho da Bahia, deixando seu perfume se espalhar pelo estúdio. Abriu os braços e, com cara marota, nos tranquilizou de vez:

— Narinha querida, adorei o desenho animado. Tão bonitinho. Vocês são demais!

Ufa!

O SUSTO DO CORAÇÃO

Entre carinhos, risos e pequenas broncas, eu e Narinha atravessamos um drama naquele ano de 1979. Começou numa das avant-premières organizadas pela revista *Grande Hotel*, no extinto hotel Meridien, no Leme. Eram sessões exclusivas para convidados. Coquetel simpático, com sorteio de joias, passagens aéreas com estadias ou quadros de pintores emergentes.

Narinha e eu já tínhamos ido lá para assistir a *Cerimônia de Casamento*, de Robert Altman — ao lado de Cidinha Campos, Paulo Coelho e Eliane, acompanhada do maridão Paulo Barbosa. Gostamos e bisamos a farra, desta vez com nossos amigos Kátia e Reginaldo Faria, casal maravilhoso que curtíamos naquele ano. *Expresso da Meia-noite*, do cultuado Alan Parker, vinha com a fama de thriller excepcional.

Após o coquetel, fomos para a sala de projeção, acompanhamos o sorteio e ganhamos um lindo gato siamês, que Narinha imediatamente adotou. A mulherada ficou louca e o bichano passou de mão em mão. A euforia diminuiu quando apagaram-se as luzes para o início da sessão e o animal foi para o colo de uma pessoa da organização do evento.

No filme, o personagem é preso num aeroporto da Turquia, ao tentar embarcar com haxixe enrolado com esparadrapo em volta da barriga, dando início à sua jornada de sofrimento na prisão local.

O clima era tenso. Não se ouvia nenhum som da plateia, que só se mexia de vez em quando, incomodada com a violência que rolava na tela. A certa altura, Nara apertou forte minha mão. Pensando que era uma reação feminina aos sustos da trama, apertei a dela também. Foi quando ela apertou ainda mais a minha e, inquieta, suando frio, me pediu ajuda, dizendo que estava passando mal. Não respirava direito e precisava de ar. Levantou-se, saiu e fui atrás. Kátia e Reginaldo também.

Narinha tinha um problema congênito, chamado popularmente de "sopro no coração", e desde criança evitava grandes esforços. Não corria, não praticava esportes e era até dispensada das aulas de educação física nas úchas que estudou. Fomos para um banco na praia onde ela se viada. Ainda ofegante, bebeu um copo de água com açúcar que o Reginaldo havia providenciado, respirou fundo e foi melhorando aos poucos, até se sentir recuperada e pronta para ir para casa.

Voltei ao hotel para apanhar nosso gato, agradecemos o carinho de Kátia e Reginaldo, prometemos notícias e fomos embora. Ainda no carro, combinamos de ir ao médico no dia seguinte. Depois da maratona de exames, veio o diagnóstico: insuficiência ventricular. Ou seja, o caso era grave. Seria necessária uma operação delicada, no Instituto do Coração, em São Paulo, o único capacitado a realizar a cirurgia. Havia quase cem por cento de chance de sucesso, devido a competência do dr. Adib Jatene, considerado um dos maiores especialistas do mundo.

Ao ouvir a explicação dos médicos, Narinha ficou triste, mas aparentemente conformada. Em dois dias, embarcaríamos para São Paulo.

Depois da consulta, o médico de Nara, dr. Cantídio, me chamou na sala ao lado para que ela não escutasse e me informou sobre os cuidados que eu deveria ter. Seria fundamental a sensibilidade para entender a alternância de emoções e a disposição para bloquear todo e qualquer aborrecimento que Narinha pudesse ter. Insegura e frágil, caberia a mim cercá-la de carinho. Sugeriu que eu tentasse distraí-la e, quanto menos ela se lembrasse do problema, melhor. No mais, desejou boa sorte e que tivéssemos fé em Deus, que tudo daria certo.

Em casa, expliquei o drama para os funcionários, para os meninos e o restante da família. Todos se mostraram solidários, me ajudando a cumprir a missão dada pelo médico. Já mais relaxado por ter tomado as providências, dei uma olhada na minha correspondência. Havia um convite para o show *Abaixo o Regime*, com Jô Soares. Num estalo, comecei a visualizar tudo que eu precisava para harmonizar uma programação ideal para Narinha.

Conheço o Jô desde os tempos da *Família Trapo*. No programa, ele fazia o mordomo e eu, às vezes, participava cantando — numa vez ele me apresentou, seguindo o texto propositalmente trapalhão que ele mesmo escrevera, como Erasmo Rayol. Vê-lo em ação seria perfeito — descontração, risos, alto astral e ainda me dava a possibilidade de emendar um jantar e, quem sabe, uma esticada para dançar. Telefonei para o teatro e fiz as reservas. O lugar inteiro gargalhava com Jô, sozinho no palco, em pé ao microfone, contando piadas e, o que mais me impressionou, trocando de roupa sem sair do lugar e sem interromper o texto. Narinha ria completamente absorta, o que me levava a pensar que ela se esquecera, por alguns minutos, daquele problema.

Num momento do show, Jô ofereceu uísque à plateia, que desconfiada, não aceitou. Um cara na minha frente comentou com a mulher:

— Pô, vê lá se vou aceitar. Claro que é alguma peça que ele quer pregar em alguém. Em mim é que não vai ser, há, há.

Foi quando Jô disse:

— Erasmo, você aceita um?

— Claro.

E aceitei diante do olhar arrependido de todos. No intervalo, Nara se mostrava radiante, ainda ria das piadas. Após um aviso, a música alta anunciou o início triunfal da segunda parte.

As luzes do palco se acenderam e Narinha deu um suspiro de espanto, levando uma das mãos a boca e com a outra apertou meu braço, muito mais forte do que no dia do filme — enquanto eu sentia a Cordilheira dos Andes desabando sobre minha cabeça. Ali, bem na nossa frente, com a iluminação realçando sua imagem sobre o fundo escuro, Jô Soares aparecia vestido como um imenso e vermelho coração, sacolejando seu corpo para lá e para cá.

Olhei para Narinha e ela soluçava. Pensamos a mesma coisa: Por que tinha que aparecer um coração para cortar nossa alegria, nos lembrando da maldita operação? Ternamente, coloquei sua cabeça no meu ombro, enquanto afagava seus cabelos. Pensei no poeta que disse: "Enquanto você ria, eu me desesperava."

Depois do show, fomos ao camarim, decorado como uma tenda árabe. Já refeita, rindo, Narinha contou tudo ao Jô, que, por ser um gentleman, lamentou a situação, mal sabendo ele que a força do seu humor foi estimulante. Tanto que a noite seguiu maravilhosa.

Com Narinha (à esquerda, perto da pilastra) e as Frenéticas, parceiras do projeto Pixinguinha: "Elas gravaram *Se você pensa* no *Erasmo Carlos Convida* e a sessão no estúdio foi uma loucura. Todo mundo falando ao mesmo tempo. Mas gostei demais da versão delas."

PROJETO PECHINCHINHA

Tudo correu bem com a operação de Narinha. Passado o susto, retomei os trabalhos com força total. Um dos mais recompensadores foi o Projeto Pixinguinha — criado em 1977 por Hermínio Bello de Carvalho, o Pixinguinha consistia de caravanas de artistas que viajavam juntos o Brasil levando sua música.

Seriam 17 shows em vinte dias, ou seja, uma pauleira só. Niterói, Rio de Janeiro, Londrina, Florianópolis, Blumenau e Joinville foram as cidades escolhidas. O amigo Carlos Alberto Sion seria o diretor, as Frenéticas e Sérgio Sampaio seriam as outras atrações e uma banda única nos acompanharia. Narinha, Alcides e mais duas produtoras completariam a turma.

A grana não era muita, o que rendeu ao périplo o apelido de Projeto “Pechinchinha”, dado pelo tecladista Jorjão Barreto. De qualquer forma, seria bom conviver com as Frenéticas e rever o amigo Sampaio, que conheci em 1971. Na ocasião, ao saber que ele era sobrinho do grande compositor Raul Sampaio, eu lhe disse:

— Então você deve ser maluco igual ao seu tio, porque só um doido varrido como ele se arriscaria a gravar um disco comigo (*A Pescaria*, de 1965), depois de seis gravadoras me recusarem.

Sérgio Sampaio riu e eu o convidei para fazer um sonzinho lá em casa e jogar conversa fora. Ele conheceu Narinha, com quem eu estava recém-casado, e outros amigos que reuníamos para simplesmente tocar e cantar. Acabara de ouvir o antológico *Sociedade da Grã-Ordem Kavernista*, disco que ele gravara com Raul Seixas, Miriam Batucada e Edy Starr e esse foi o mote da nossa conversa.

Outros encontros vieram nos anos seguintes e, num deles, Sérgio estava em dúvida se inscrevia *Eu Quero É Botar o Meu Bloco na Rua*, que estava fazendo, no VII Festival Internacional da Canção:

— Claro que sim — rebati. — O povo adora marcha-rancho e o refrão é irresistível.

Eu quero é botar
Meu bloco na rua
Gingar, botar pra gemer...

(que o Maracanãzinho
lotado mudou para "foder")

A música foi um sucesso estrondoso, embora não estivesse classificada entre os primeiros lugares. Sérgio diria na época que fui um dos responsáveis pela existência da música, por ter dado força para que ele a terminasse.

As Frenéticas — grupo de atrizes-cantoras-dançarinas, liberadas e gostosas por natureza, reunidas pela mente privilegiada de Nelson Motta — eu conhecia da discoteca Frenetic Dancin' Days, onde elas se apresentavam. Estava sempre lá com Narinha, dançando feito louco e pedindo bis. Lidoka, Sandra Pêra, Regina e Leiloca eram amigas de outros carnavais. Dudu e Edir, que completavam a formação, ganharam nossa simpatia assim que pegamos a estrada juntos na caravana.

A estreia do Pixinguinha foi no teatro Leopoldo Fróes, em Niterói, e deu a tônica para a temporada inteira. Eram oitocentas pessoas num lugar onde só cabiam quatrocentas e cinquenta. Os shows no teatro Dulcina, no Rio, seguiriam o mesmo caminho.

Nos hotéis da turma, era um festival de incensos — as mulheres da caravana, lideradas por Lidoka e Leiloca, viviam uma fase mística. Os odores se misturavam, vindos de vários quartos: sândalo aqui, ópio ali, eucalipto acolá, cânfora pelos corredores, alfazema pelas escadas e até patchouli, para disfarçar a cannabis, pintava de vez em quando.

Numa noite, após o jantar, eu e Narinha convidamos Sérgio para jogar conversa fora em nosso quarto. Ele nos contou da sua infância em Cachoeiro do Itapemirim e da frustração por não ter *Meu Pobre Blues* gravada por seu conterrâneo Roberto Carlos, de quem era fã ardoroso. Descobrimos também que ambos fizemos teste de locução para a Rádio Relógio Federal no Rio, onde deveríamos ler um texto quilométrico em apenas 55 segundos.

Num certo momento, falei de um tema delicadíssimo que gostaria de transformar em música. Era um mote complexo, e deveria ser abordado com extrema sutileza, o que eu não estava conseguindo:

— Quem sabe você não consegue? — perguntei. — É sobre a possibilidade de Deus ser mulher.

Na manhã seguinte, na fresta embaixo da porta do quarto, escrita no papel timbrado do hotel, estava a letra de *Feminino Coração de Deus*, que Sérgio fizera na madrugada.

Ao me mostrar a melodia, fiquei emocionado. A canção era um blues forte e instigante e ele conseguira ampliar o tema ao sugerir a racionalidade de Deus através do coração. Um ano depois, em 1981, eu a gravaria no meu LP *Mulher*.

No fim da turnê, já no avião, voltando para casa, ri sozinho, recordando a bronca que eu levara de Narinha depois do show de Blumenau. Já no camarim, após o último bis, perguntei:

— E aí meu bem, gostou do show?

— Gostei nada, Erasmo. Você é um desleixado — respondeu. — Um artista do seu gabarito, com 40 anos de idade, pai de três filhos, não teve o cuidado de sacudir o piru quando foi fazer xixi no intervalo? Fez o show todo com a calça molhada. A plateia inteira viu e eu fiquei morta de vergonha!

DE FÉRIAS COM JULIO IGLESIAS

Vergonha passada, pouco tempo depois estávamos em outro avião, só que desta vez não era a trabalho. Chegamos em Miami após dias inesquecíveis passados na Disneylândia, em Orlando, com nossos filhos Gugu e Léo. Eu e Narinha estávamos felicíssimos. Era a primeira vez dos meninos na terra do Mickey e foi uma experiência digna de figurar no *Guiness* do meu coração de pai. Voltei a ser criança e, como um amiguinho, brinquei com eles de uma forma inédita para nós em atrações como o Piratas do Caribe, a Mansão Assombrada e a Terra do Nunca. Desconstruí, assim, minha "adulteza".

Porém, logo na chegada ao hotel Fontainebleau, em Miami, nossas reservas apresentaram problemas. Um grupo grande de turistas prolongara a estadia e, naquele momento, nossos quartos não estavam disponíveis. Comecei a evocar os bons e velhos palavrões e criei uma quizumba estratosférica — afinal, as reservas haviam sido feitas e pagas ainda no Brasil. Eu estava com minha mulher e duas crianças, ansiosos para curtir a cidade e só tínhamos três dias para isso. Qualquer minuto perdido eram dólares jogados fora.

Depois de duas horas de espera, o recepcionista nos deu uma chave e nos apresentou a Ivo, um simpático mensageiro brasileiro, que imediatamente pegou nossas bagagens e nos convidou a segui-lo. No caminho, foi soltando a língua: era meu fã desde a Jovem Guarda e estava "fazendo carreira" nos Estados Unidos. Disse ainda que ficaríamos hospedados temporariamente, enquanto não vagassem outros quartos, na suíte duplex em que ficaram o presidente Kennedy, Frank Sinatra, Jerry Lewis quando filmou *Errado pra Cachorro* e... Elvis Presley, quando fez *Seresteiro de Acapulco*.

Ao ouvir o nome do Rei do Rock, bateu uma emoçãozinha, e comecei a cantarolar mentalmente *Blue Suede Shoes*. Quando Ivo abriu a porta dupla da suíte, ficamos deslumbrados. Era imensa. Um lindo piano de cauda preto, que certamente fora tocado pelo Rei, dava as boas-vindas no salão. Numa outra sala ficava um bar com balcão. Uma mesa profissional de bilhar parecia jogar sozinha num anexo. No último e majestoso aposento, uma mesa comprida convidava para um romântico jantar, com castiçal e velas. Tudo isso cercado por janelões de frente para o oceano Atlântico, onde vimos pela primeira vez uma exibição de parapente. Antes de ir embora, o mensageiro falou:

— A qualquer momento o hotel pode anunciar a transferência do quarto, sim?

Agradeci, dei a gorjeta e continuei com meu show mental, a música da vez era *Jailhouse Rock*. A essa altura, os meninos não sabiam se jogavam sinuca, se tocavam piano ou se brincavam de esconder. Num dado momento, eles descobriram cinco quartos e uma sala de leitura no andar superior. Já com *Love me Tender* na cabeça, preocupei-me com a mudança iminente, que poderia ocorrer em uma, cinco ou 24 horas e não consegui relaxar. Foi quando Papai Erasmo virou o Ditador Esteves:

— Ninguém desfaz as malas! Não espalhem brinquedos nem roupas e fiquem todos num quarto só!

— Nada disso! — gritou Narinha. — Não vim a Miami para ficar socada dentro do quarto. Vou tomar sol com os meninos e passear pelo hotel.

E foi. Mal ela saiu, tocou o telefone e alguém da recepção falou comigo em espanhol:

— Mr. Esteves, está aqui uma pessoa a mando de mr. Munhoz, presidente latino da CBS Records.

Desci e dei de cara com o executivo que, após as apresentações, foi objetivo:

— Você precisa escrever uma versão em português urgente de uma canção de Julio Iglesias. Queremos lançar o novo disco dele no Brasil e precisamos dessa música para o Julio gravar no álbum.

Thomaz Munhoz já havia conversado comigo sobre esse assunto, mas não disse para quando precisaria da versão. Desabafei, incomodado:

— Caramba, como vocês me encontraram se ninguém sabe que estou aqui? Estou de férias com a minha família. Simplesmente não vai dar.

— A senhora sua mãe deixou escapar seu destino numa conversa telefônica com Marcos Maynard e Marcos Kilzer, da CBS brasileira. Daí eles nos informaram — respondeu o persistente executivo, que usava terno e gravata apesar do calor *miamico*.

Ainda tentando escapar, argumentei que não teria material para trabalhar. Nem violão eu levara:

— Não tem problema. Já providenciamos um aparelho de som e a fita com a gravação original de Julio. Vou mandar agora para sua suíte — encerrou.

Quando Narinha voltou da piscina com Gugu e Léo e me viu ouvindo a fita, não se conteve. Irada, ela disse:

— O que é isso, Erasmo? Era só o que faltava. Você ficar ouvindo boleros no meio das férias, deixando de tomar sol, de brincar com seus filhos.

E me largou sozinha na piscina, feito uma pateta, sabendo que não falo inglês. Se pelo menos estivesse ouvindo Elvis.

Para piorar a situação, os meninos completaram:

— Que música chata, pai.

Com um jeitinho especial, expliquei o que estava acontecendo: de como o executivo me encontrara, do meu compromisso com Munhoz, do gravador e da letra que eu já estava fazendo. *Devaneos* era um grande sucesso de Julio Iglesias nos países latinos e confiavam na minha versão para emplacá-lo também no Brasil, já que, historicamente, músicas em espanhol não agradavam ao povo brasileiro.

A mudança de planos virou um bicho de sete cabeças. Nosso finalzinho de férias — depois do paraíso da Disneylândia — começou a desandar. Narinha trocou seu belo sorriso por uma tromba permanente.

As músicas *All Shook Up*, *That's All Right, Mama*, *Blue Moon of Kentucky* e *Loving You* desistiram de esperar na fila para serem cantaroladas no meu pensamento, já que *Devaneos* não deixava.

Finalmente trocamos de quarto. Foi como deixarmos o Maracanã e irmos para o campo do Olaria, na rua Bariri. Eram dois quartos unidos por uma saleta. Gugu e Léo logo deram início às reclamações:

— Ah, pai, aqui não tem piano. Cadê a mesa de sinuca?

Os brinquedos barulhentos foram tirados das malas. Metralhadoras espaciais disparavam, naves reproduziam sons supersônicos, bonecos falavam, engrenagens rangiam e monstros rugiam. De vez em quando, em algum silêncio ocasional, eu punha a fita para rodar e, caneta na mão, arriscava uns versos:

"O me quieres o me dejas"
Ou me queres ou me deixas

"O te tengo que olvidar"
Não dá mais pra conviver

Eu imediatamente era censurado por eles:

— Ih, lá vem aquela música chata de novo.

Narinha, embora estivesse a uma distância em que dava para ouvir sua respiração, usava os meninos como ponte para falar comigo:

— Léo, pergunte ao seu pai a que horas vamos jantar.

Eu engolia em seco, tentava contornar a situação e dizia:

— Agora!

Porque se eu dissesse "daqui a pouco", certamente ouviria a irônica frase:

— Gugu, diga ao seu pai que estamos mortos de fome. Ele que fique aí "jantando" Julio Iglesias.

O potente gravador ficara limitado, pois com a ausência de fones eu era obrigado a ouvir o som baixinho para não atrapalhar a televisão ou mesmo a brincadeira dos meninos. Só quando aprendi a melodia pude letrar mentalmente a música, acabando com a chatice de voltar a fita a toda hora, processo que, admito, é realmente uma tortura para quem não está envolvido nele. Consegui terminar a versão, batizada de *Devaneios*. Ainda tive tempo para dar um mergulhinho na piscina, brincar um pouco com os filhos e até fazer umas comprinhas. Narinha, aos poucos, foi esquecendo a tromba e seu belo sorriso voltou a brilhar. Mas aí já tinham acabado as férias.

Valeu a pena. A música arrebentou nas rádios brasileiras, se tornando um grande sucesso popular. Parte da imprensa tentou insinuar uma possível traição em relação à minha parceria com Roberto Carlos, boato tão sem graça que morreu quando ainda engatinhava.

Passados alguns meses, cá estava Julio Iglesias no Brasil. Ele iria se apresentar no estádio do Flamengo, na Gávea, e consequentemente colher os frutos do sucesso *Devaneios*. Cobertura televisiva, fãs esperando no aeroporto, no hotel, manchetes nos jornais, outdoors espalhados pela cidade — uma verdadeira loucura, com a CBS investindo pesado.

Cheguei em casa, vindo não me lembro de onde, e fui recebido por Narinha, eufórica, com um sorriso que ia de orelha a orelha. Ela literalmente se jogou nos meus braços, me beijando e dizendo que me amava. Surpreendido pelo ímpeto carinhoso exacerbado, logo pensei o que eu teria feito para ser merecedor de tanto afeto:

— Adivinha quem telefonou me chamando de bela? — Narinha perguntou com ar de felizarda. — Julio Iglesias!

Em seguida, narrou todo o papo como uma metralhadora:

— Quando falei quem era, ele disse com uma voz charmosíssima que eu era bela. Contou que te admirava como compositor, mas que só agora entendia de onde você tirava inspiração para criar coisas tão lindas. Convidou a gente para o show e me agradeceu do fundo do coração por inspirar você na letra de *Devaneios*.

Alguma coisa me disse que, naquele exato momento, eu fora finalmente perdoado por ter trabalhado nas férias de Miami. Pude então cantar, feliz da vida, agora a plenos pulmões, *Don't Be Cruel*, de Elvis Presley.

APRENDENDO A SER PAI

Com beijos ou tromba, Narinha era o sol em torno do qual minha vida circulava. Não só a minha. Eu e meus filhos Gil Eduardo (Gil), Carlos Alexandre (Gugu) e Leonardo Bruno (Léo) somos os "quatro homens dependentes", de quem falo na música *Mulher*, de 1981. E seu carinho de companheira foi fundamental para que eu aprendesse a ser pai.

Como conheci meu pai apenas com 23 anos, na minha formação contei somente com o maravilhoso e lindo amor materno. Sempre tive dúvidas sobre o quanto a figura masculina me fez falta. E quando vieram meus filhos, tive que aprender na prática a lidar com as situações que surgiam, correndo riscos junto com eles. Jamais pude recorrer à minha própria experiência como filho. Mas acho que me dei bem. É notável o respeito, amor e amizade que eles têm por mim.

Quando conheci Nara, Gil já estava com 7 anos. Era filho de seu primeiro casamento. Namoramos, casamos e fomos morar no bairro do Leme. Tínhamos um cachorro e éramos felizes. Eu inventava que era o Super-Homem e que ele precisava ajudar a manter em sigilo minha identidade secreta. Com isso, arrumei um aliado, e, aos poucos, fui ganhando sua afeição.

Brincando com Gil, no primeiro apartamento do casal: "Usei esse bigode na época em que estava filmando *Os Machões*. A tela ao fundo é minha, cismei em ser pintor. Meus quadros eram surrealistas, árvores com seios."

Com o passar dos meses, notei que alguma coisa estava atormentando o garoto, e tive a prova disso quando um belo dia, ao chegar da escola, Gil me perguntou, indignado:

— Você não acha que já está na hora de trabalhar, não?

Eu, surpreso, perguntei:

— Como assim, filho?

— Trabalhar, ter um emprego, como o George, do desenho animado *Jetsons*. Você fica em casa o dia inteiro, tocando violão, cantando e ouvindo música.

Tive que explicar, com paciência, que nem todos os trabalhos obedecem às mesmas regras, e que, como compositor, eu era independente. Acho que a explicação foi satisfatória. Afinal, ele tomou gosto pela profissão de músico e hoje em dia é baterista da banda Ozimoraes.

Gugu me apresentou ao mundo novo das fraldas, das mamadeiras, do bebê conforto e dos passeios na pracinha. Léo me fez ficar mais esperto. Aprendi a observar a diferente personalidade de cada um e a entender o coração de todos.

O tempo voava, o amanhã já era ontem, e a gente nem se dava conta que eles cresciam. Do Leme, fomos morar no Jardim Botânico, depois em Ipanema e finalmente na Barra da Tijuca, onde construímos nossa casa. De vez em quando, passávamos fins de semana em Angra dos Reis, programa ansiosamente esperado por todos. Como sempre, dependíamos da agenda de shows que, justamente aos sábados e domigos, era mais ocupada. Nos hospedávamos no Hotel do Frade, onde Narinha e eu passamos nossa lua de mel. Conhecíamos todo mundo, dos gerentes às camareiras, que tinham um carinho especial pelos meninos.

O grande *must* da nossa farra era, sem dúvida, alugar uma lancha para passear, programa que todos adoravam. Fazíamos pesca, mergulho em alto-mar e visitas às lindas praias da região. Todos munidos de coletes salva-vidas, principalmente Nara, a única que não sabia nadar. Era comum também — já que quase todo mundo se conhecia, pois Angra já era o paraíso

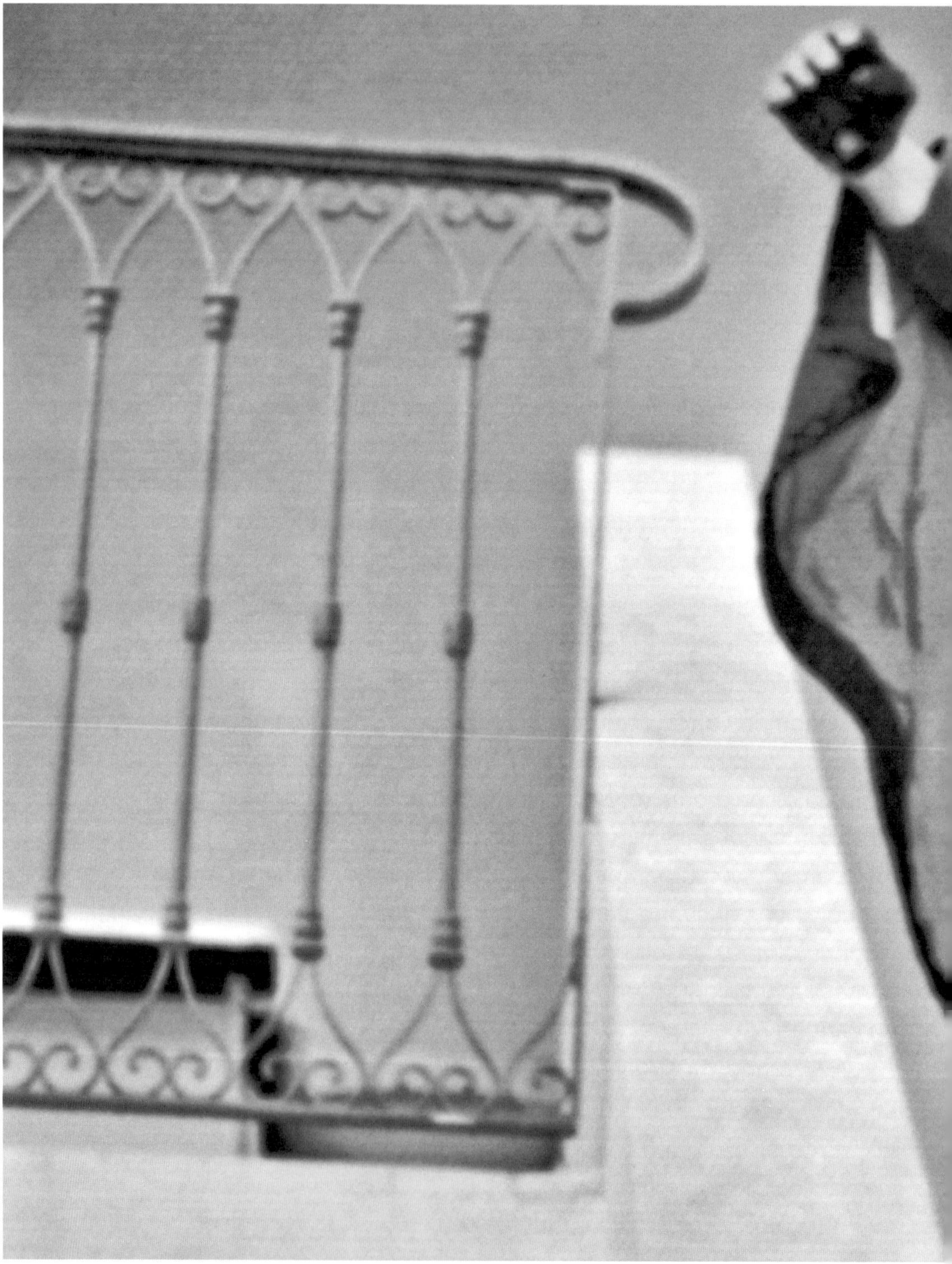

Vestido de super-herói com Gugu no colo, na casa do Jardim Botânico: “Eu fazia isso direto, me vestia de mulher, caubói, para brincar com as crianças. Ainda hoje me fantasio de mexicano, cangaceiro ou hindu para provocar risos nos meus netos.”

dos artistas, políticos e empresários, como se mantém até hoje — que várias lanchas se reunissem num determinado ponto para que todos curtissem bebidinhas, petiscos, conversas e música. A criançada se divertia, imaginando-se numa reunião dos piratas no Caribe, traçando planos para procurar o tesouro do Capitão Gancho.

Num desses encontros, conheci o dono de uma indústria náutica que fabricava verdadeiras bat-lanchas, que usavam tecnologia de ponta, motores fantásticos, decoração personalizada etc. Entre um papo e outro, alguns copos depois, ele tentava me convencer a comprar uma. Como me mostrei interessado, o sujeito nos convidou para irmos até sua casa. Lá, me mostraria o catálogo com os modelos e preços, tomaríamos a saideira e comeríamos peixe frito pescado na hora em sua piscina particular de água salgada. Ela possuía comportas que se abriam e fechavam com o movimento das marés, capturando peixes, polvos e até tartarugas.

Enquanto conversávamos, eis que aparecem os meninos deslumbrados, como se tivessem presenciado a aparição de Nossa Senhora dos Brinquedos. Nas mãos, traziam dois coelhos, pendurados pelas orelhas. Minha reação foi de surpresa, logo emendando com afagos no pelo liso e branquinho dos bichinhos. Narinha nem se fala. Adorou os animais, que, descobrimos, eram um presente do anfitrião.

Durante o trajeto de 140 quilômetros de volta ao Rio, ninguém dormiu no carro. Todos estavam excitadíssimos. Os coelhos, dentro de uma caixa de papelão, balançavam para lá e para cá, conforme as curvas da serra. Debatíamos os possíveis nomes que teriam: Tico e Teco, Pernalonga e Pernacurta, Vascão e Mengão...

— Vamos dar nome de gente — sugeriu Narinha.

Dirigindo, ousei dar um palpite: seria melhor botar um nome só, pois eles eram exatamente iguais e ninguém iria conseguir diferenciá-los. Quase fui linchado. Resolvi então me calar no restante da viagem. A chegada em casa foi um acontecimento, até os vizinhos vieram ver. Providenciaram-se cenouras, couve e água. Os meninos, a essa altura, já tinham escolhido o nome dos bichos, Algodão e Maracanã.

Na frente de nossa casa, ficava a garagem e, atrás, a parte social — com quintal, piscina e churrasqueira. Com medo de que fugissem para a rua, sugeri que eles ficassem na parte de trás. Ali teriam mais espaço. Sem discutir minha sugestão, todos foram preparar os aposentos para os dois novos habitantes.

Após um breve silêncio, Narinha me perguntou:

— Meu bem, não existe o perigo de eles caírem na piscina?

Confesso que não havia considerado a hipótese macabra, mas, tomado por otimismo, quis acreditar que não. Levantei a sobrancelha, assumindo ares de profundo conhecedor da vida animal, especializado em roedores, e respondi em tom professoral:

— Vocês estão pensando que coelho é burro? Eles já nascem com instinto de sobrevivência. Além de tudo, estão vendo a água e não vão ser malucos de cair nela.

Depois dessa verdadeira aula de zoologia, vinda de um suposto expert no assunto, ninguém se atreveria a discordar. E fomos todos dormir.

No dia seguinte, acordei despertado por uma choradeira que se fazia ouvir por toda a casa. Alguma tragédia acontecera. Pulei da cama, corri para a varanda e vi Algodão e Maracanã boiando na piscina, inchados e mortos. Por vaidade e ignorância, destruí os sonhos dos meus filhos. Eu era uma criança, não entendia nada.

capítulo 6

SOU MAIS MOÇ

QUE UM MENINO

tremendão quarentão

Take da sessão de fotos para a capa do disco *Apesar do Tempo Claro*, de 1988.

O SANTO DO MANOELZINHO

Era 1981 e Narinha faria 40 anos. Como sempre fazia nessas ocasiões, elaborei um roteiro romântico para comemorar a data. Livros, filmes e músicas, além da minha própria experiência de vida, me inspiraram a transformar esses momentos únicos em produções familiares espetaculares. Meu temperamento apaixonado me permitia criar rituais incríveis e "ridículos" (nas palavras do poeta maior Fernando Pessoa). Eu exagerava mesmo.

Daquela vez, me exigi bastante. Um delicioso café da manhã, preparado e servido por mim, foi o meu "bom-dia" para ela, acompanhado de beijos, abraços e... muito mais. Seguindo meu estilo, espalhei vários bilhetinhos com singelas, curtas e ridículas declarações de amor: dentro da bolsa dela, na geladeira, na tampa do vaso sanitário, no carro, na sala e no jardim. Textos como: "Só com sua força fico forte", "Você é minha eterna namorada", "Se eu pudesse voltar no tempo, me casaria com você de novo". Não satisfeito, escrevi com *pilot* no espelho do banheiro uma mensagem amorosa igualmente ridícula. Formei com cotonetes na bancada da pia mais frases ridículas, tipo "amo você".

Um caminho de flores não poderia faltar. Espalhei pétalas indo da porta da casa até nosso quarto, fazendo uma trilha que subia inclusive os degraus da escada. Encomendei uma linda corbelha, garbosa e exuberante. A mensagem do cartão já era mais sofisticada, mas ainda ridícula: "Não te conduzo, porque sou parte de ti. Aonde fores, estarei junto."

Às dez e às onze horas da manhã, toquei ao vivo para todo o Brasil, na Rádio Globo do Rio, a música *Coqueiro Verde*, em sua homenagem. Meus filhos não ficaram atrás e reverenciaram a mãe, cada um do seu jeito, com afagos, chamegos, presentes e mensagens na linha "você é a melhor mãe do mundo".

Só que Fernando Pessoa nem imaginava as trapalhadas que eu ainda iria fazer naquele mesmo dia. Se soubesse, teria saído do túmulo para me condecorar com uma medalha de honra ao mérito.

Fomos jantar à luz de velas no Antiquarius, templo gastronômico e nirvana da comida portuguesa no Rio. Narinha, que havia quebrado o pé dois meses antes e ainda andava com dificuldade, estava linda como sempre. Usava uma flor presa nos cabelos soltos, pouquíssima maquiagem e um estonteante vestido claro, decotado nas costas. Tudo perfeito, como ela sabia que eu gostava.

O maître Manoelzinho nos recebeu festivamente, dando parabéns pela data — contei a ele quando fiz a reserva — e, gentilmente, nos conduziu à mesa, desejando uma noite feliz. Eu havia feito um poema[20] em Los Angeles, quando Narinha quebrou o pé. Discretamente, coloquei-o junto com um estojo no assento da cadeira que ela iria sentar. Sua reação foi uma emoção só quando abriu os presentes. Seus olhos marejaram quando leu o poema e sua expressão de felicidade foi contagiante quando coloquei o colar de ouro e brilhantes, com um pingente de esmeralda, em seu pescoço.

Enquanto brindávamos, vimos, no canto da mesa, medindo uns 20 centímetros e iluminada pela tênue luz das velas, uma estatueta barroca de santo. Ela já estava lá desde que chegamos, só que não havíamos reparado. Narinha falou:

— Meu bem, que coisa mais linda. É dourada e azul. Deve ser presente do Manoelzinho!

Eu fiquei calado e pensei: "Será?" Resolvi então perguntar:

— Manoelzinho, que imagem bonita é essa?

— Vocês gostaram? É do nosso acervo de antiguidades — respondeu, dando mais detalhes sobre a origem da escultura (no mezanino da casa funciona o antiquário que dá nome ao restaurante).

A conversa morreu ali e o jantar seguiu normalmente. Tudo estava nos conformes: um cantinho romântico, as velas, champanhe para Narinha e vinho para mim. Comemos camarão, nosso prato preferido da casa, e juras de amor foram trocadas. Me lembro que durante uma passagem de Manoelzinho pela mesa, querendo saber se estávamos satisfeitos, Narinha lhe disse, acariciando a estatueta:

— Foi uma noite maravilhosa. Obrigada por tudo. Adorei a comida e o presente.

Manoelzinho sorriu, paguei a conta e fomos embora. No caminho para a Barra da Tijuca, com o dia já se anunciando, em plena avenida Niemeyer, Narinha teve um estalo:

— Ih, meu bem! Que chato! Esquecemos o presente do Manoelzinho lá no Antiquarius.

Dei meia-volta com meu Corcel e retornei a Ipanema, pegando o restaurante quase fechando. Deixei Narinha no carro e adentrei o salão. Os garçons já estavam sem os uniformes e arrumavam as mesas e cadeiras para iniciar a limpeza. Quando vi Manoelzinho, falei:

— Bicho, esqueci o presente!

— São tantos cruzeiros — respondeu ele, com delicadeza.

A quantia era uma grana considerável na época:

— Mas como? Não era um presente seu? — perguntei, atarantado.

— Não, seu Erasmo. Coloquei a peça na mesa somente para enfeitar. Como Dona Narinha gostou, achei que o senhor fosse comprar para ela.

Eu disse que, nesse caso, não estaria interessado, mesmo por que já dera o colar e o poema de presente para ela. E expliquei a confusão que havia acontecido.

Na saída, veio o dilema... E agora? O que vou dizer para Narinha que está esperando a estatueta? Tomei coragem e, na maior cara de pau, entrei no carro dizendo:

— Pô, meu bem! Você não sabe o que aconteceu. Quando Manoelzinho foi me dar a escultura, ela escorregou e se espatifou no chão. Ele ficou arrasado, quis me dar outra, mas não aceitei.

Narinha, por incrível que pareça, acreditou. Mais uma prova de que o verdadeiro amor é cego e adoravelmente ridículo.

PARABÉNS INESQUECÍVEL

Numa madrugada de 1981, após um dia inteiro de trabalho exaustivo durante a gravação do disco *Mulher*, que sairia naquele ano, fui ao bar e restaurante Maracujina, na praça Euvaldo Lodi, na Barra da Tijuca, onde hoje funciona a Pizzaria Guanabara. Estava com Alcides e assistentes de estúdio, todos a fim de forrar o estômago antes do sono dos justos. É claro que tomaríamos uns goles enquanto o rango não viesse.

Ao chegar, ouvi um grito: "Senta aqui com a gente, Erasmo." Olhei e reconheci o amigo João Nogueira, compositor de mão cheia e autor, ao lado de Paulo César Pinheiro, do clássico *Espelho*, música que sempre me levava às lágrimas. Sua turma ocupava a maioria das mesas do lugar e estava bastante animada. Descobri que João comemorava, pela enésima vez naquela semana, seu quadragésimo aniversário. A essa altura do campeonato, o estado etílico de todos já se fazia notar.

Não demorou nada e estávamos participando da comemoração, contando e ouvindo piadas e "causos". No auge dos risos e da alegria, adentra, ziguezagueando por entre as mesas, uma mulata espetaculosa e já "para lá de Marrakesh". Ao me ver, ela não se conteve:

— Luiz Ayrão, eu amo você!

E veio na minha direção, me beijando, pensando que eu fosse o autor de *Nossa Canção* e admirando a algazarra que ela mesma despertara. Já sentada no meu colo, incomodada com as gozações de João, a mulata disparou:

— Cala a boca, Jair Rodrigues. Não gosto de você.

Mais gargalhadas ainda ecoaram no recinto, fazendo com que a mulata escalasse Ângela Nogueira, mulher de João, como próximo alvo:

— E você, sua xexelenta. Tá rindo de quê?

Um delegado amigo da família, que cochilava com a cabeça apoiada sobre os braços, acordou na hora:

— Não admito que falem mal da minha comadre. Você está presa! — esbravejou, dedo em riste.

A turma do "deixa-disso" conseguiu, com muito custo, levar a mulher para longe. O melhor estaria por vir. Na hora do abraço de despedida em João, já de dia, quando a minha voz pastosa repetia votos de felicidade pelo aniversário, num ímpeto de carinho alcoólico, coloquei as duas mãos sobre seu colarinho e fui abrindo sua camisa lentamente. Os botões saltavam um a um, ploc-ploc-ploc-ploc... João, de peito nu, me olhava estático, sem entender o porquê da minha atitude. Dúvida que eu esclareceria a seguir:

— Bicho, que esse momento fique marcado para sempre na nossa vida. Jamais vamos esquecer que no dia dos seus 40 anos, sua camisa foi carinhosamente desabotoada por mim. Que isso sele nossa amizade — expliquei.

Com toda paciência do mundo, João disse que estava tudo bem, que estava feliz, gostava muito de mim. Fomos embora, quando já começava o tradicional engarrafamento matutino do Rio. Durante um bom tempo não nos vimos, e Alcides sempre me lembrava do meu "exagero" ao parabenizar João, o que me fazia pensar se ele teria levado a mal aquele meu gesto inconveniente.

Um dia, ao entrar na Polygram, dei de cara com João. Assim que me viu, não pestanejou: foi na direção do colarinho da minha camisa, fazendo comigo o mesmo que eu fizera com ele. De novo os botões saltaram, ploc-ploc-ploc-ploc... só que dessa vez, eram os meus. João me disse, com alegria estampada no seu olhar de peixe morto:

— Agora sim, Tremendão. Nossa amizade está selada para sempre. Estou sabendo que você só faz aniversário em junho, mas estou te dando os parabéns adiantados.

DESCANSO CANSATIVO

Eu tinha 40 anos, idade suficiente para saber algumas coisas sobre a vida. Uma delas é que, de vez em quando, é preciso dar um basta para se dedicar à família.

— Quem quer férias? — gritei ao chegar em casa, vislumbrando o bom número de dias de folga que teria pela frente.

— Eeeeeeuu! — responderam todos, com sorrisos do tamanho do Maracanã.

Que bom! Havíamos atingido o limite. Narinha já estava com os nervos à flor da pele. Conforme ela mesmo desabafava, além da manutenção da casa, tinha que monitorar os empregados, fazer compras, cuidar do cachorro, me acompanhar na estrada, ser mãe 24 horas e ainda se mostrar linda para mim e inteligente perante o público — o que, em sua percepção feminina, me deixaria orgulhoso.

Uma viagem seria bem-vinda. Um lugar onde a gente pudesse descansar bastante, namorar muito e, ao mesmo tempo, agradável para os meninos. Durante nossas pesquisas, o passeio foi tomando um rumo diferente. Nara achava que também deveríamos levar nossas mães, Diva e Leda. Elas ajudariam tomando conta de Gugu e Léo, que tinham respectivamente 8 e 7 anos, além da satisfação que teriam por estarem conosco.

Falava-se muito nas colunas sociais dos jornais de um tal de Clube Mediterraneé, na ilha de Itaparica, na Bahia. Lugar paradisíaco, recém-inaugurado, sem televisão e telefone, quartos sem chave, com piscinas, praia particular, quadras de esportes etc. Nara ficou entusiasmada com a ideia de conhecê-lo. Eu hesitei. O que achava que seria uma fugida para repouso estava se transformando numa grande produção, pois já envolvia as avós, uma cota de passagens aéreas, táxis, traslados para a ilha e *otras cositas más.* E não teríamos TV. Portanto, futebol, desenhos e novelas, nem pensar. A essa altura, eu já era voto vencido. Para não ferir suscetibilidades, sorri conformado e concordei.

Chegamos à tardinha no resort e já tive a primeira surpresa. Fomos recebidos por uma batucada vibrante, feita por rapazes e moças bonitas e saudáveis que nos ofereciam drinques coloridos e tropicais, desejando boa estadia para todos. Eram os GOs (Gentis Organizadores), mestres de cerimônia encarregados de organizar festas e orientar o lazer em geral.

Praticando arco e flecha com Narinha, no Club Med: “Estou magro, bonito, junto com a minha mulher, num momento legal da minha vida. Transformei essa imagem num quadro que tenho até hoje na parede da minha casa.”

Logo me reconheceram e me cercaram, pois não imaginavam que o Erasmo Esteves que constava na lista de chegada dos novos hóspedes seria eu. Disputaram para ver quem ia levar as bagagens para os nossos quartos. O vencedor foi um sujeito chamado Shorty, que no caminho foi contando sua história. Disse que era o cantor titular do Med e meu fã, a ponto de saber quase todas as minhas músicas de cor. Deixou-nos instalados, nos deu as dicas para o jantar e, antes de ir embora, cantou bem alto:

— "Em frente ao Coqueiro Verde/ Esperei uma eternidade/ Já fumei um cigarro e meio/ E Narinha não veio."

Achei engraçada a brincadeira, dei uma gorjeta a ele e disse até logo, enquanto Nara ajudava nas acomodações dos meninos e das avós. Depois, passeamos um pouco e aproveitamos o bufê generoso.

No dia seguinte, acordei com os meninos contando suas aventuras naquela manhã. Deixei-os falando da descoberta de uma colônia de guaiamuns e fui descolar um café preto para mim e para Nara. A caminho do restaurante, era obrigatória a passagem pela piscina, que a essa altura já estava cheia de adultos e crianças fazendo ginástica ritmada, com música bate-estaca no talo. Parei para ver a cena quando ouvi uma voz forte vinda lá do meio da muvuca:

— "Se você pensa que vai fazer de mim/ O que faz com todo mundo que te ama/ Acho bom saber que para ficar comigo/ Vai ter que mudar."

Era o Shorty que, ao me ver, resolveu fazer uma homenagem e apontou para mim. Acenei meio sem jeito. Ele pediu que eu não levasse a mal, mas todas as vezes em que cruzasse comigo iria cantar um trecho de música minha como homenagem. Aceitei o "tributo".

Levei o café para Nara e fomos para a praia curtir o belo sol e o maravilhoso coqueiral. Foi quando começaram os convites feitos em tom determinado, quase uma ordem, pelos GOs:

— Erasmo, amanhã às onze da manhã começam as aulas de arco e flecha. Conto com você e Narinha.

Logo depois vinha outro:

— Cara, amanhã de tarde tem um futebol society. Camisa contra sem camisa. Conto com você.

E mais outro:

— Vocês jogam tênis, não? Pois as aulas começam amanhã a partir das nove. Ok?

Nara estava gostando, pois sempre quis fazer várias modalidades esportivas e de exercícios em geral — após a cirurgia, ela foi liberada para praticá-los livremente, apenas cuidando para não exagerar. Insceveu-se até nas aulas de jazz, uma dança em voga na época. Gugu e Léo adoravam as aventuras pela ilha, principalmente as armadilhas que faziam para matar ratos — inexistentes no local, mas eu não ia falar isso para eles. As avós fizeram amizade com Ruth, mãe do roqueiro Lobão, que também estava hospedada lá. Logo pareciam velhas conhecidas.

E havia mais. Shorty chegou e disse:

— Erasmo, tem uma banda que faz os shows noturnos no Village, nosso espaço social. Será que você daria uma canja amanhã? Eles já sabem algumas músicas suas, pois me acompanham todos os dias.

Pensei, mas não falei: "Minha Nossa Senhora do Lá Bemol! Estou vendo que desse jeito não vou descansar nada." Antes da minha resposta, minha mãe, que estava ao lado e ouvira a conversa, irrompeu:

— Oba! Vou ver meu filho cantar. Que bom!

Nessa noite, Nara e eu fomos passear na praia. Ela estava linda, com os cabelos soltos, num vestido longo e folgado. A lua gostou.

Acordamos cedo e tomamos café. Na sequência, teve aula de arco e flecha e tênis, sauna, almoço e meia hora de futebol society. Depois, fui para o bendito ensaio. Na chegada, um susto. Praticamente todos os hóspedes do clube dançavam *Lança Perfume*, na voz de Rita Lee, na quadra do Village, obedecendo a uma coreografia tipo macarena, comandados por um casal de dançarinos. Era um espetáculo bonito de se ver e lá estavam meus filhos, Nara e as avós, na maior animação. A banda era composta por músicos de várias nacionalidades. Tinha porto-riquenho, brasileiro, inglês, jamaicano e uma bonita mulata, com longas tranças rastafári, que era a vocalista.

Shorty me apresentou à turma e acabei ensaiando três músicas, *Mulher*, *Pega na Mentira* e *Festa de Arromba*. Mais tarde, a festa foi um sucesso. Cantei pela primeira vez na minha vida com a camisa do Vasco. A galera fez coro e todos ficaram felizes. Shorty, abraçado com as avós, nos acompanhou até os quartos e, quando já ia embora, parou, apontou para mim e mandou:

— "Não adianta nem tentar me esquecer/ Durante muito tempo em sua vida eu vou viver."

As férias foram seguindo, e o sonhado descanso acabou virando outra roda viva. Dessa vez, esportiva. Já era comum encontrar Narinha esquivando-se dos coqueiros apressada, indo para um lado, enquanto eu ia correndo para o outro. Trocávamos um beijo rápido e eu perguntava:

— Oi, meu bem. Aonde você vai?

— Vou para a aula de jazz. Já estou superatrasada. Depois vou jogar pingue-pongue — respondia ela. — E você?

Eu, correndo de costas, olhando para ela:

— Vim do futebol. Vou dar um pulo no centro médico pois estou com o pulso doendo do vôlei e bolhas na mão por causa das raquetes do tênis. A gente se vê por aí. Tchau.

Daí a pouco, encontrava o Shorty e lá vinha:

— "Perdão à namorada é uma coisa normal/ Mas é que eu tenho que manter a minha fama de mau."

Meu corpo todo doía com a maratona "mediterranesca". Disputamos o campeonato interno de arco e flecha e ganhamos medalha de ouro. Todos os dias tinha futebol, vôlei, basquete, tênis... Corri, nadei e cantei outras vezes.

Gugu e Léo pareciam os donos da ilha, já conheciam todos os GOs pelos nomes, andavam a cavalo e estavam até ajudando na construção dos cenários das festas. As avós catequizavam os GOs contando maravilhosas histórias de antigamente. Quando deitávamos em nossas camas e esticávamos nossas pernas, Nara exausta e eu todo quebrado, parecia que tínhamos sido moídos nas mesmas engrenagens sinuosas pelas quais Carlitos passara no filme *Tempos Modernos*. Em três ou quatro minutos, já estávamos dormindo. Ou melhor, dormíamos no beijo de boa-noite, provavelmente sonhando com saques, chutes e raquetadas.

No último dia, fui acordado pelos meninos, apavorados:

— Pai, acorda! Mataram a mulata do show e enterraram o corpo na praia!

Levantei assustado e fui ver o que havia acontecido. Uma das tranças rastafári da cantora jazia semienterrada na areia. O resto ficou por conta da imaginação deles.

Terminada nossa temporada de "repouso", a caminho do aeroporto de Salvador, demos uma passada na igreja do Senhor do Bonfim — as avós queriam agradecer, com orações devotas, por aquelas férias. Gugu e Léo abarrotaram os pulsos com as famosas fitinhas para turistas. Nara e eu não víamos a hora de chegar em casa. No avião de volta ao Rio, ainda ecoava na minha cabeça a voz do Shorty, na hora da despedida:

— "É preciso saber viver/ Saber viver, saber viver."

A ÁGUA DA ALCIONE

Anões de blush e batom vestidos de bailarina, gigantes de fralda, touca e chupetão na boca, calouros esperançosos sem o menor futuro, palhaços, trapezistas, engolidores de fogo, galos, papagaios, cachos de banana, o célebre bacalhau etc. — enfim, situações fellinianas com pitadas tropicais. No meio disso tudo, grandes cantores e personalidades das mais diversas áreas, em evidência ou não. Completava o circo um júri de famosos que avaliava os calouros.

Impossível lembrar daquele início dos anos 80 e não pensar no programa do Chacrinha. A atração era divertidíssima para o público e mais ainda para os artistas. Alegria pura, em estado bruto, desafiando a ditadura com um sorriso na cara.

O som contribuía para a loucura. Chacrinha — a maior figura de mídia que já vi, desde o tempo da Rádio Globo, quando era disc jockey e tocava os meus primeiros discos, até quando partiu e me deixou saudades — anunciava as atrações gritando "Therezinhaaaaa!" ou "Vocês querem bacalhau?". As entradas sempre eficientes do sonoplasta My Boy botavam para quebrar — entre hits populares que iam de Rita Pavone a Waldick Soriano, ele inseria barulhos como gargalhadas bizarras, choro de neném, explosões, sirenes... Para completar, a galera entusiasmada ao extremo, interagindo com gritos e aplausos e cantando com todas as forças os sucessos do momento junto com seus ídolos. Quem teve o privilégio de participar do programa não esquecerá jamais.

Numa das vezes em que estive lá, logo na chegada a rua já estava um caos, com fãs cercando os carros. Graças aos produtores Leleco e Nanato Barbosa, filhos do Chacrinha (Nanato, por sinal, é padrinho de batismo do meu filho Leonardo), entrávamos pela garagem do Teatro Fênix, sem o risco de ter a roupa rasgada pelo carinho excessivo das meninas. Num dia de congestionamento na garagem, o jeito foi pular o muro do edifício ao lado, quando me ralei todo.

Já no interior do teatro, nos deparávamos com o sorriso aberto de uma das figuras mais simpáticas dos bastidores da TV brasileira, o nosso querido Russo, assistente de palco e até hoje faz-tudo de programas de auditório na TV Globo. Ele nos conduzia ao camarim. No curto trajeto, eu fazia questão de dar uma olhada no palco, para ver a exuberância das famosas chacretes — sem dúvida alguma, eram uma festa dentro da festa.

O camarim era uma constelação. Das estrelas que lembro, lá estavam Lulu Santos, Alcione, Simone e Wando. De vez em quando, entre uma buzinada ou outra do Chacrinha, vinha o Russo e dizia com aquela cara que Deus lhe deu:

— Fulano, agora é você.

E lá se ia o fulano, não sem antes ouvir dos colegas desejos de boa sorte. Eu iria encerrar o programa, pois minha música *Pega na Mentira* ocupava os primeiros lugares nas paradas. Não havia motivo nenhum para ficar preocupado, já que o programa era na base do playback. Ou seja, apenas fingíamos que cantávamos sobre a gravação original. Mas, como minha hora de entrada ainda iria demorar, pedi ao Alcides que descolasse uma vodca com gelo. Isso ajudaria a passar o tempo e acalmaria um pouco minha ansiedade.

Em poucos minutos, volta o Alcides com a vodca, servida em copo longo, *on the rocks* e sem limão, como eu gosto. Não costumo esperar sentado antes de me apresentar. Prefiro ficar de pé para poder me agachar de vez em quando, forçando os músculos, girando a cabeça para os lados — uma espécie de alongamento. Recostei ao lado da porta enquanto o papo continuava. O camarim estava animado.

De repente, entra o Russo, dando um susto coletivo:

— Alcione, é a sua vez. Rápido que tá em cima.

A Marrom não pensou duas vezes e levantou-se num pulo. Na passagem, se olhando no espelho, deu uma ajeitada no cabelo, arrumou o decote para valorizar seu lindo colo e zarpou em direção ao palco. Ao passar por mim, viu o copo na minha mão, a essa altura já com o gelo derretido, e disse:

— Que bom! Uma água era tudo que eu queria.

E rapidamente, sem me dar tempo de dizer que aquilo não era água, arrancou o copo da minha mão e entornou com vontade aquele líquido incolor e inodoro que passarinho não bebe. Estupefato, vi seu rosto se transformar:

— Meu Deus! O que é isso? Minha garganta está queimando.

Russo, alheio ao que se passava e agarrado ao seu braço, seguia apressado:

— Vamos, Alcione. Senão perco meu emprego.

E lá se foi a cantora reclamando:

— Detesto bebida. Estou pegando fogo.

Simone, Lulu, Wando e eu ficamos mudos. Só fui relaxando quando ouvi os aplausos ensurdecedores e testemunhei pela TV interna, que mostrava o palco, a linda performance da Marrom.

Até hoje, todas as vezes que peço uma água da Alcione, com um sorriso maroto igual ao dela, Alcides me traz um belo copo de vodca, sob o olhar curioso das pessoas que não sabem a origem da expressão.

COMO ELE, SÓ ELVIS

O telefone tocou lá em casa e Narinha atendeu. Quando ela me chamou e disse quem era, demorei a acreditar. Minhas pernas tremeram, meu coração descompassou e comecei a chorar, num surpreendente ataque de tietagem explícita. Atendi.

— Erasmo, é João Gilberto. Como vai, meu nego?

Quem ligou, na verdade, foi o Wanderley, pianista da banda de Roberto Carlos. Ele estava na casa do João e, sabendo que eu era fã, teve a ideia de colocá-lo na linha para batermos um papo.

Ao telefone, João disse que gostava de mim e também lamentava a falta de oportunidade de conversarmos. Nunca tivera a chance de encontrar aquele que, ao lado de Elvis, ocupa o posto de meu ídolo maior.

Eu respondi gaguejando. Num astral ótimo, ele sugeriu:

— Combine com Wanderleyzinho para vocês virem aqui em casa qualquer dia, para a gente conversar.

Desliguei ainda sem acreditar que falara com o criador da bossa nova. Por isso, quando fui convidado para tocar no Festival de Águas Claras, em 1983, e soube que João Gilberto estaria lá, fiquei empolgado. A lista de atrações incluía ainda Egberto Gismonti, Raul Seixas, Wanderléa, Armandinho, Dodô e Osmar e muitos outros. Eu ia com minha banda Anos Luz.

Assim que chegamos ao hotel reservado pela produção do festival, pela manhã, demos de cara com Wanderléa e Raul Seixas, que retornavam de seus shows da noite anterior. Me chamou a atenção o fato de ambos estarem com botas de cano longo completamente sujas. Soube logo depois que chovia aos cântaros na Fazenda de Iacanga — lugar do evento, afastado alguns quilômetros do hotel — e a lama tomava conta do local.

Ainda no hotel, encontrei Otávio Terceiro, amigo e empresário de João, e soube que meu ídolo estava hospedado no quarto ao lado do meu. Falei da satisfação que teria em conhecê-lo, pois além da admiração, falava alto minha baianidade de quase baiano. Como Otávio não me deu certeza do encontro — alegando que João estava num sono profundo, cansado da viagem exaustiva —, tirei a camiseta com a frase "Amar pra viver ou morrer de amor", que usava, e pedi para que ele a entregasse em mãos a João. A frase era o título de um LP que eu lançara.

À noite, quando cheguei à Fazenda de Iacanga, milhares de pessoas formavam um mar de guarda-chuvas. O acesso ao palco era impossível a pé. Usávamos uma carroça puxada por um trator. Para cada atração, a carroça fazia várias viagens, levando os músicos e técnicos do artista. Todos iam agarrados uns aos outros, equilibrando-se para não cair e achando uma maravilha o ineditismo da situação.

Terminei meu show às duas da manhã. O público não arredou o pé, apesar da chuva e do frio. Nos bastidores, não havia mais água e nem o vinho que antes rolava aos borbotões em taças de plástico. E ainda faltavam duas atrações antes de João.

Na maratona da volta, além da carroça que nos levaria até a entrada da fazenda, ainda enfrentaríamos o ônibus, nosso transporte dali até o hotel. Havia apenas um veículo à disposição das atrações, ou seja, ele só saía quando todos os artistas tivessem embarcado. Me lembro de Armandinho, Dodô e Osmar reclamando bastante com a produção. Osmar, que já era um senhor, esperou bastante até que terminassem todos os shows.

Diz a lenda que João se recusou a entrar no ônibus e na carroça. Para resolver o problema, os organizadores forneceram ao artista um carro que, por não ter como andar na lama, foi rebocado pelo trator. Seu show, apesar das adversidades, foi lindo como sempre. Mas, como ele não voltou no ônibus e não nos encontramos no hotel, não foi ainda daquela vez que o quase baiano Erasmo conheceu o ídolo João Gilberto. Nunca soube, também, se ele usou alguma vez, por baixo de seu paletó, a camiseta com a frase "Amar pra viver ou morrer de amor" — lema que aprendi, entre outros, com ele.

MEU NOME É GAL

Na mesma época do festival de Águas Claras, o Canecão foi incendiado por Gal Costa. Era o show de lançamento de seu disco *Minha Voz* e fui assistir com Narinha. No auge da sua performance, já no bis, Gal enlouquecia a galera com o frevo *Pegando Fogo*. Como não danço frevo, fiquei balançando a cabeça no ritmo enquanto Nara se esbaldava.

De repente, na parte do "Meu coração amanheceu pegando fogo/ Fogo, fogo/ Foi uma morena que passou perto de mim/ E que me deixou assim", vejo uma labareda no canto do palco. Pensei: "Caramba! Que produção maravilhosa. Tudo coordenado. Na hora em que a letra remete ao fogo, aparece uma chama no palco. Que beleza!"

Só que não era um truque. Começou o tumulto geral, com as pessoas tentando fugir de qualquer jeito, esbarrando nas mesas, derrubando cadeiras, pratos, garrafas e copos. Segurando Nara, eu pedia calma a todos, mas ninguém ouvia. Louve-se a pronta intervenção de Chico Pupo, backing vocal da banda de Gal, que, no microfone, pedia calma, enquanto a fumaça já tomava conta do ambiente.

A equipe da casa rapidamente apagou as chamas, que teriam se originado de um curto-circuito nas instalações elétricas. Minha amiga deve ter passado um tremendo susto. Graças a Deus, ninguém se feriu, mas todos foram embora sem pagar, inclusive eu.

Meu primeiro contato com a baiana incendiária foi em 1969, quando Guilherme Araújo me pediu uma música para ela. Gal iria gravar *Se Você Pensa*, mas Guilherme queria também uma reflexão sobre mudanças de comportamento, um som mais ácido e pesado, que refletisse aquele momento político tão conturbado. De um simples encontro meu com Roberto Carlos, nasceu *Vou Recomeçar*.[21]

Pois agora vou recomeçar,
E daqui pra frente eu vou mudar

Ganhei intimidade com aquela gracinha tímida (com trocadilho, afinal o nome de Gal é Maria da Graça), de cabelo encaracolado, rosto angelical e narizinho deliciosamente arrebitado.

No disco seguinte dela, eu faria outro gol, desta vez de placa, ao compor com Roberto uma canção que marcaria sua biografia. A música que anunciaria sua chegada nos shows e seria também seu cartão de visita: *Meu Nome É Gal.*[22]

Meu nome é Gal
E desejo me corresponder
Com um rapaz que seja o tal
Meu nome é Gal

Nossa história juntos seguiria. Em 1970, no disco *Le-Gal*, participei do vocal da deliciosa *Love, Try and Die*, ao lado de Tim Maia, Lanny Gordin e Jards Macalé. Compus também *Gabriela Mais Bela*, que ela defendeu num festival da TV Globo. A música não foi classificada e acabou perdida no tempo, pois não houve registro em disco.

Até hoje Gal me brinda com interpretações envolventes de canções minhas, o que me deixa orgulhoso. Só para ela eu faria uma música com um nome como *Musa de Qualquer Estação*:[23]

Me visa, me bisa, me planta na imaginação
Me queira, me cheira, me usa como definição
Me dá minha bola, que eu mato no peito
Entro na área e faço um gol de efeito
Me ama, me chama, de porta-estandarte
Que eu sou uma obra de arte

QUANDO A MULHER ENCONTROU A WOMAN

Nova York me pirou desde a primeira vez em que estive lá, no final dos anos 60. Quando cheguei, me senti o Jon Voight, caminhando por suas calçadas ao som de *Everybody's Talking*, como no filme *Perdidos na Noite*. Daí a pouco, no alto do Empire State Building, me imaginei... errou quem pensou em King Kong. Eu era Cary Grant me desencontrando de Deborah Kerr no romântico *Tarde Demais para Esquecer*.

Eu olhava o tempo todo para o céu, na esperança de ver um vulto azul passar como um bólido — certamente seria o Super-Homem em alguma missão nobre, e de nada adiantava me convencerem de que era em Metrópolis que ele morava. Bares, restaurantes, museus, casas de espetáculo, magazines, tudo fazia minha cabeça. A diversificação cultural me fascinava, assim como sua mística — agindo como se fosse o personagem principal de um filme, eu fantasiava sozinho, dialogando silenciosamente com agentes do FBI ou da CIA, sendo um cafetão da Broadway, um gângster vivendo na Little Italy ou um hippie no Greenwich Village.

Naquele dia de 1983, no entanto, eu era apenas um turista brasileiro, romântico apaixonado, passeando pelo Central Park com Narinha. Abraçadinhos e aconchegados, curtindo a paisagem e as pessoas, assistindo a tudo ao redor para contar aos amigos na volta. Pessoas passeavam com seus bichos de estimação — cães, gatos e até um macaquinho. A galera black era arrasadora: dezenas de rádios imensos e possantes, todos ligados na mesma estação, detonavam um funk atrás do outro, transformando o parque num imenso baile ao ar livre.

No caminho para a Fao Schwartz, uma das maiores lojas de brinquedos do mundo, nos deparamos com o famoso edifício Dakota. Não foi possível conter a emoção ao pisar na calçada onde tombou John Lennon. Contemplamos durante um tempo a fachada daquele prédio, tido como maldito pelos mais supersticiosos, devido às lendas em torno do filme *O Bebê de Rosemary*, de Roman Polanski, que foi filmado ali.

Quando se chega a Schwartz, nossa parte adulta some na hora. O térreo é o paraíso das meninas, com bonecas de todos os tamanhos, que falam, cantam, choram e riem. Nos outros andares, se misturam vilarejos em miniatura com vales, montanhas e rios, cortados por trenzinhos que circulam por toda a extensão da loja. Naquele mundo de sonhos de todos os tipos, tínhamos uma missão definida: arrebanhar peças da saga *Star Wars*, sonho de consumo de Gugu e Léo. *O Retorno de Jedi*, terceiro filme da série, estreara naquele ano. Certamente, novos personagens estariam esperando na loja para se juntarem a Darth Vader, Chewbacca, R2-D2, C3PO, Han Solo e Princesa Lea.

— Meu bem, olha lá a Yoko Ono! — falou Narinha, chegando com os olhos arregalados de surpresa, enquanto eu escolhia os bonecos de Gugu e Léo.

Identifiquei-a, alguns metros adiante, ajoelhada no chão da loja, mexendo numa prateleira. Pensei na coincidência de poucos minutos antes termos nos lembrado de seu marido, quando passamos em frente ao Dakota, e voltei aos meus afazeres. Narinha, inconformada com minha passividade, cobrou:

— Você não vai lá falar com ela?

Eu, pacientemente, respondi:

— Não, meu bem. A mulher tá lá num momento de sossego, você acha que vou encher o saco dela? Deixa ela em paz que sou artista e dou valor a isso.

De bate-pronto, Nara rebateu:

— Pois eu vou!

E foi. Continuei em meio aos bonecos do *Star Wars*. No momento em que eu admirava um Yoda, que os meninos ainda não tinham, Narinha voltou com um sorriso enorme:

— Falei com ela, falei com ela! É um doce de pessoa. Muito simpática, simples, meiga e educada.

Surpreendido pelo detalhado perfil, não pude negar minha curiosidade e, interessado, perguntei:

— É mesmo? E como é que foi?

E ela, com toda candura do mundo, respondeu marota, como se já fosse amiga de Yoko desde criancinha:

— Ora, fingi que estava distraída, esbarrei nela e pedi desculpas. Aí ela me olhou, sorriu e disse: "No problem."

Pois é, minha musa esbarrou na musa de um Beatle e ninguém fotografou.

AMAR PRA COMER... E RIR

O ano de 1983 também ficou marcado pelo sucesso do meu show *Amar pra Viver*. A temporada de estreia, em São Paulo, foi um êxito que merecia uma comemoração. O público do Anhembi foi fantástico e a crítica favorável. A novidade do raio laser chamava atenção e a banda com metais e vocalistas envolveu a galera. Era a primeira produção da minha firma, ECRA (Erasmo Carlos Realizações Artísticas). O empresário Manoel Poladiam, que havia comprado a temporada, ria à toa com os cifrões arrecadados. Por sugestão da assessoria da Polygram, fomos "bebemorar" no último dia da temporada, jantando no restaurante Il sogno di Anarello, famoso por servir a autêntica culinária italiana, preparada com toques artesanais por seu dono, o lendário Giovanni Bruno.

A turma era grande: Narinha, Gugu e Léo, minha cunhada Scheila, Alcides, o produtor Marinho, o técnico de som Carlos Savalla e alguns músicos com as namoradas. Nosso clima era de final de Copa do Mundo, barulhento e extrovertido. Nada como o ambiente familiar de uma cantina italiana para proporcionar o bem-vindo relaxamento pela certeza do dever cumprido. Todos estavam doidos para comentar as fofocas e causos da temporada. Melhor que isso, só o sabor magnífico das massas nota 10 que imaginávamos devorar. Ninguém tivera tempo de almoçar naquele dia, envolvidos com o show. O apetite geral era, no mínimo, descomunal.

Com visível contentamento ao me ver, Giovanni nos recebeu com imensa simpatia, mandando juntar mesas para nos acomodar. Mal começamos a beber os drinques iniciais e a trucidar os deliciosos pães que os garçons traziam, surgiu uma voz vinda do meio do salão. Em alto e bom som operístico, uma mulher começou a cantar, a capella, *O Sole Mio*. O restaurante inteiro fez silêncio, prestando atenção à sua performance.

Foi quando os meninos começaram a ter um daqueles ataques de riso constrangedores, que só se dão em horas impróprias, logo contagiando todos nós. Quanto mais nos esforçávamos para não rir, menos adiantava. Ouviu-se um zangado "shhhhhhhiiiiiiii" vindo de uma mesa, indignada pela nossa suposta falta de educação. Aproveitávamos os aplausos do fim da canção para enxugarmos as lágrimas que fluíam aos borbotões. Mas não houve trégua. A mulher emendou outro número e mais outro depois. Fomos ficando esgotados de tanto rir e, o pior, envergonhados pela reação incontrolável.

Giovanni chegara para sugerir como entrada um delicioso carpaccio da casa e, como prato principal, um imperdível capeletti à romanesca. Antes de eu pensar em responder, Narinha me cutucou por debaixo da mesa e me olhou como quem diz: "É falta de educação não aceitar a indicação de um chef." Meditei um pouco e disse ok. Alcides, sentado em frente, interrompeu:

— Por favor, Giovanni, não traga o carpaccio para mim não. Vou direto num gnocchi.

Na mesma hora, avisei baixinho para ele:

— Alcides, com a fome que sei que você está, é uma besteira não comer a entrada. Nesse tipo de restaurante eles servem pouquinho.

Em pé, ao meu lado, Giovanni continuou:

— Para acompanhar a massa, recomendo um tinto da nossa reserva especial.

Narinha me cutucou de novo e me olhou com aquela mesma cara de antes. Disfarcei e, mais uma vez, concordei. O restaurante esvaziara e só restávamos nós. O clima barulhento de comemoração voltara à mesa. Os papos cruzados se alternavam. Quando o vinho chegou, Giovanni imediatamente se serviu, iniciando um ritual de degustação: observou a cor e transparência do vinho, rodopiou a taça sentindo o aroma, bochechou um gole, avaliou o retrogosto e... aprovou.

Os sorrisos que antes existiam deram lugar a bocas abertas. Giovanni, num gesto cinematográfico, jogou violentamente a taça no chão, espatifando-a em mil pedaços. Nossos corações saltaram do peito. Fiquei sem ação. Estaria ele zangado? Rapidamente me passaram pela cabeça um amontoado de hipóteses para explicar sua raiva súbita:

1) Estávamos fazendo bagunça demais;
2) A julgar pela nossa euforia, não iríamos embora tão cedo e a casa já estava na hora de fechar;
3) Giovanni era adepto da MPB linha-dura e não gostava da Jovem Guarda;
4) Giovanni se sentiu afrontado por misturarmos destilados com fermentados, um crime para o sofisticado paladar dos *sommeliers*;
5) Giovanni era palmeirense e não gostava de vascaínos;
6) Giovani detestava crianças e achou os meus filhos mal-educados;
7) Giovanni ficou irritado com nosso comportamento na hora em que a mulher cantou *O Sole Mio*, um clássico da canção italiana.

Nada disso! Giovanni Bruno era um boa-praça, um gentleman. Na realidade, estava feliz com a nossa presença. O ato de quebrar a taça era um costume grego que havia incorporado para saudar seus amigos. Antes de terminar a noite, após nos contar sua saga paulistana ao chegar da Itália, cantou *Champagne*. Foi o bastante para sairmos amigos desde criancinha, abraçados e íntimos, nos prometendo novos encontros. O único que não gostou muito foi o Alcides, que não se satisfez com os sete ou oito gnocchi servidos, o que o fez compensar nas sobremesas.

ALARME FALSO EM MINAS

Durante o processo de abertura política, eu, como muitos brasileiros, temi que houvesse algum tipo de retrocesso. Essa questão estava presente em 1985, em Belo Horizonte, quando participei do evento que ficaria conhecido como "A carta de Araxá". O país vivia a expectativa da posse de Tancredo Neves, que em uma semana assumiria a Presidência da República.

O compositor e amigo Fernando Brant leu o documento com voz firme, para uma plateia emocionada, pedindo respeito à cultura e listando as reivindicações dos músicos, compositores e cantores. Muita gente se apresentou e, por pouco, não rolou um acidente fatal: uma pesada caixa de som caiu a poucos metros de onde eu estava com Alcides, no exato lugar onde minutos antes um grupo de músicos bebia cerveja animadamente.

Outro acidente, de menores proporções, não pôde ser evitado. Levei um tombo ao dar um salto na música *Festa de Arromba*. Estava usando um tênis arredondado no calcanhar, novidade a qual não estava acostumado, e quando voltei ao chão depois de pular, pisei de mau jeito e perdi o equilíbrio. No mesmo instante, o guitarrista Julinho Maya, da banda Anos Luz, que me acompanhava, inclinou-se sobre mim, solando freneticamente sua guitarra. Graças a ele, o público achou que minha queda fazia parte da apresentação e até aplaudiu.

Assim como na ida, a volta também exigiria o deslocamento de vários ônibus, transportando a numerosa galera para o distante aeroporto de Confins. Vim sentado ao lado do Alcides e conversando com meus amigos Fagner e Beth Carvalho, que estavam no banco da frente.

— O que é aquilo? — alguém gritou, de repente.

Todos olharam procurando um óvni, tal o tom da pergunta. Antes fosse. Espalhados pelo estacionamento, vários carros da tropa de choque da Polícia Militar sitiavam a entrada do aeroporto. Eram muitos, todos paramentados com cacetetes, escudos e capacetes com proteção para o rosto. Traumatizados com a praga da repressão dos anos de chumbo, nos entreolhamos apreensivos, dominados por uma sensação ruim de déjà-vu. Imaginamos o pior: "Já vi essa cena" — pensei. — "Deram um golpe e vieram aqui nos prender. A essa hora, Tancredo Neves, Ulysses Guimarães, Mário Covas, Dante de Oliveira, Lula, Fernando Henrique e outros líderes das Diretas Já devem estar em cana."

Um dos músicos entrou em pânico:

— Pelo amor de Deus, estou com as coisas — disse, referindo-se a drogas. — Eles vão me pegar!

Alguém sugeriu:

— Joga na privada.

Afinal, as janelas do ônibus estavam travadas por causa do ar refrigerado.

— Não vai dar — respondeu ele. — Lá é o primeiro lugar onde eles vão procurar.

Do lado de fora, a confusão era imensa. Pessoas caminhavam em várias direções. Com a chegada de outros ônibus, formou-se um engarrafamento. Os guardas gesticulavam, orientando um por um para que seguissem em frente. O músico das "coisas" continuava apavorado e a essa altura, berrava quase chorando:

— Tenho família, porra! Como é que vai ser? Não posso ser preso.

Entregue aos meus pensamentos, nem reparei que, bem devagarinho, nosso ônibus foi passando, passando, passando e... passou. Entramos no outro terminal, bem longe do burburinho, num lugar completamente calmo. A polícia não nos molestou, ninguém foi preso, os fãs ficaram para trás e não vieram nos tietar. Não entendi nada, mas comemorei com um imenso suspiro de alívio, limpando o suor frio que pingava da minha testa.

Saltei, intrigado pela ausência das fãs mineiras e ainda desconfiado. Afinal, uma parte da nata da MPB — Fafá de Belém, Gilberto Gil, Fagner, Beth Carvalho, Milton Nascimento — estava ali dando sopa e elas não costumam perder essas oportunidades. Curioso, me dirigi a uma funcionária que despachava nosso voo fretado:

— Meu bem, o que faz a polícia e aquela multidão toda na frente do aeroporto, se os artistas estão embarcando aqui?

— Não sabe não? — perguntou ela, com jeito de quem estava doida para estar na muvuca. — Estão esperando os Menudos, que vão chegar de São Paulo.

GAROTO PROPAGANDA?

Outro projeto coletivo da época, desta vez sem caráter beneficente, foi o show *Vinte Anos Luz*, em homenagem a Gilberto Gil. Gravado em 1985, no Anhembi, o espetáculo reuniu Caetano Veloso, Raul Seixas, Mutantes, Barão Vermelho, Lulu Santos, Jorge Ben e eu. Aceitei o convite do meu guru André Midani para ir à sua casa ouvir a fita com a gravação do show. Eu fazia duetos com o anfitrião nas faixas *Rock do Segurança*, *Sentado à Beira do Caminho* e *Minha Fama de Mau*, num final apoteótico onde fomos acompanhados por uma verdadeira "roquestra", com seis guitarras, três baixos, duas baterias, metais, backing vocals...

Enquanto bebericávamos ouvindo a gravação, lamentávamos que a captação do som não estivesse satisfatória, mostrando-se por vezes saturada nos graves e confusa na definição dos instrumentos. O lançamento do disco, portanto, seria inviável, privando o público de ouvir momentos antológicos de Gilberto Gil e companhia.

Conversei com Midani sobre a geração 80, que despontava com todo o vigor, e outros assuntos, até que resolvemos sair para comer alguma coisa. Fomos ao badalado Castelo da Lagoa, point do empresário Chico Recarey na avenida Epitácio Pessoa. Lá me sentia à vontade, pois comemorava várias datas importantes no local. Copiei para minha casa a fonte de pedras com queda-d'água e peixinhos que era a atração decorativa do lugar.

Ficamos tomando drinques, degustando as entradinhas, falando com um ou outro amigo que circulava e ouvindo o excelente som ao vivo que vinha do anexo Chico's Bar, quando de repente a voz possante do Ibrahim Sued ecoa lá do fundo do restaurante e diz:

— Erasmo, seus cabelos brancos estão muito amarelados. Você precisa usar o produto que eu e o Mário Andreazza (ministro do Interior no governo de Figueiredo) estamos usando.

Logicamente, todo o restaurante, inclusive André, olhou para minha cabeça e para a dele para conferir e comparar. Meio sem graça, fiquei esperando que Ibrahim prosseguisse, o que não tardou:

— É um xampu francês. Vou te dar o nome. Tenho certeza de que você vai gostar, porque vai deixar seu cabelo cor de prata igual ao meu — disse ele, já chamando o garçom para providenciar caneta e papel.

Confesso que fiquei mordido pelo alarde que ele fizera. Afinal de contas, virei o centro das atenções para os fregueses do restaurante. Levei na esportiva, mas não pude evitar que André me sacaneasse com seu sotaque franco-carioca:

— *Meniiino*, seus cabelos *eston* com *hepatiti*!

Mais uma garfada aqui, um gole ali, e a noite foi avançando. Lá pelas tantas, surge um grupo grande do qual faziam parte mulheres belíssimas e o empresário Humberto Saade.

Não fazia muito tempo, estivéramos juntos na sede da Dijon. Lançada por Saade, a marca era responsável, entre outras novidades, pelo lançamento do jeans stretch, aquele que colava no corpo dos "aviões" Monique Evans e Luiza Brunet. Quando o conheci, apresentado pela minha linda amiga e cantora Rosemary, Saade se mostrou um gentleman. Conversou sobre os seus produtos, suas lojas e sugeriu que eu fizesse uma outra canção nos moldes do sucesso *Coqueiro Verde*. Só que, em vez de citar Narinha, Leila Diniz e o *Pasquim*, exaltaria sua marca, uma nova top model e, quem sabe, até ele mesmo. Não seria um jingle, e sim uma música normal, para ser lançada comercialmente e tocar no rádio.

Educadamente, eu disse que iria pensar, embora já soubesse que não faria. Seria demais para minha consciência. *Coqueiro Verde* foi uma inspiração espontânea. A música nova seria forçada e marqueteira. Na saída, comentei com Rosemary minha decisão e senti seu leve desapontamento — acho que, no fundo, ela namorava a possibilidade de ser a top model da vez.

Assim que entrou no restaurante, Saade me cumprimentou de longe e, não demorou muito, veio falar comigo. E foi direto ao assunto:

— Erasmo, independentemente daquele nosso papo sobre a música, queria te propor uma coisa. Apesar de você ter uma boa imagem, me desculpe, mas acho que você não se veste bem. Pense na possibilidade de usar exclusivamente jeans Dijon.

Aquilo foi a gota que faltava para o meu oceano de uísque transbordar. Um diz que meu cabelo está amarelo, o outro vem dizer que me visto mal... Vão à merda, porra! Engrossei na hora:

— Não gosto daqueles outdoors metálicos que a Dijon prega no bolso do jeans. Não me vejo usando aquela chapa ridícula grudada na minha bunda. Estou muito feliz com a minha calça Jordache.

Dito isso, levantei para ir ao banheiro, enquanto vociferava:

— Que mania as pessoas têm de querer me transformar num mauricinho, pô!

Quando voltei, encontrei André na porta do restaurante, após ter pago a conta. Minha indignação já passara e morremos de rir das duas situações. André nunca me vira zangado e achou engraçada a minha reação. Lógico que deixamos nossos carros com o manobrista e fomos embora de táxi, cada qual para o seu destino. No dia seguinte, André me contaria que, de tão bêbado, subiu engatinhando as escadas até a entrada de seu apartamento.

Eu nem me lembrava de como cheguei em casa. Dois dias depois, liguei para a Dijon e falei com Humberto Saade:

— Bicho, queria agradecer seu interesse, sua gentileza e seu carinho por mim, mas estou sem tempo e não vou fazer a música. Quanto às roupas, prefiro a liberdade de andar mal vestido mesmo. A gente se vê por aí.

ERASMO IN RIO

Malvestido ou não, estava pronto para encarar o que viesse. E o que veio não era pouco: o primeiro Rock In Rio. Ninguém tem dúvidas de que o festival foi um divisor de águas do show business brasileiro. Afinal, vários monstros sagrados, mundialmente famosos, iriam dar sopa por aqui, dividindo o mesmo espaço, respirando o mesmo ar, se molhando na mesma água e tocando o mesmo dó maior com artistas nacionais.

Num coquetel oferecido por Roberto Medina e sua classuda mulher Maria Alice, na casa deles, pude avaliar bem a pressão que os artistas tupiniquins sofreriam ao pisar no palco espetacular que a maquete da cidade do rock mostrava:

— Caramba, olha só o que nos espera! — falei para o grupo que estava conosco, que incluía Narinha, Ivan Lins, Lulu Santos, Scarlet Moon, Roberto de Carvalho e Rita Lee.

Com a visão romântica que tinha de Woodstock e da Ilha de Wright, adicionada às heroicas e pioneiras participações como artista nos festivais de Águas Claras, Juiz de Fora, Guarapari e o primeiro Hollywood Rock, de 1975, vi que o "friozinho na barriga" seria um "iceberg no abdômen". A tensão causada pela expectativa da presença de 200 mil pessoas por noite faria nossos corações romperem o peito e caírem no chão.

Na época, estava me apresentando pelo Brasil com o show *Buraco Negro* e achei que não deveria me preocupar em preparar nada especial para o evento. Acreditava na popularidade das minhas músicas e, principalmente, no sucesso de *Close*.

Elogiei a diversificação de estilos. Tinha música para todos os gostos: punk, heavy metal, jazz, rock progressivo, new wave e música brasileira. A produção de altíssimo nível não fez por menos: camarim aconchegante, bufê variado com garçom à disposição, camareira, maquiadora...

Cheguei com minha banda, técnicos, *roadies*, Narinha, meus filhos Gil, Gugu e Léo, Scheila, Alcides, Marinho e alguns amigos. Conforme ia vendo a grandiosidade do festival, mais aumentavam meus batimentos cardíacos. A Cidade do Rock era uma construção monumental, com gramado vastíssimo, cercado por lanchonetes, butiques, banheiros químicos e posto médico.

Na passagem de som, levei um susto ao ver uma parede de amplificadores num dos palcos giratórios. Perguntei, impressionado:

— De quem é isso?

— Do Iron Maiden — respondeu alguém.

Engoli em seco, olhando para o meu modesto Mesa Boogie de 300 watts que, galhardamente, esperava a hora de ser ligado. Além do já citado Iron Maiden, Ney Matogrosso, Pepeu e Baby, eu, Whitesnake e Queen completariam o time do primeiro dia.

Ney foi o primeiro a sentir a hostilidade dos 4 ou 5 mil fãs de heavy metal que se acotovelavam em frente ao palco, impedindo que as outras 95 mil pessoas que lá estavam para curtir numa boa o som de todos os artistas chegassem mais perto. O clima era tenso. O forte calor, típico de janeiro, no Rio, oprimia mais o ambiente.

Entrei como um atleta olímpico, cheio de energia e atitude, fazendo o sinal da paz, vestido com uma roupa de couro e franjas, feita exclusivamente pelos artesãos da Embaixada de Marte — grupo de hippies de Santa Teresa

Na segunda apresentação do Rock In Rio: “Estava lavando a alma depois de ter sido hostilizado pelos metaleiros no primeiro show.”

que faziam trabalhos maravilhosos. Mal comecei a primeira música e... coitado de mim. Nem desconfiava que iria comer o pão que o diabo, invocado por eles, amassou. Não dava para ouvir os insultos, mas eu adivinhava, vendo as expressões de revolta e deboche em suas caras. Começaram a me atirar areia, latas vazias, copos de plástico, pilhas e outros objetos. Tive vontade de mandar todos tomarem no cu, mas contei até dez e optei por uma reclamação moderada, pois vi que a grande maioria da galera, que estava atrás da horda, era civilizada e estava ali cumprindo à risca a proposta do festival, que era de som e paz.

Nem mesmo quando fiz uma homenagem "aos nossos que se foram" — Elis Regina, Elvis Presley, Janis Joplin, John Lennon e meu amigo Big Boy —, na música *Geração do Meio*, eles respeitaram. Os gestos com os polegares para baixo e as vaias foram a imagem que guardei. Cumpri com má vontade o resto do show e dei graças a Deus quando acabou.

No dia seguinte, um grande grilo se instalou na cabeça dos produtores: como evitar que o público do heavy metal prejudicasse os shows brasileiros de artistas que não seguiam a cartilha barulhenta do gênero?

Os megashows continuaram nos embalos dos outros dias, alternando tendências musicais calmas com nitroglicerina pura. A noite de Ivan Lins, Elba Ramalho, Gilberto Gil, Al Jarreau, James Taylor e George Benson, por exemplo, foi um mar de tranquilidade, em contraste com as agressões que sofreram Kid Abelha e Eduardo Dussek em noite de Scorpions e AC/DC, o que provocou um antológico esporro de Herbert Vianna, dos Paralamas do Sucesso, na plateia, em defesa dos amigos:

— Por que vocês não vão para casa aprender a tocar guitarra?

Era nítido que o grande erro dos organizadores foi apostar na inocente mistura de tribos. Alerta geral: Satanás estaria presente em espírito na grande festa de decibéis programada para o dia 19, penúltima noite do evento. Ele iria prestigiar a pauleira de Whitesnake, Ozzy Osbourne, Scorpions e AC/DC. No imaginário dos seguidores da Besta, seria erguida uma grande fogueira no palco, onde um sacrifício humano saudaria a chegada triunfal do cultuado mestre. Adivinhem quem seria o sacrificado? Eu.

O astral era preocupante. Mil vezes mais carregado e soturno do que no primeiro dia. Por ser a noite de gala do som pesado, imaginei o *Inferno de Arromba*:

Lá fora um corre-corre
Das bruxas do lugar
Era o Ozzy Osbourne
Que acabava de chegar
Hell, hell, que onda
Que inferno de arromba

Alcides, assustado com a tensão, me falou incrédulo:

— Erasmo, fiquei sabendo que tem um cara que come morcegos!

— Que nada bicho. Ele só come as asinhas — respondi, ironizando os boatos que rolavam nos bastidores, de que Ozzy jantaria morcegos vivos na sua performance.

Em seguida, aproveitando o palco vazio, Alcides provocou os metaleiros fazendo o sinal da paz com os dedos e cruzando os braços em forma de cruz. Em troca, recebeu apupos, pedradas e latadas da pequena multidão que desde cedo já sitiava a zona do gargarejo.

Esperava-se mais de 30 mil *headbangers* na hora do evento, que por sua proporção gigantesca às vezes beirava o incontrolável. Todos os artistas levaram os amigos e isso engarrafou os corredores. Os camarins pareciam festas. Os garçons, gentis, abasteciam fartamente a galera e alguns "barracos" rolaram, como quando Narinha, mesmo estando com o crachá escrito "Livre acesso/ Erasmo Carlos", foi impedida de passar no corredor por um dos truculentos seguranças do vizinho Whitesnake. Houve um início de confusão, que culminou com um uísque jogado por ela no terno vistoso do sujeito.

O show que eu apresentaria seria mais compacto. Cortei as baladas e resolvi com minha banda que tocaríamos só para nós, ignorando os metaleiros. Faríamos o show sem medo de sermos felizes, comemorando a eleição de Tancredo Neves, que acontecera naqueles dias e, caso fosse necessário, eu revidaria as provocações esperadas, me espelhando mais ou menos nas palavras de Caetano Veloso no Festival Internacional da Canção de 1968:

— É essa a juventude que quer a democracia? Liberdade não é isso. Isso é anarquia! — já me preparava para soltar.

Para desanuviar o ambiente, havia a inocência do filho pequeno da maquiadora, que, ao sentir um cheirinho de maconha que de vez em quando era trazido pela brisa, perguntou:

— Mamãe, que cheiro é esse?

— Não sei, deve ser alguém que soltou um pum — respondeu ela, com naturalidade.

A todo momento que ventava, o menino dizia:

— Tá sentindo mãe? Soltaram outro pum!

De repente, adentraram no camarim meus amigos Aloysio Legey e Walter Lacet, falando em nome da TV Globo e da organização do festival:

— Erasmo, nós vamos transferir sua apresentação para amanhã. Pecamos na escalação e não seria justo jogar você no meio das feras. Você não merece isso, pelo que fez e pelo que representa para a gente.

Não vou negar que me senti aliviado. Realmente a limitação musical daquele pedaço da plateia ultrapassava a fronteira do fanatismo. Uma agressão mais violenta poderia me tirar do sério, me fazendo até voar em cima deles — e obviamente ser trucidado sem dó nem piedade. Dos males, o menor: eles continuariam "babando ovo" da demonocracia enganosa dos seus ídolos e eu cantaria no dia seguinte, tranquilo e em paz para quem estivesse a fim de me ouvir, sem eles para encher o saco.

Os urros de aprovação soaram na arena quando os alto-falantes anunciaram o adiamento da minha apresentação... por motivos técnicos!

Passei a noite em claro rolando na cama, nervoso por estar com os metaleiros entalados na garganta. De manhã cedinho, dei um mergulho na praia, exorcizei a negatividade e fui para a batalha do último dia. Meus amigos Lacet e Legey me receberam de braços abertos. Agora sim, tudo voltara ao normal. Eu iniciaria a maratona e o Barão Vermelho, Gilberto Gil, Blitz, Nina Hagen, B-52's e Yes continuariam a festa.

Ainda um pouco desconfiado, antes de ir para o camarim fui até o palco dar uma olhada no público. O trauma da primeira noite ainda habitava meus pensamentos e o gesto dos "chifrinhos" feitos com os dedos ficara grudado na minha retina. Por um momento, me perguntei: "Será que eu seria como eles se tivesse 18 anos?"

Que maravilha! Aquele era o Rock in Rio que imaginei quando vi a maquete na casa do Medina. A Cidade do Rock, livre dos metaleiros, parecia um Éden. O astral era outro. Famílias passeavam, casais se beijavam, a garotada maluca se divertia na lama que, devido às chuvas que caíram, já fazia parte do cenário. A moda new wave se mostrava nas perucas coloridas, nos rostos pintados, nos óculos escalafobéticos e nos cabelos com gel.

Antes da minha apresentação, a organização do evento fez um pronunciamento me exaltando como precursor do rock nacional. Foram tantos os aplausos que, quando entrei, me imaginei na hora do bis. Desta vez, foi um show mais enxuto e menos tenso. Como ainda era dia claro, não usamos as luzes coloridas. Mas a galera sentiu que eu estava iluminado por dentro, e por um brilho tão forte, que refletia em todas as direções, inclusive na banda que me acompanhava.

Como eu morava perto, num certo momento me veio a sensação de que o show estava sendo realizado no quintal da minha casa. Como bom anfitrião, me senti na obrigação de fazer meus convidados felizes. Logo depois do show, com o fim da pressão, Alcides pôde enfim relaxar e entrou em curto-circuito, baixando na enfermaria por overdose de estresse. Com o tempo, digeri o episódio dos metaleiros.

O Rock In Rio não foi perfeito — um exemplo estava na diferença de volume entre os shows brasileiros e os internacionais, prática comum em festivais daqui, que têm por hábito privilegiar os artistas estrangeiros. Mas em sua concepção e realização, o megaevento foi inesquecível para várias gerações. Fiquei até o último acorde, curtindo no camarote dos Medina, junto com Narinha, meus filhos Gugu e Léo, Roberto Carlos e sua então esposa, Myrian Rios. De lá, vimos inebriados a apoteose dos fogos de artifício encerrando o festival. Além dos slogans "Eu vou" e "Eu fui", tenho satisfação em dizer: "Eu participei".

UMA HERANÇA ABENÇOADA

Em 1985, logo depois do Rock In Rio, eu e Narinha nos separamos. Foi um baque enorme. Começaria, então, meu rodízio de tetos: seis meses no apart-hotel Golden Coast, dois anos numa casa no condomínio Santa Helena e três anos numa casa do Canal, na Barrinha. Quando você se separa, os amigos geralmente viram confidentes e doadores de ombros, prontos para ouvir nossas lamúrias e limpar nossas lágrimas.

Uma das terapias que eu fazia para sobreviver ao impacto era bater papo ao telefone, a qualquer hora do dia ou da noite. Para isso, contava com vários amigos: Vanderlei, Roberto Santana, Pigmeu, Cacá, Alcides, Armando Pittigliani, Marcos Kilzer, Tim Maia, Marcos Valle, Leno, João Augusto, Guti, André Midani, Roberto Halbouti, Wanderléa, Rosemary e Guilherme Lamounier.

Minha mãe também foi importante naquele momento, me ajudando na busca de uma casa. Como numa visita que fiz a um imóvel no Recreio dos Bandeirantes. Além de confiar muito no olhar feminino, que percebe coisas que a miopia masculina não capta (a ausência de um varal, por exemplo), eu ficaria menos sozinho. Nesse tempo, o Recreio era um bairro que ainda apresentava características de uma região pouco habitada, com praias desertas, dunas, ruas sem asfalto, muitos coqueiros e passarinhos a granel.

Fomos entrando curiosos, observando tudo, imaginando o dia a dia ali e, naturalmente, tirando dúvidas com o corretor sobre falta de luz, coleta de lixo, visita do carteiro e quantidade de mosquitos. O profissional tarimbado, com cara de quem queria logo vender seu peixe e com sua lábia mecânica, enfatizava a qualidade de vida no bairro e tentava me convencer de que eu estava alugando o paraíso.

Ele não contava, porém, com a avalanche de perguntas, o exame minucioso e os comentários desconcertantes que minha mãe começava a fazer, tais como: "Aqui tem muito morcego? E rato? E gambá?", "Quando chove, deve fazer uma lamaceira danada", "Xi, aqui é um fim de mundo, não tem nem supermercado perto".

O homem foi se esquivando das perguntas como podia, igualzinho ao Neo desviando das balas em *Matrix*. Era visível o desmantelamento da sua gentileza inicial. Seu humor escafedeu-se e sua paciência morreu. Ele agora se limitava a ser monossilábico. Passamos para o andar de cima e eis que chega a hora de mostrar o que seria o meu quarto e o closet. Ao vê-los, minha mãe disparou:

— Ah, moço. Esse closet é muito pequenininho! O senhor não imagina a quantidade de roupas da Jovem Guarda que meu filho tem. É muito pouco espaço. Tem muitos casacos, blusões e calças de couro. Camisas com babados, roupas importadas da mesma butique que os Beatles compravam, chapéus, botas...

O corretor não aguentou e pensou: "Seja o que Deus quiser, perco o negócio mas não aturo mais essa senhora." Educadamente irritado, não se conteve e mandou ver:

— Me desculpe, madame. O único jeito é o seu filho dormir no closet e guardar as roupas da Jovem Guarda no quarto.

* * *

A presença de dona Diva se manteve fundamental em minha vida até sua morte, em fevereiro de 2004. Da retirada de um nódulo maligno no seio até ela nos deixar, foram sete anos. Nesse período, mesmo carregando o fardo doloroso de um tratamento contra o câncer, que lentamente se transformaria em metástase, ela parecia resignada. Tentava levar sua vidinha normal indo à missa, pechinchando preços na feira, ou simplesmente se divertindo com as amigas de Copacabana.

Naquele momento de fragilidade, o que ela mais precisava era do meu carinho e da minha proteção. Foi então que entrei em parafuso. Minha determinação em lhe dar alegria e suporte médico foi grande. Passei a estudar o assunto, debatendo teorias com os especialistas e me entregando a qualquer fórmula mágica para a cura — rezas, simpatias, acupuntura e pílulas milagrosas de cartilagem de tubarão. Nada adiantou, é claro.

Num final de semana festivo em minha casa, começou o fim. Um derrame condenou minha mãe a uma cadeira de rodas. Ficou mais difícil administrar a doença e manter a esperança de que dias melhores viriam. O Tremendão chorava em sua impotência. Transformei um quarto em ambulatório e passamos a conviver com sustos que duraram dois longos anos, provocando várias idas e vindas ao hospital.

Seu olhar contemplativo em um corpo tão debilitado, vendo os bisnetos brincando na piscina, doeu na minha alma — quase como doía sua imagem lavando roupa até a madrugada na Tijuca. Mas seu grito mudo de vitória, representado pelo sorriso de dignidade desenhado no rosto sofrido, lembrou o mérito das grandes mães guerreiras, me ninando, me mimando e me amando. Quando ela se foi, todos nós ficamos mais fortes, porque herdamos seu amor abençoado.

CHICO ANYSIO SHOW

Procuro sempre encarar as situações difíceis com leveza e considero o humor importantíssimo nos momentos mais duros da vida. Foi ótimo, portanto, quando Chico Anysio me recebeu em seu programa *Chico Anysio Show*, da TV Globo. Na época, estava no meio de uma tentativa de reconciliação com

Narinha, depois da sofrida separação. Chico e Regina Chaves, das Frenéticas, formavam um casal amigo com quem eu e Narinha saíamos às vezes.

Eu gravaria um quadro com Alberto Roberto, que considero uma obra-prima do vasto repertório de tipos do humorista. Quando cheguei à Cinédia, em Jacarepaguá, junto com Alcides, a produção pediu para que esperássemos um pouco, pois as gravações estavam atrasadas.

Alguns minutos depois, aproveitando uma pausa na gravação, Chico foi ao camarim falar comigo. Foi chegando e dizendo, com seu vozeirão:

— Erasmo, querido. Tô sabendo que você e Narinha estão voltando.

Eu respondi, fragilizado:

— É, Chico, vamos tentar mais uma vez. Tomara que dê certo.

E ele, esperançoso, apertando o meu braço:

— Tem que dar certo, Erasmo, tem que dar. Vocês se amam. Todos sentem isso. Lute, homem, lute.

Comecei a ensaiar um sorriso, que foi aumentando enquanto ele continuava, agora em tom paternalista:

— É muito difícil começar de novo, rapaz. A pessoa que ama a gente é sempre especial, já nos conhece, a gente já conhece ela, um já sabe do gosto do outro, dos hábitos, das manias. Além disso tem o respeito, o companheirismo.

Nesse ponto, a produção o chamou para reiniciarem a gravação. Olhando para o Alcides, que também já exibia um sorriso discreto, desabei numa gargalhada sem fim. Literalmente, choramos de rir. Tudo porque, mesmo sabendo que aquelas belas palavras vieram do fundo do coração do Chico, elas foram ditas pelo... Bozó! E, convenhamos, como não rir vendo aquele cara de pau, dentuço, com olhar de peixe morto, sério, falando coisas tão profundas?

Mais tarde, assim que acabamos de filmar minha participação no programa, Chico voltaria ao assunto, o que me fez novamente desabar na risada. Afinal, quem, sem o mínimo sinal de canastrice, com seu bigodinho e rede no cabelo, desejava felicidades e muito amor para mim e minha mulher era... Alberto Roberto!

DOMANDO UM RATO DE PORÃO

Um ano já havia se passado desde o Rock In Rio e meu trauma estava completamente esquecido. Ou quase, como descobri quando o jornalista Miguel de Almeida, que fazia uma grande reportagem comigo em São Paulo, sugeriu um lugar para comermos algo e nos divertirmos até o amanhecer, quando eu embarcaria para o Rio:

— Por que não vamos ao Madame Satã, Erasmo?

Já ouvira falar no Rio da fama e das lendas daquele lugar. Era um reduto punk, hard e heavy que só tocava Ramones, Iron Maiden, Black Sabath e outros grupos do gênero. Se James Taylor passasse pela porta, seria assassinado. Era a colônia de férias dos metaleiros. Para entrar, só tendo cara de mau, sendo tatuado ou ostentando um chamativo *piercing*, correntes, roupa preta, caveiras...

Vieram à minha mente as lembranças do dia 11 de janeiro de 1985, quando fui hostilizado por eles no Rock in Rio. Guardara a imagem nefasta daquele exército do mal me vaiando e fazendo gestos de chifres com as mãos. A minha imaginação fazia o resto, me levando a crer na existência de símbolos nazistas, totens demoníacos, gárgulas e cruzes de cabeça para baixo em seus points. Mas achei a ideia interessante. Viria a calhar, pois eu poderia finalmente encarar as feras, e no quartel-general delas:

— Vamo lá. Pelo menos eles não acreditam mais que Ozzy Osbourne come morcegos. Ou acreditam?

Chamei Alcides para encarar comigo essa missão. Ele, já acostumado com minhas aventuras, olhou para o alto resignado e, sem convicção, concordou. Fomos de carona no Volkswagen do Miguel.

Dentro da boate, a luz era quase nenhuma, com pontos espalhados estrategicamente para servir de orientação. Fiz um breve reconhecimento da boate. Vi recantos com luz negra e casais se atracando em almofadas soltas pelo chão. Nada que eu não tivesse visto em Amsterdã, Londres, Paris ou Nova York nos anos 70. Apenas o figurino mudara.

Eu não quis sentar, preferi ficar em pé no bar, bebendo vodca e curtindo o ambiente. A casa estava cheia e, ao me ver, as pessoas se espantavam, não acreditando na minha ousadia de me expor como um estranho no ninho, tomando tranquilamente meu drinque no inferno. Não vi suásticas, nem tridentes, nem ofensas religiosas. Li apenas numa camiseta a frase "666, the Number of the Beast" e, noutra, "Highway to Hell". E só.

Alcides estava inquieto e a toda hora me lembrava das agressões verbais e gestuais que sofremos no Rock in Rio. As caras realmente não eram muito simpáticas e os olhares demonstravam desconfiança e curiosidade a ponto de se formar um grupinho perto de nós. Miguel, que durante alguns momentos se afastara, surge do meio da escuridão trazendo pelo braço João Gordo, vocalista do Ratos de Porão. Animado, nos apresentou. Alcides arregalou o olho, temendo o pior.

Importante dizer que, em cada dez pessoas que eu conhecia, dez antipatizavam com João Gordo. Talentos musicais à parte, muitos o comparavam com Tim Maia pela personalidade agressiva — uma visível carência de afetividade e colo. Achavam que sua fama de escatológico, brigão e mal-educado seria um casulo criado por ele mesmo para tentar se resguardar até das coisas simples e bonitas da vida.

Ele estava à minha frente e, Miguel, como todo bom jornalista, parecia radiante por provocar aquele encontro inusitado. Ávido pela polêmica, olhava para ele e para mim tentando decodificar nossas reações.

Eu fui como sempre sou, direto, sincero e bem-humorado, o que derruba qualquer clima agressivo. Como eu esperava, ele começou um blablablá, dizendo que não gostava das minhas músicas nem das do Roberto, que éramos escravos do sistema, que puxávamos o saco das multinacionais e outras joão-gordices parecidas. Eu, pacientemente, respondia que não era bem assim, que não éramos radicais, que existia gosto para tudo, que tentávamos falar para várias classes sociais, que música também era entretenimento, que apenas trocávamos interesses com as multinacionais e outras erasmo-carlices parecidas.

Ofereci vodca a ele, que inicialmente não quis, alegando ser importada. Miguel ouvia o papo, radiante com os conflitantes argumentos de ambas as partes e, num certo momento, perguntei à queima-roupa:

— Os Ratos estão a fim de fazer o programa *Misto Quente*?

Misto Quente foi um programa de verão da TV Globo, gravado na praia da Macumba, no Rio de Janeiro, em 1986. Como o China, um dos produtores, era meu amigo, eu podia sugerir atrações.

— Sem essa, cara! Nem pensar — respondeu ele, prontamente. — A gente caga para a TV Globo. Eles usam dinheiro americano. Tamo fora!

Continuei meu discurso elogiando o programa, dizendo que tinha gente jovem, bonita, lindas mulheres de biquíni na areia, bandas ótimas, muita cerveja, astral maravilhoso, o sol, o mar, pereré-pereré-pereré. A essa altura, João já aceitara a vodca e estávamos bebendo juntos. O estado etílico aumentara e eu filosofava:

— A rebeldia é uma atitude natural da juventude. É um processo contra o preestabelecido. O jovem começa xingando os pais, depois os professores, a humanidade, ele mesmo. Quando não tem mais ninguém para xingar, fala de amor, que é a base, o caminho e a solução para tudo, inclusive para consertar o mundo.

Acho que João Gordo não deve ter gostado nada da minha ladainha, pois desconversou, me olhando com cara de E.T. De repente, para ele, eu era um pregador chato, um caretão burguês, um roqueiro de merda ou um babaca do bem. A conversa chegara ao fim e a hora avançara. Alcides pagou a conta. Antes de irmos embora, João escreveu seu telefone num papel e, fingindo desdém, me disse:

— Toma nosso telefone aí, manda o cara do *Misto Quente* ligar para a gente. Vou falar com os Ratos e ver no que vai dar. Mas a gente não costuma fazer isso não!

Saí de lá convicto de que as pessoas que eu conhecia tinham razão. João era um tímido e usava a presepada como arma. Nada que um papo sincero, olhando nos olhos, um abraço forte ou um aperto de mão firme não resolvesse. Na saída da boate, ao se despedir do porteiro que trouxera o carro, Alcides agradeceu:

— Obrigado amigo, fique com Deus.

Para nossa surpresa, o porteiro abriu um largo sorriso. Numa explosão de entusiasmo, respondeu:

— Caramba, trabalho aqui há meses e jamais alguém me disse "fique com Deus". Que maravilha! Fiquem com Deus vocês também.

Depois desse dia, encontrei João Gordo algumas vezes. Já fui em seu programa de rádio e TV e tenho notado a existência de um carinho respeitoso entre nós. Divergimos em muitas coisas, embora nossos ideais no fundo sejam os mesmos. Nos aturamos harmoniosamente, pois, afinal de contas, temos algo em comum: o rock and roll.

SAUDADE COM SORRISO

Antes de meus filhos nascerem, costumava dizer que só Narinha era mais importante que a música para mim. Mesmo depois de nos separarmos, ela continuou sendo referência central da minha vida. Nos falávamos sempre e mantínhamos uma amizade fortíssima, uma espécie de evolução natural e tranquila daquela relação de amor linda que tivemos.

Perdi meu chão quando ela nos deixou, no dia 26 de dezembro de 1995. Uma dor que me abalou profundamente e que ainda me faz sofrer. Até hoje, falar do assunto mexe com meus sentimentos. Mesmo porque não sei lidar com a forma como ela se foi, tirando sua própria vida. É difícil e doloroso pensar nisso, mas aprendi com a tragédia uma lição: não é possível decifrar o mistério que é a mente de alguém. Aprendizado que não compensa nem de longe o tamanho da perda.

Mas, como reafirmei no título do disco que lancei poucos meses após sua partida, *É Preciso Saber Viver*. Com a ajuda dos meus filhos e do travesseiro (meu único psicanalista), fui aprendendo a conviver com a falta que ela faz. Mesmo com Gil, Léo e Gugu, eu evitava tocar no assunto. Nas semanas após a morte de Narinha, a gente se olhava e se abraçava muito. Às vezes, as palavras não dizem nada e o silêncio fala tudo.

Narinha me deu equilíbrio e inspiração para compor. O disco *Mulher* é todo para ela: *Panorama Ecológico* nasceu de suas anotações de um curso de paisagismo: o cenário idílico de *Meu Mar*, lançada no início do meu casamento, anunciava o que depois se realizaria na nossa vida, com uma casa junto ao mar e os filhos lindos que tivemos. Há outros tantos exemplos nas páginas deste livro. Como se não bastasse, sua opinião sobre qualquer nova composição era fundamental para mim.

E foi Narinha a razão de *Coqueiro Verde*, um dos hinos da minha vida e carreira. Sempre que canto, penso nela e reflito que a saudade, mesmo a mais sofrida, pode ser encarada com um sorriso.

É REGINALDO OU SIMONAL?

Não é raro me confundirem com outros cantores, nos mais diversos cenários e situações. Como na vez em que estava dentro do meu carro, numa reunião com Alcides — adoro parar em frente a um bar ou restaurante, pedir bebida e comida e não sair do veículo, onde posso fumar à vontade, ouvir a música que quiser e ficar o tempo que for necessário.

Naquele dia, após uma tarde compondo com Roberto na Urca, estacionei na porta do Corujinha, na praça Serzedelo Corrêa, em Copacabana. O porteiro da boate GLS ao lado do restaurante me abordou várias vezes, insistindo para que eu entrasse e me tratando como velho frequentador. Mas só quando acendi a luz do carro, na hora de pagar a conta do Corujinha, ele me reconheceu:

— Você é o Erasmo Carlos! Me desculpe. Você aí na sua e eu te enchendo o saco esse tempo todo, te confundindo com o Agnaldo Timóteo.

Houve um tempo em que me confundiam com Carlos Imperial. Sempre que isso acontecia, tomava como um sinal de alerta para que eu fizesse um regime urgente. Outro dia, fui ao programa da Ana Maria Braga e, logo ao chegar, me deparei com um grupo de funcionários que descarregava um caminhão. Um deles, ao me ver, foi logo sorrindo e dizendo ser meu fã. Seus amigos também sorriam e assistiam à cena, enquanto ele falava das minhas qualidades:

— Você é um grande compositor. Gosto muito das suas músicas. Sempre de jeans e óculos escuros.

Depois de me dar um abraço e dos tais elogios, enquanto me identificava na portaria para entrar no estúdio, fingi que não ouvi ele dizer para os amigos:

— Grande Reginaldo Rossi! Adoro esse cara.

Na saída, levando na esportiva, perguntei ao grupo:

— Cadê o fã do Reginaldo Rossi?

E os amigos responderam:

— Pô, Erasmo. Quando ele descobriu, alertado por nós, a grande mancada que deu, sumiu envergonhado pelo “mico”.

Numa outra situação, fui com Nara a uma loja do Humaitá comprar umas sementes dessas que vendem em saquinhos (begônias, prímulas etc.). Fiquei conversando com um funcionário, enquanto Nara escolhia o que levar. Como é sabido por todos os homens do planeta, mulher fazendo compras, por mais simples que sejam, demoooooooora. Então convidei o sujeito para tomar um cafezinho no botequim ao lado.

Antes do meu pedido, reparei na simpatia do sorriso de um sujeito que parecia ser o dono do boteco. Pedi um café, que foi gentilmente servido com tudo que eu tinha direito — dois tipos de adoçante, guardanapo, xícara quente, açúcar e um gostoso biscoitinho. Enquanto a conversa continuava, eu notava que o dono, com um pano na mão e o mesmo sorriso nos lábios, não saía dali, esfregando a parte do balcão onde estávamos, apesar de estar tudo limpo.

Na hora de pagar a conta, perguntei:

— Amigo, quanto devo?

E ele me surpreendeu:

Com Selvagem Big Abreu, Paulo Ricardo, Paula Toller e Léo Jaime, no Copacabana Palace: “Era um espetáculo inspirado no *A Black and White Night*, do Roy Orbinson, no qual ele recebia músicos como Bruce Springsteen e Tom Waits.”

— O quê? De jeito nenhum! O que diriam todos lá em casa, que são seus fãs, se soubessem que cobrei de você? Fique sabendo que jamais, num estabelecimento meu, você vai pagar alguma conta. Afinal, não é todo dia que recebo no meu humilde botequim um artista como Wilson Simonal.

MEU VIZINHO, AGNALDO TIMÓTEO

Sou fã do meu "sósia" Agnaldo Timóteo desde que o ouvi cantar *The House of the Rising Sun* no programa *Rio Hit Parade*, na extinta TV Rio, no início dos anos 60. A vida nos aproximou e hoje moramos bem perto um do outro. Muitas vezes, estou no escritório da minha casa, a um quarteirão de distância dele, e ouço sua voz de trovão sacaneando alguém, brincando com os vizinhos ou reclamando da prefeitura pela poda mal feita das árvores.

Em 2002, ele teve a feliz ideia de gravar um CD independente — do qual fazia parte a música *Nossa Senhora*, da safra Roberto & Erasmo — que vendia pessoalmente nas ruas. A estrutura era simples e consistia apenas em um furgão branco munido de potentes alto-falantes. Ele surgia nos pontos mais movimentados da cidade tocando a todo volume: "Nossa Senhora/ Me dê a mão/ Cuida do meu coração", conclamando o povo a comprar seu disco por apenas dez reais, conhecê-lo pessoalmente e, ainda por cima, ganhar um autógrafo.

Nossa rua apresentava vários problemas e, para resolvê-los, alguns moradores optaram pela criação de um condomínio informal para nos organizarmos. Alguém me pediu para avisar Timóteo da nossa primeira reunião. Liguei para seu celular, ele atendeu e eu falei:

— E aí, Timóteo? Aqui é o Erasmo.

Do outro lado da linha, o burburinho era intenso e quase caí da cadeira quando ouvi:

— Gente! Olha quem está telefonando para parabenizar minha iniciativa. O Erasmo Carlos, gente.

Imediatamente uma multidão gritou "êêêêêê". Ele prosseguiu:

— Estou em Nova Iguaçu vendendo os meus discos, Erasmo. Dê um alô para o povo daqui.

Pego no contrapé, mandei:

— Alô, povo de Nova Iguaçu, beijos para todos. Não deixem de comprar o disco do meu amigo.

Ele começou a discursar reafirmando a ousadia do seu empreendimento inédito, elogiando minha parceria com o Roberto, agradecendo o apoio do povo e fazendo dueto com ele mesmo pelo som do alto-falante: "Nossa senhora/ Me dê a mão/ Cuida do meu coração."

Eu prestava atenção em suas palavras, pronto para interagir caso fosse necessário. Não foi. Ele, após o blablablá, puxou o coro de "Erasmo, Erasmo, Erasmo" e finalizou:

— Você está ouvindo, Erasmo? Como o povo de Nova Iguaçu te ama! Obrigado pelo telefonema, seu humilde amigo segue na luta. Fique com Deus.

E desligou. Ainda atônito, pensei: "Eu nem falei da reunião."

Pude presenciar outra do Timóteo quando fui ao programa do Jô Soares, ainda no SBT, e encontrei o amigo Léo Jaime, popstar da geração dos anos 80. Eu era seu fã e já havia lhe presenteado com um dos meus famosos anéis usados nos tempos da Jovem Guarda. Léo morreu de rir quando eu lhe disse, em tom sério:

— Este anel é de doutor em iê-iê-iê e me foi dado por um sacerdote moribundo da civilização asteca antes de morrer. Ele é mágico e atrai a mulherada!

Naquele dia seriam gravados três programas do Jô. Ficamos conversando e zoando nos bastidores, misturados com os outros convidados e com o público que iria assistir. Ao ser informado pela produção que a hora da minha entrada ainda iria demorar, fui tomar um uisquinho fora do estúdio. O papo com a equipe técnica da casa foi ficando bom, o tempo foi passando...

De repente, a maior confusão. Gente correndo para todos os lados e dando ordens — "apaga a luz", "cuidado com os cabos", "para o tape", "segura o público". Sem desconfiar do que estava acontecendo, olhei e vi Agnaldo Timóteo, visivelmente enfurecido, ser contido por algumas pessoas da plateia. E Léo Jaime passou por mim a toda, conduzido pelos seguranças da televisão rumo a um corredor com acesso estratégico aos fundos da emissora.

Só na volta fiquei sabendo o que acontecera. Agnaldo fora ao SBT participar de um outro programa e, ao saber que o Jô estava gravando, foi dar um abraço no amigo. Chegando ao estúdio, por uma dessas coincidências do destino, Léo Jaime era o entrevistado e explicava para o apresentador:

— Quando fiz a versão de *Telma, Eu Não Sou Gay*, antes de dar para o Ney Matogrosso gravar, pensei em consultar o Agnaldo Timóteo.

Imediatamente, Timóteo virou o Incrível Hulk e partiu para o palco, interrompendo a entrevista e berrando para o mundo ouvir:

— E por que o menino não me consultou, hein!? Não teve coragem!?

Léo saiu correndo, sem responder. Pensando bem, não deixou de ser uma resposta.

SABEDORIA DE SABIÁ

A gaita que canta. Assim apelidei meu grande amigo Rildo Alexandre Barreto da Hora, o popular Rildo Hora. Compositor inspirado, gaitista, violonista, arranjador, produtor e, às vezes, até cantor, ele tem sido o anjo da guarda de vários astros da MPB através das décadas. Para mim, é um companheiro de andanças desde os tempos em que o mercado da música fervia no Centro do Rio. As principais rádios, gravadoras, editoras e sociedades autorais dos anos 60 se harmonizavam entre a praça Mauá e a Cinelândia e nós, operários da canção, gastávamos sola de sapato correndo atrás das oportunidades, contratos, shows e gravações.

O rock começava a criar uma linguagem brasileira na época e eu estava nessa. Raul Sampaio e Benil Santos, que além de compositores eram também diretores da RGE Discos, minha gravadora na época, haviam composto em 1965 *A Carta*. Eles acreditavam que a música podia se tornar um hit na minha voz. Aprendi a canção e, no dia marcado para a gravação, lá estava Rildo Hora pronto para imortalizar com sua gaita um solo maravilhoso, que o Brasil inteiro assoviaria tempos depois, quando o disco ocupou o primeiro lugar das paradas.

Nos conhecemos naquele dia. Desde então, anos se passaram e continuamos acompanhando a vida do outro pelos jornais. Eventualmente, conversamos em programas de TV e shows especiais. Ou batemos um papo por telefone, como naquela ocasião em 2003:

— Seu Erasmo! Seu Rildo Hora no telefone! — gritou meu caseiro Vagner.

Atendi e ouvi aquela voz de locutor de rádio:

— Erasmo, é o seu amigo Rildo Hora. Fiz uma música e gostaria que você escrevesse uma letra caprichada para mim.

— Só se for agora — respondi. — É uma honra letrar uma composição sua. Pode mandar que não vou fazer feio.

Alguns dias se passaram e recebi uma fita cassete com a música. Fui logo ouvir: "Para o meu chapinha Erasmo Carlos", começava Rildo, com ímpeto juvenil, para, em seguida, me mostrar sua canção ao violão, me orientando sobre o roteiro, introdução e dando sugestões de letra. A segunda parte seria majestosa, depois voltaria ao clima de ternura da primeira. Os acordes me fizeram imaginar uma grande orquestra e o tom era perfeito para mim. Rildo ainda brincaria comigo, introduzindo em seu canto o improviso:

— Tremendão, vai nessa aí. Toma conta, meu irmão.

No final da fita, após repetir várias vezes a música para que eu assimilasse bem a melodia, Rildo disse:

— É isso aí, Tremendão. Tomara que você goste. Estou no meu sítio. Aproveite para ouvir o canto do sabiá que crio solto aqui no meu quintal.

E aumentou o som para que eu ouvisse o canto do pássaro:

— Fiuí, fiuí, fí, fiuí, fiuí, fí, fiuí, fiuí, fiuí...

Já que Rildo não havia me solicitado urgência, arquivei a fita junto a outras dos meus amigos compositores: Roberto Carlos, Marisa Monte, Marcos Valle, Marcelo Camelo, Celso Fonseca e João Donato. Uma fila que anda conforme a necessidade de cada um.

Vários meses se passaram até que, num fim de tarde em que eu trabalhava no escritório da minha casa, um passarinho entrou pela janela. Numa olhada, vi que era um filhote de sabiá-laranjeira, aquele marrom que tem o peito amarelo alaranjado. Eles vivem no meu jardim com sanhaços, biquinhos-de-lacre, pardais, rolinhas, bem-te-vis, beija-flores e outros.

Tentei facilitar sua saída pedindo que Vagner abrisse todas as janelas, mas não adiantou. Meu escritório tem o pé-direito alto e ele pousou num lugar de difícil acesso. Ele voava apavorado, de um lado para outro, sempre no alto. Dava para ver seus olhos suplicantes e seu corpo tremendo de medo, sem a mínima ideia de como sair dali. Num certo momento, ele entrou por uma fresta entre o teto e o telhado e sumiu no forro da casa. Imediatamente me lembrei dos gambás que volta e meia pintam por lá e logo imaginei um covarde confronto em que prevaleceria a força do marsupial. Alguns pios, penas e sangue anunciariam o inevitável "sabiacídio".

A noite estava chegando e eu teria que fechar as janelas por causa dos mosquitos. O coitado ficaria preso até Deus sabe quando. Foi aí que me lembrei da fita do Rildo Hora. Corri no meu arquivo, introduzi o cassete no meu Tascam e aumentei o volume das poderosas caixas Yamaha:

— FIUÍ, FIUÍ, FÍ, FIUÍ, FIUÍ, FÍ, FIUÍ, FIUÍ, FIUÍ...

Os decibéis altíssimos ecoaram pela casa, transformando o singelo canto da ave numa performance digna de um sabiá Pavarotti. Eu e Vaguinho ficamos quietos, de olhos atentos, focados na bendita fresta do teto. De repente, todo serelepe, o sacana saiu do buraco, cutucou as asas com o bico, deu uma cagada em cima dos meus discos e, nos olhando com a petulância de quem ganhou dez medalhas de ouro na Olimpíada, alçou um voo estiloso do seu pódio imaginário, saindo pela janela e sumindo na escuridão da noite. Olhei para o Vagner e disse:

— O que será que o sabiá do Rildo Hora falou para ele?

Um pássaro voando, motivado pela liberdade e pela música, desfilando beleza e fazendo cagadas no caminho — sei não, mas me identifiquei com o bicho.

Em sentido horário, Erasmo com Milton Nascimento, nos anos 80, Rita Lee, em 1975, Gilberto Gil, também nos anos 80, Roberto Dinamite, em 1985, e Chacrinha, na década de 70

LENNON
FEVER

Volta ao redor do (meu) mundo

Ri muito nesses anos todos. Chorei muito também. E a cada lágrima ou sorriso, a cada vaia ou aplauso, a cada fracasso ou sucesso, a cada ataque inimigo ou afago amigo, aprendi que o mundo gira, num eterno movimento. É a grande lição que estudamos desde que nascemos, em todos os pequenos e grandes momentos de nossa existência. Mas aprender com um professor como Tim Maia é sempre melhor — ou, no mínimo, mais divertido.

Era 1989. Morávamos perto um do outro, mas quase não nos víamos. Vivíamos nos cobrando:

— Ô Erasmo Carlos, nossos filhos nem se conhecem, porra!

Eu rebatia:

— Ué, estamos aqui. Venham a qualquer hora.

Ele completava:

— Quando vocês quiserem, é só chegar.

Um dia, fui a pé mesmo para o Barra Palace, onde o Tim morava. Bebemos tanto que acabou o uísque. Ele ligou para a churrascaria Carreta e pediu um litro de Jack Daniel's, que o maître Márcio fez questão de levar pessoalmente:

— Não podia perder a oportunidade de ver os senhores juntos — argumentou.

Nesse dia, Tim cismou com uma teoria antiga de sua autoria. Segundo ele, era permitido a qualquer um percorrer grandes distâncias sem sair do lugar.

— É só ficar pulando que a Terra vai passando — explicou, com ar de Einstein.

— Como assim? — perguntei.

— A cada pulo que você dá, a Terra anda um pouquinho. É o movimento de rotação dela. Se você der uma porrada de pulos, vai percorrer uma distância mínima — respondeu ele.

Argumentei que ele estava senil e, pela sua tese fajuta, uma pessoa levaria uma vida inteira para andar 10 centímetros! Sim, não, quem sabe, talvez, como, e não chegamos a nenhum acordo. Fomos para a praia e ficamos até o dia amanhecer testando a teoria. Quem passava por ali via dois idiotas pulando feito crianças sem sair do lugar e bebendo uísque pelo gargalo. Não conseguimos provar nada. Apenas que seria bom, muito bom, se às vezes o mundo parasse.

Ofereço este livro à minha mãezinha
Maria Diva Esteves
(1920-2005)

FICARAM AS CANÇÕES

1. MEU VASCO CAMPEÃO **(ERASMO CARLOS)** Que bonito é/ O início da constelação/ De estrelas amarelas/ Na bandeira do Vascão// Sai da frente/ Que o nosso Vasco vai passar/ Grande como é sua torcida/ Unida pra fazer seu time campeão/ Mas que emoção// Nas águas da vitória eu vou nadar, viu/ E no Maracanã vou festejar/ Cruz de Malta no peito do almirante/ E a fé em Deus que é nosso eterno comandante// Obrigado/ A bola vai rolar, o bicho vai pegar/ E a rede balançar// Encantado/ Por essa multidão de preto e branco/ Da galera do Vascão, de agora em diante

2. HADDOCK LOBO ESQUINA COM MATOSO **(TIM MAIA)** Haddock Lobo esquina com Matoso/ Foi lá que toda confusão começou/ Erasmo, cara esperto, juntou com Roberto/ Fizeram coisas bacanas/ Tudo lá na esquina// Arlênio pega a pelota e passa pro China/ Trindade pisa na bola, mas é bom menino/ A turma estava formada, com lindas meninas/ E o Jorge, meu camarada, era o Babulina/ As festas maravilhosas que todos curtiam/ O som, o papo maneiro e a noite inteira

3. TURMA DA TIJUCA **(ROBERTO E ERASMO CARLOS)** Eu era aluno do Instituto Lafayette/ Naquele tempo eu já pintava o sete/ Trocava as letras dos anúncios do cinema/ Transformando um belo filme/ Num sonoro palavrão// Que turma mais maluca, aquela turma da Tijuca// Naquele tempo já existia punk/ E Tim Maia nem cantava funk/ Grandes sarros no silêncio das escadas/ Quebra-quebra nos estribos do bonde 66// Que turma mais maluca, aquela turma da Tijuca// Nessa eterna sensação de gol/ Muitas brigas e o nascer do rock and roll/ Muita gente em claro na fila da carne/ Esperando o sol raiar/ Só pra vender o seu lugar// Que turma mais maluca, aquela turma da Tijuca// Todos eram namorados da Lilica/ Que do bairro era a moça mais bonita/ Da cachaça todo mundo era freguês/ Nas noturnas serenatas que acabavam no xadrez

4. EU QUERO TWIST **(CARLOS IMPERIAL E ERASMO CARLOS)** Eu danço muito drag/ Eu danço rag mop/ Eu danço muito stroll/ Danço rock and roll, mas quero twist/ Hey, hey, hey, eu quero twist/ Twist está na moda/ Eu quero twist// Pegue os seus chicletes/ Cole os pés no chão/ Solte uma barata/ Dentro do blusão/ Twist está na moda/ Eu quero twist

5. PAREI NA CONTRAMÃO **(ROBERTO E ERASMO CARLOS)** Vinha voando no meu carro quando vi pela frente/ Na beira da calçada um broto displicente/ Joguei o pisca-pisca para a esquerda e entrei/ A velocidade que eu vinha não sei/ Pisei no freio obedecendo ao coração e parei.../ Parei na contramão// O broto displicente nem sequer me olhou/ Insisti na buzina, mas não funcionou/ Segue o broto seu caminho sem me ligar/ Pensei por um momento que ela fosse parar/ Arranquei à toda e sem querer avancei o sinal.../ O guarda apitou// O guarda muito vivo de longe me acenava/ E pela cara dele eu vi que não gostava/ Falei que foi cupido quem me atrapalhou/ Mas minha carteira pro xadrez levou// Oh, acho que esse guarda nunca se apaixonou/ Pois minha carteira o malvado levou/ Quando me livrei do guarda o broto não vi/ Mas sei que algum dia ela vai voltar/ E a buzina desta vez eu sei que vai funcionar

6. OS SETE CABELUDOS **(ROBERTO E ERASMO CARLOS)** Tudo começou quando Lili foi à esquina/ E a turma de outra rua se empolgou com a menina/ Lili, meio sem jeito, sorriu alegremente/ Mas viu que os olhares eram bem diferentes// Um cara esquisito seu braço segurou/ E um beijo da Lili o atrevido roubou/ Vinha o meu carro em doida disparada/ Com sete cabeludos pra topar qualquer parada// Foi quando, de repente, a cena eu avistei/ E o freio do carango bruscamente eu pisei/ Sem mesmo abrir as portas e sem botar as mãos/ Pulamos todos os sete para entrar em ação// Brigamos muito tempo, rasgamos nossa roupa/ Fugimos da polícia que já vinha feito louca/ Porém, maldita a hora que eu fui olhar pra trás/ A cena que eu vi não esqueço nunca mais// Lili toda contente na esquina conversava/ Com o cara esquisito que há pouco lhe beijava/ Estava indiferente àquela confusão/ Lili era bonita, mas não tinha coração// Então juramos todos os sete/ Palavra de rapaz/ Que por garota alguma/ Não brigamos nunca mais/ Que por garota alguma/ Não brigamos nunca mais

7. EU SOU TERRÍVEL **(ROBERTO E ERASMO CARLOS)** Eu sou terrível e é bom parar/ De desse jeito me provocar/ Você não sabe de onde eu venho/ O que eu sou, nem o que tenho// Eu sou terrível vou lhe dizer/ E ponho mesmo para derreter/ Estou com a razão no que digo/ Não tenho medo nem do perigo/ Minha caranga é máquina quente// Eu sou terrível e é bom parar/ Porque agora vou decolar/ Não é preciso nem avião/ Eu voo mesmo aqui do chão// Eu sou terrível vou lhe contar/ Não vai ser mole me acompanhar/ Garota que andar do meu lado/ Vai ver que eu ando mesmo apressado/ Minha caranga é máquina quente// Eu sou terrível, eu sou terrível

8. O TEMPO E O VENTO **(ROBERTO E ERASMO CARLOS)** Mas o vento sopra e o tempo passa/ E os risos aos poucos perderam a graça/ O amor que existia sem querer vivia/ Seu pior momento...// Veio então a fúria de todos os ventos/ Agitando as águas daqueles momentos/ E nas tempestades só restou do amor/ Um mar de saudade// Mas quem sabe um dia com o passar do tempo/ Nas voltas do mundo, na calma do vento/ Esse amor quem dera voltar como as flores/ Noutra primavera// Nosso amor no tempo ficou/ Nosso amor, o vento levou

9. ALÉM DO HORIZONTE **(ROBERTO E ERASMO CARLOS)** Além do horizonte deve ter/ Algum lugar bonito pra viver em paz/ Onde eu possa encontrar a natureza/ Alegria e felicidade com certeza// Lá nesse lugar o amanhecer é lindo/ Com flores festejando mais um dia que vem vindo/ Onde a gente possa se deitar no campo/ Fazer amor na relva escutando o canto dos pássaros// Aproveitar a tarde sem pensar na vida/ Andar despreocupado sem saber a hora de voltar/ Bronzear o corpo todo sem censura/ Gozar a liberdade de uma vida sem frescura// Se você não vem comigo/ Tudo isso vai ficar/ No horizonte esperando por nós dois// Se você não vem comigo/ Nada disso tem valor/ De que vale o paraíso sem amor// Além do horizonte existe um lugar/ Bonito e tranquilo pra gente se amar...

10. CACHAÇA MECÂNICA **(ROBERTO E ERASMO CARLOS)** João bebeu toda cachaça da cidade/ Bateu com força em todo bumbo que ele via// Gastou seu bolso mas dançou desesperado/ Comeu confete, serpentina e a fantasia// Tomou um tombo bem no meio da avenida/ Desconfiado que outro gole não bebia// Dormiu no tombo e foi pisado pela escola/ Morreu de samba, de cachaça e de folia// Tanto ele investiu na brincadeira/ Pra tudo tudo se acabar na terça-feira...

11. O CARANGO **(CARLOS IMPERIAL E NONATO BUZAR)** Copacabana carro vai zarpar/ Todo lubrificado pra não enguiçar/ Roda tala larga, genial/ Botando minha banca muito natural/ um, dois, três// Camisa verde-clara, calça Saint-Tropez/ Combinando com o carango todo mundo vê/ Ninguém sabe o duro que dei/ Pra ter fon-fon trabalhei, trabalhei// Depois das seis tem que acender farol/ Garota de menor não pode ser sem sol/ Barra da Tijuca já michou/ A onda boa agora é ir pro Le Bateau/ um, dois, três// Garota saia curta essa moda é bem/ E todo mundo no carango não sobrou ninguém/ Ninguém sabe o duro que dei / Pra ter fon-fon trabalhei, trabalhei// Mas em São Paulo o frio é de lascar/ Eu pego uma boneca e vou pro Guarujá/ Paro o carro frente pro mar/ Barra limpa, bonequinha, chega mais prá cá/ um, dois, três// Capota levantada pra ninguém nos ver/ Um abraço e um beijinho, isso é que é viver/ Ninguém sabe o duro que dei/ Pra ter fon-fon trabalhei, trabalhei

12. MENINA GATA AUGUSTA **(ERASMO CARLOS E JORGE BEN JOR)** Menina gata Augusta/ Menina Augusta gata/ Menina gata Augusta/ Menina Augusta gata// Menina, menininha/ O que ela vai comprar eu não sei/ Mas se ela quisesse comprar o meu amor/ Eu lhe daria de graça/ Sobe e desce e sobe e desce até cansar/ Depois vai pro Yara lanchar/ Contando os babados/ E tomando o seu chá/ Como eu queria ser o gato do lugar/ Mas eu, um pobre gatinho/ Nunca tem vez// Pois fico esperando outro dia chegar/ Quem sabe a gatinha pra mim vai olhar/ Pois fico esperando outro dia chegar/ Quem sabe a gatinha para mim vai olhar// E o pulo do gato eu vou lhe ensinar/ E o pulo do gato eu vou lhe ensinar

13. BURRO COR-DE-ROSA **(SERGUEI)** Sobre calças apertadas eu vestia um sobretudo/ Sobre tudo uma casaca devagar me estrangulava/ Na cidade grande o óleo do motor/ Or, or, or.../ Dentro da caneca branca é uma alga luminosa/ Explodindo em nebulosa, sai das portas de veludo/ Me mostrando tudo que mudou pra.../ Minha vida é um terremoto, as certezas caem no chão/ Monto na motocicleta, na garupa o mundo, minha mãe na mão/ Longe do capim de asfalto no meu burro cor-de-rosa/ Canto uma canção dengosa, grito muito, falo alto/ Subo num caixote, digo palavrão/ Ahhhhhhhrrrrrrr!!!!

14. PODE VIR QUENTE QUE EU ESTOU FERVENDO **(CARLOS IMPERIAL E EDUARDO ARAÚJO)** Se você quer brigar/ E acha que com isso/ Estou sofrendo/ Se enganou meu bem/ Pode vir quente/ Que eu estou fervendo// Pode tirar/ Seu time de campo/ Pois o meu coração/ É do tamanho de um trem/ Iguais a você/ Eu já amarrei mais de cem/ Pode vir quente/ Que eu estou fervendo// Se você quer brigar/ E acha que com isso/ Estou sofrendo/ Se enganou, meu bem/ Pode vir quente/ Que eu estou fervendo

15. QUEREMOS SABER **(GILBERTO GIL)** Queremos saber/ O que vão fazer/ Com as novas invenções/ Queremos notícia mais séria/ Sobre a descoberta da antimatéria/ E suas implicações/ Na emancipação do homem/ Das grandes populações/ Homens pobres das cidades/ Das estepes, dos sertões// Queremos saber/ Quando vamos ter/ Raio laser mais barato/ Queremos de fato um relato/ Retrato mais sério/ Do mistério da luz/ Luz do disco voador/ Pra iluminação do homem/ Tão carente e sofredor/ Tão perdido na distância/ Da morada do Senhor// Queremos saber/ Queremos viver/ Confiantes no futuro/ Por isso se faz necessário/ Prever qual o itinerário da ilusão/ A ilusão do poder/ Pois se foi permitido ao homem/ Tantas coisas conhecer/ É melhor que todos saibam/ O que pode acontecer// Queremos saber/ Queremos saber/ Todos queremos saber

16. COQUEIRO VERDE (ROBERTO E ERASMO CARLOS) Em frente ao coqueiro verde/ Esperei uma eternidade/ Já fumei um cigarro e meio/ E Narinha não veio// Como diz Leila Diniz/ Homem tem que ser durão/ Se ela não chegar agora/ Não precisa chegar// Pois eu vou me embora/ Vou ler meu Pasquim/ Se ela chega e não me vê/ Sai correndo atrás de mim// / Agora eu já vou/ Quem quiser me encontrar/ Depois de meia-noite/ Eu tô no Bateau

17. PARATODOS (CHICO BUARQUE) O meu pai era paulista/ Meu avô, pernambucano/ O meu bisavô, mineiro/ Meu tataravô, baiano/ Meu maestro soberano/ Foi Antônio Brasileiro// Foi Antônio Brasileiro/ Quem soprou esta toada/ Que cobriu de redondilhas/ Pra seguir minha jornada/ E com a vista enevoada/ Ver o inferno e maravilhas// Nessas tortuosas trilhas/ A viola me redime/ Creia, ilustre cavalheiro/ Contra fel, moléstia, crime/ Use Dorival Caymmi/ Vá de Jackson do Pandeiro// Vi cidades, vi dinheiro/ Bandoleiros, vi hospícios/ Moças feito passarinho/ Avoando de edifícios/ Fume Ari, cheire Vinicius/ Beba Nelson Cavaquinho// Para um coração mesquinho/ Contra a solidão agreste/ Luiz Gonzaga é tiro certo/ Pixinguinha é inconteste/ Tome Noel, Cartola, Orestes/ Caetano e João Gilberto// Viva Erasmo, Ben, Roberto/ Gil e Hermeto, palmas para/ Todos os instrumentistas/ Salve Edu, Bituca, Nara/ Gal, Bethânia, Rita, Clara/ Evoé, jovens à vista// O meu pai era paulista/ Meu avô, pernambucano/ O meu bisavô, mineiro/ Meu tataravô, baiano/ Vou na estrada há muitos anos/ Sou um artista brasileiro

18. A EXPERIÊNCIA (ROBERTO E ERASMO CARLOS) Expulse todas as informações da sua mente/ Vamos jogar fora nossas alianças e roupas/ Pois devemos estar/ Exatamente como viemos ao mundo/ Também nossos complexos, nossos ódios e traumas/ Vamos ser felizes, tocando nossas mãos/ Diante deste céu/ Que nos ilumina/ Pense no gesto maior/ De sermos dois num só/ Saia dos seus olhos por um segundo apenas/ Vamos, num esforço, tentar fundir nossas cabeças/ Abençoadas/ Como queremos que seja/ Deixe que a sua energia, misture com a minha/ Creia que somos os primeiros seres do planeta/ Purificados/ Deus salve seu novo filho/ Que vamos conceber

19. TIM (ERASMO CARLOS) Tim/ Por que você foi embora?/ Um pouco fora de hora/ Nem ao menos se despediu// Tim/ Não faça isso comigo/ O mundo tá em perigo/ Nostradamus não mentiu// Tim/ É bomba atrás de bomba/ Parece guerra de arromba/ Não sei onde vai chegar// Tim/ Conforme você dizia/ E eu sei que você queria/ A festa não vai parar// Tim/ A turma aqui vai levando/ O povo sempre cantando/ Seu azul da cor do mar// Tim/ Parece até brincadeira/ Imagine a bebedeira/ Que nós dois vamos tomar// Quem sabe sai até um novo hit/ Quando a gente se encontrar

20. MEU BEM QUEBROU... (ERASMO CARLOS) O pé/ O mesmo pé que adoçou minha boca/ Nas noites de amor que beijei seus dedos/ Esbelto, esguio, delicado como porcelana/ Ao prazer me chama/ Quando eu o vejo dou corda ao desejo/ Pé-objeto, pé predileto/ Pé que carrega o corpo da amada/ Partiu-se de férias em dois lugares/ E eu um amante, triste e distante/ Só me resta gozar com minhas memórias/ Lembrando as histórias do pé que eu vivi/ E do calcanhar mais lindo que eu vi/ Mordidas na sola/ Ainda vou dar/ Pé que eu amo, contorno tão belo/ Vai muito em breve em mim caminhar/ E as unhas bonitas olhando pra mim/ Dirão certamente:/ O amor é assim// Graças a Deus que seu pé faz parte de você... te amo... te amo

21. VOU RECOMEÇAR (ROBERTO E ERASMO CARLOS) Não sei por que razão eu sofro tanto em minha vida/ A minha alegria é uma coisa tão fingida/ A felicidade já é coisa esquecida/ Mas agora vou recomeçar// Não vou ser mais triste / Vou mudar daqui pra frente/ E a minha escrita vai ser muito diferente/ A filosofia vou mudar em minha mente/ Pois agora vou recomeçar// Quero amor e quero amar/ Quero a vida aproveitar/ Talvez até arranje alguém/ Alguém que eu possa acreditar/ Pois agora vou recomeçar/ E daqui pra frente eu vou mudar

22. MEU NOME É GAL (ROBERTO E ERASMO CARLOS) Meu nome é Gal/ E desejo me corresponder/ Com um rapaz que seja o tal/ Meu nome é Gal/ E não faz mal/ Que ele não seja branco, não tenha cultura/ De qualquer altura/ Eu amo igual/ Meu nome é Gal/ E tanto faz que ele tenha defeito/ Ou traga no peito/ Crença ou tradição/ Meu nome é Gal/ Eu amo igual/ Ah, meu nome é Gal// Meu nome é Gal, tenho 24 anos/ Nasci na Barra Avenida, Bahia/ Todo dia eu sonho alguém pra mim/ Acredito em Deus, gosto de baile, cinema/ Admiro Caetano, Gil, Roberto, Erasmo/ Macalé, Paulinho da Viola, Lanny,/ Rogério Sganzerla, Jorge Ben, Rogério Duprat/ Waly, Dircinho, Nando/ E o pessoal da pesada/ E se um dia eu tiver alguém com bastante amor pra me dar/ Não precisa sobrenome/ Pois é o amor que faz o homem

23. MUSA DE QUALQUER ESTAÇÃO (ROBERTO E ERASMO CARLOS) Me visa, me bisa, me planta na imaginação/ Me queira, me cheira, me usa como definição/ Me dá minha bola, que eu mato no peito/ Entro na área e faço um gol de efeito/ Me ama, me chama, de porta-estandarte/ Que eu sou uma obra de arte// Me leia, me creia, faça fé no meu violão/ Me cota, me vota, me cai no gosto da multidão/ Por que me eleger só no verão?/ Se eu sou musa de qualquer estação/ Sou sol e a chuva, a fruta e a flor/ Eu sou um ano inteiro de amor// Sou a beleza da vida, sou o que der e vier/ A natureza da nova mulher/ Sou o milagre que existe, o coquetel da paixão/ Bonitos acordes dessa canção

CRÉDITOS DAS FOTOS

ABERTURA Carlo Iadeluca/ PÁGINAS 18/19 **Acervo Jornal Estado de Minas/O Cruzeiro/** PÁGINA 20 **Acervo pessoal Erasmo Carlos/** PÁGINAS 24/25 **Acervo pessoal Erasmo Carlos/** PÁGINA 31 **Acervo pessoal Erasmo Carlos/** PÁGINA 40 **Acervo pessoal Erasmo Carlos/** PÁGINAS 48/49 **Acervo pessoal Erasmo Carlos/** PÁGINA 58 **Acervo pessoal Erasmo Carlos/** PÁGINA 62 **Acervo pessoal Erasmo Carlos/** PÁGINA 69 **J. Ferreira da Silva/Editora Abril/** PÁGINAS 80/81 **Acervo Jornal Estado de Minas/O Cruzeiro/** PÁGINA 98/99 **Paulo Salomao/Editora Abril/** PÁGINAS 106/107 **Paulo Salomao/Editora Abril/** PÁGINAS 112/113 **Thereza Eugenia/** PÁGINA 128 **Paulo Salomao/Editora Abril/** PÁGINAS 148/149 **José Antonio/Editora Abril/** PÁGINA 150 **Arquivo Editora Globo/** PÁGINA 157 **Paulo Salomao/Editora Abril/** PÁGINAS 160/161 **Acervo Estrela/** PÁGINA 180 **Arquivo Editora Globo/** PÁGINAS 190/191 **Paulo Salomao/Editora Abril/** PÁGINAS 200/201 **Massa Falida de Bloch Editores S/A/** PÁGINA 220 **Arquivo Editora Globo/** PÁGINAS 244/245 **Paulo Ricardo/** PÁGINAS 260/261 **Thereza Eugenia/** PÁGINAS 266/267 **Cristina Granato/** PÁGINA 276 **Arquivo Editora Globo/** PÁGINAS 278/279 **Acervo pessoal Erasmo Carlos/** PÁGINAS 284/285 **Cristina Granato/** PÁGINA 292/293 **Acervo pessoal Erasmo Carlos/** PÁGINAS 316/317 **Ricardo Leoni/Agência O Globo/** PÁGINAS 332/333 **Cristina Granato// FECHAMENTO Paulo Salomao/Editora Abril// PAINEL** ERASMO E RITA LEE **França/CPDoc JB/** ERASMO E CHACRINHA **Arquivo Editora Globo/** ERASMO E MILTON NASCIMENTO **Cristina Granato/** ERASMO E ROBERTO DINAMITE **Paulo Ricardo/** ERASMO E GILBERTO GIL **Jorge Rosenberg/Editora Abril**

Todos os direitos desta edição reservados à

EDITORA OBJETIVA LTDA.

Rua Cosme Velho, 103

Rio de Janeiro — RJ — Cep: 22241-090

Tel.: (21) 2199-7824 — Fax: (21) 2199-7825

www.objetiva.com.br

Mais do livro no site: www.objetiva.com.br/minhafamademau

Texto final **LEONARDO LICHOTE**

Capa e projeto gráfico **LUIZ STEIN DESIGN (LSD)**

Fotos **ORLANDO ABRUNHOSA** (Capa) / **BRUNO VEIGA** (Contracapa)

Edição **ISA PESSÔA / BRUNO PORTO**

Pesquisa de imagem **DENILSON MONTEIRO**

Produção gráfica **MARCELO XAVIER**

Produção editorial **MARYANNE LINZ**

Revisão **BRUNO FIUZA / HÉLLEN DUTRA / ANA KRONEMBERGER**

Editoração eletrônica **ABREU'S SYSTEM LTDA.**

CIP-BRASIL. CATALOGAÇÃO-NA-FONTE
SINDICATO NACIONAL DOS EDITORES DE LIVROS, RJ

C28m Carlos, Erasmo
Minha fama de mau / Erasmo Carlos. - Rio de Janeiro: Objetiva, 2009.
ISBN 978-85-390-0000-5
1. Carlos, Erasmo. 2. Músicos - Brasil - Biografia. 3. Compositores - Brasil - Biografia. I. Título.

09-3881. CDD: 927.8042
CDU: 929:78.067.26

MEU PAPEL NO MUNDO

é fazer canções cantando o amor que trago do berço, dádiva que justifica o riso e a lágrima da minha emoção. Pessoas do bem formam a banda solidária que toca comigo e meu olhar fantasioso sobre nós, exulta minha gratidão como ser humano atento... já que sou um privilegiado coadjuvante!

AGRADECIMENTOS

Marcelo Fróes, Romílson Luiz, Carminha, Gil Eduardo, Gugu, Léo, Roberto Carlos, Luiz Carlos Ismail, Wanderléa, José Carlos Romeu, Alcides, Ivone Kassú, Peixinho, Doutora Cláudia, Marinho, Cláudia Colossi, Fabiani, Amin, PC, Roberto Arruda, Denilson, Rodrigo Faour, Marco Antonio Imperial, Milton Nascimento, Lichote, Isa, Bruno, Peixinho, equipe Jô Soares, Ricardo Puglialli, Nelson Motta e Ricardo Cravo Albin.

Meu agradecimento especial ao meu filho Léo Esteves, que durante dois anos e meio incentivou esse projeto, jamais deixando de acreditar no meu sonho, além de “perder” incontáveis horas da sua juventude, digitando os escritos manuais do pai...

Erasmo Carlos

Este livro foi composto em Helvetica e impresso em papel off set 90g, na Lis Gráfica e Editora, em outubro de 2009.